MORALES SUR JOB

SOURCES CHRÉTIENNES

N° 538

GRÉGOIRE LE GRAND

MORALES SUR JOB

Sixième partie
(Livres XXXIII-XXXV)

TEXTE LATIN
de Marc ADRIAEN (*CCL* 143B)

TRADUCTION
PAR
LES MONIALES DE WISQUES

INTRODUCTION ET NOTES
PAR
Adalbert de VOGÜÉ

LES ÉDITIONS DU CERF, 29 BD LA TOUR-MAUBOURG, PARIS
2010

La publication de cet ouvrage a été préparée
avec le concours de l'Institut des Sources Chrétiennes
(CNRS, UMR 5189-HiSoMA)
http://www.sources-chretiennes.mom.fr
La révision en a été assurée par Isabelle Brunetière

Imprimé en France

http://www.editionsducerf.fr/
ISBN : 978-2-204-09477-1
ISSN : 0750-1978

INTRODUCTION

Dans cette seconde allocution du Seigneur à Job, « voici Béhémoth », animal impressionnant, que Dieu décrit au malheureux homme pour lui faire sentir sa puissance créatrice et lui inspirer la résignation. Après Béhémoth viendra Léviathan, autre bête énorme et puissante, dont la description commencée au milieu du livre XXXIII des *Moralia* s'achèvera au livre suivant. Et pour finir, le livre XXXV commentera l'humble réponse de Job au Seigneur, que suivront le rétablissement de sa fortune et les nouvelles bénédictions que Dieu lui accorde.

I. LE LIVRE XXXIII

Dans le monstrueux Béhémoth, ce « Bestial » où l'on reconnaît aujourd'hui l'hippopotame, Grégoire ne voit rien de moins que le diable en personne. Les monts où il habite représentent l'orgueil qui l'a fait déchoir de sa condition angélique, et l'ombre où il se plaît figure la torpeur de son âme refroidie, dépourvue de la charité que lui avait donnée le Créateur. Sans entrer dans les autres détails de son por-

trait, notons au moins que Béhémoth symbolise à la fois, selon Grégoire, les deux grands vices humains : l'orgueil et la luxure, la souillure de l'esprit et celle de la chair [1].

Quant à Léviathan, ce « Tortueux » du Livre sacré qui représente sans doute le crocodile, c'est de nouveau une figure du diable. L'hameçon avec lequel il est capturé est le corps du Christ, auquel il a mordu en le mettant à mort sans percevoir sa divinité cachée [2]. Quant à la corde du Seigneur, qui lui « lie la langue », on peut y voir la foi au Christ, grâce à laquelle Satan a la bouche fermée [3].

Identifiant Béhémoth et Léviathan, considérés comme deux figures du même Satan, Grégoire emploie alternativement l'une et l'autre appellation [4]. Comme il l'a fait plus haut, il associe de nouveau ici les deux vices majeurs : l'orgueil de l'esprit et la luxure charnelle, tous deux actionnés par le diable [5]. Le second préserve du premier, peut-on dire : si Paul souffre d'un « aiguillon dans sa chair », c'est que cette épreuve de la sensualité aide le grand spirituel à rester humble [6].

Cependant un troisième vice capital apparaît un peu plus loin, quand le *Livre de Job* compare ce monstre à un oiseau. Tandis que cette figure de l'oiseau qui vole là-haut évoque l'orgueil, le quadrupède Béhémoth représente la luxure, et le serpent Léviathan la méchanceté qui cherche à nuire [7]. Impureté, malice, orgueil : tels sont les trois aspects majeurs de cet être malfaisant, qui ne cesse de tenter les hommes [8].

1. *Mor.* 33, 9.
2. *Mor.* 33, 17. Même interprétation déjà de *hamo* à propos de Béhémoth (33, 14).
3. *Mor.* 33, 18-20.
4. *Mor.* 33, 26, lignes 137 et 154 : Béhémoth ; 147 et 167 : Léviathan.
5. *Mor.* 33, 25, lignes 102-113 ; cf. *Mor.* 33, 9 (voir n. 1).
6. *Mor.* 33, 26 et 28, citant 2 Co 12, 7.
7. *Mor.* 33, 30.
8. *Mor.* 33, 31.

Contre cet ennemi du genre humain, Dieu recourt à des servantes, c'est-à-dire aux êtres faibles que sont les prédicateurs envoyés par lui dans le monde[1]. Ce sont là les servantes de la Sagesse, qui appellent au banquet divin préparé par elle[2]. Cette prédication de la foi à travers le monde réunit toutes sortes d'hommes dans le Royaume des cieux qu'est l'unique Église[3]. Mais la grande œuvre de salut qui s'accomplit ainsi ne va pas sans des luttes acharnées contre les démons[4]. Pour finir, Léviathan sera frustré de son espérance et précipité dans le feu éternel[5].

Cette œuvre divine du salut des élus et de la réprobation des méchants fait encore l'objet de mainte réflexion, suggérée par le texte du *Livre de Job*[6]. Un des points sur lesquels Grégoire insiste est l'accord qui doit régner entre une vie d'oraison et le comportement moral de l'orant : à quoi bon « être ému jusqu'aux larmes » dans la prière et ensuite, passé le temps de l'oraison, « se gonfler d'un orgueil méprisant[7] » ? Il faut aussi prendre garde aux déguisements de Léviathan, qui se couvre souvent « d'une apparence de sainteté, là où il machine une œuvre d'iniquité[8] ».

D'autres machinations du diable et de ses prêcheurs sont dénoncées. Le « bouclier de métal fondu » auquel ressemble le corps de Léviathan, les « écailles épaisses et serrées » qui le couvrent, son éternuement qui « ressemble à des étincelles de feu », ses yeux, sa gueule, la fumée qui sort de ses narines, ses dents autour desquelles règne la terreur : tout cela représente les multiples aspects de l'action diabolique qui ne cesse de

1. *Mor*. 33, 32, commentant Jb 40, 24.
2. *Mor*. 33, 32, citant Pr 9, 1-3.
3. *Mor*. 33, 33-34 (Jb 40, 25-26).
4. *Mor*. 33, 35-36, commentant Jb 40, 27.
5. *Mor*. 33, 37 (Jb 40, 28).
6. *Mor*. 33, 38-42 (Jb 41, 1-3).
7. *Mor*. 33, 43.
8. *Mor*. 33, 44.

malmener les hommes [1]. Particulièrement longue et détaillée est la paraphrase des versets où Dieu compare le corps du monstre satanique à un « bouclier de métal fondu, couvert d'écailles épaisses et serrées [2] ». Tout cela, et le reste du corps de l'animal [3], représente les maux variés que le Malin répand sur les hommes, si ceux-ci n'ont pas recours au Dieu qui les aime et les protège.

II. LE LIVRE XXXIV

La description de Léviathan, dont Grégoire poursuit le commentaire au livre suivant, amène à parler de son orgueil, représenté par son corps gonflé, et de la pauvreté qui se répand autour de lui, soit que les élus sentent l'indigence de la vie présente, soit que les réprouvés deviennent de plus en plus pauvres de vertus [4]. L'Église elle-même souffre de cette pénurie : les dons surnaturels – prophéties, guérisons, miracles – diminuent, ainsi que les jeûnes prolongés et les autres prouesses d'ascèse : la foi chrétienne, tendue vers les biens invisibles, n'en est que plus nécessaire et méritoire [5].

Lorsque Grégoire en vient aux membres de l'animal, il pense à ces suppôts de Satan qu'étaient les Pharisiens et les Saducéens, dont la division favorisa l'essor du christianisme [6]. Quant aux éclairs lancés par Dieu contre lui, ce sont les sentences du Jugement dernier, qui frapperont l'impénitence

1. *Mor.* 33, 45-48.
2. *Mor.* 33, 49-55, commentant Jb 41, 6-8.
3. *Mor.* 33, 56-68.
4. *Mor.* 34, 1-7, commentant Jb 41, 13.
5. *Mor.* 34, 8-9, citant Ac 23, 6.
6. *Mor.* 34, 10-11.

perpétuelle des réprouvés, représentée par « son cœur dur comme pierre[1] ». Cette chute des démons corrobore la persévérance des bons anges[2].

Si l'on entend par anges les prédicateurs du Christ, comme le fait l'*Apocalypse*[3], la crainte et la terreur des anges, à la vue du châtiment de Satan, évoque la fin des temps, où cependant la certitude joyeuse du Royaume céleste se mêlera, dans le cœur des saints, à cette crainte inspirée par des phénomènes effrayants[4]. Quant aux armes, offensives et défensives, employées contre l'animal, Grégoire voit dans le glaive et la lance qui le frappent la prédication sainte, tandis que la cuirasse représente la patience inlassable avec laquelle il faut résister au diable[5]. C'est aussi à la voix des saints que fait penser la flèche à laquelle l'animal résiste[6].

Par d'autres détails, le comportement de Léviathan fait penser à la lutte du diable contre l'Église et ses défenseurs[7]. Plus ou moins cachée à présent, sa domination sur les pécheurs se manifestera ouvertement à la fin des temps[8]. Si Dieu la permet, c'est qu'elle contribue au mérite des élus[9].

D'autres comportements sataniques sont évoqués par le portrait de Léviathan. Les persécuteurs de l'Église qu'il inspire s'imaginent qu'ils plaisent à Dieu, et les miracles qu'il opère suscitent l'admiration[10]. Un de ses stratagèmes est de persuader que les supplices des pécheurs ne seront pas éternels. A cette illusion diabolique, dont sont victimes les

1. *Mor.* 34, 12-13.
2. *Mor.* 34, 14, citant Ap 1, 4, etc.
3. *Mor.* 34, 15-16.
4. *Mor.* 34, 17-19.
5. *Mor.* 34, 21.
6. *Mor.* 34, 22-27.
7. *Mor.* 34, 28, citant 2 Th 2, 6-7.
8. *Mor.* 34, 31.
9. *Mor.* 34, 30.
10. *Mor.* 34, 32-33.

origénistes, Grégoire répond en réfutant un à un les trois arguments qu'on fait valoir en sa faveur [1].

Ces propos du *Livre de Job* sur Léviathan amènent Grégoire à dénoncer longuement les ravages de l'orgueil, qui a causé la chute du diable et pervertit les hommes à leur tour. Les motifs de ce vice désastreux peuvent être matériels (or et autres possessions terrestres) ou spirituels (dons de parole et vertus), mais l'effet est le même : mépris d'autrui et révolte contre Dieu. Son opposé, l'humilité, est la mère des vertus et le fondement de tout l'édifice spirituel [2].

Ce thème de l'orgueil intéresse tellement Grégoire qu'après lui avoir consacré plusieurs pages, il achève son livre XXXIV par une nouvelle série de propos sur ce vice où, comme dans les pages précédentes, il cesse de paraphraser le texte sacré de *Job*. Commençant par une satire de l'homme orgueilleux, où l'on perçoit des échos de Cassien [3], il distingue quatre espèces d'orgueil – le charnel et le spirituel, celui des prélats et celui des sujets – puis administre à tous ces orgueilleux quatre textes scripturaires qui les stigmatisent [4], pour finir par un grand tableau contrasté de l'humilité du Christ et de l'orgueil du diable, où il ne cite pas moins de douze couples de paroles opposées qui caractérisent l'un et l'autre [5].

1. *Mor.* 34, 34-38.
2. *Mor.* 34, 48-51. Déjà les bienfaits de l'humilité sont célébrés dans *Mor.* 34, 43-44.
3. *Mor.* 34, 52. Cf. CASSIEN, *Inst.* 12, 27, 5.
4. *Mor.* 34, 53.
5. *Mor.* 34, 54-56.

III. LE LIVRE XXXV

Le dernier chapitre de l'ouvrage sacré, que Grégoire se propose de parcourir plus rapidement, rapporte d'abord la brève réponse de Job au Seigneur[1], puis les paroles sévères que Dieu adresse aux trois amis qui ont si mal parlé dans leurs discours à Job[2]. En ces amis, Grégoire voit la figure des hérétiques, qui croient plaider la cause de Dieu, mais ne font, en réalité, que le contredire. Quant aux sacrifices expiatoires que le Seigneur commande aux amis d'offrir par l'intermédiaire du saint homme, ces sept offrandes inspirent au commentateur une ample réflexion sur les nombres sept et huit, ainsi que sur leur somme (15) et sur d'autres faits arithmétiques connexes, qui éclairent certains propos de l'Écriture sainte[3].

Exaucé dans la prière qu'il fait pour ses amis[4], Job récupère le double des biens qu'il avait perdus, ce qui fait penser à l'âme bienheureuse et au corps incorruptible que le Seigneur nous rendra au dernier jour[5]. Quant au repas de fête qui réunit ses frères et sœurs autour du saint homme, Grégoire y voit une annonce de la conversion des juifs à la fin des temps[6].

Que les frères et sœurs de Job lui offrent chacun une brebis et une boucle d'oreille en or, c'est là un fait que Grégoire commente longuement. L'innocence, représentée par la brebis, l'intéresse moins que l'obéissance, signifiée par la boucle d'oreille. Tout le drame de l'histoire humaine, où la désobéissance d'Adam est réparée par l'obéissance du Christ, se profile derrière cet objet qui évoque l'audition. Avant et

1. *Mor.* 35, 2-7.
2. *Mor.* 35, 9-19.
3. *Mor.* 35, 16-18.
4. *Mor.* 35, 22 et 24.
5. *Mor.* 35, 25.
6. *Mor.* 35, 25-27.

après le Christ, un Moïse et un Paul sont de grandes figures d'obéissants.

Un dernier détail retient l'attention : chaque frère ou sœur de Job offre une seule brebis, un seul anneau d'or. Grégoire voit là un signe de l'Église une, dont sont exclus les schismes [1]. Et le repas final, qui réunit autour de Job ses frères et sœurs, fait penser à la conversion d'Israël au Christ à la fin des temps. L'Église sera alors consolée et comblée [2].

Quand le texte sacré rapporte les consolations données à Job après son épreuve, les brebis qu'il récupère représentent les âmes innocentes de l'Église, tandis que les chameaux évoquent les pénitents. De plus, les bœufs font penser aux Israélites soumis à la Loi, et les ânes aux païens, ces derniers, avec leurs vices, ressemblant aussi aux chameaux [3].

Au texte qu'il commente, Grégoire ajoute une revue générale des significations diverses que revêtent, ailleurs dans la Bible, les bœufs et les ânes, ainsi que les brebis et les chameaux [4]. Le nombre des animaux de chaque espèce fait aussi l'objet d'un regard d'ensemble des écrits bibliques [5].

Quand il en vient aux sept fils et aux trois filles donnés à Job après son épreuve, Grégoire perçoit dans les noms de ces filles une esquisse de l'histoire du salut : Dies (« Jour ») représente la créature innocente qu'était le premier homme, Casia (« Cannelle ») fait penser à la rédemption et aux bonnes œuvres, tandis que Cornustibii (« Corne d'antimoine ») évoque la résurrection de la chair, la louange éternelle et la contemplation [6]. Les filles de Job reçoivent une part d'héritage avec leurs frères, car les âmes imparfaites

1. *Mor.* 35, 27-33.
2. *Mor.* 35, 34-35.
3. *Mor.* 35, 36-38. Grégoire voit aussi dans le « chameau qui passe par le trou d'une aiguille » (Mt 19, 24) une figure du Christ et de sa passion.
4. *Mor.* 35, 39-41.
5. *Mor.* 35, 42.
6. *Mor.* 35, 43-44.

qu'elles représentent ne seront pas exclues du patrimoine céleste promis aux élus [1].

Les derniers mots du livre, qui montrent Job mourant « plein de jours », évoquent une existence bien remplie, où les quatre Évangiles ont relayé le Décalogue [2]. Pour finir, Grégoire s'interroge sur son propre travail et ses intentions. A-t-il vraiment voulu plaire au Seigneur, sans rechercher la gloire humaine ? Puissent ses lecteurs s'instruire en le lisant, s'ils en ont besoin, et prier pour lui, s'ils en sont capables, non sans verser des larmes qui effaceront ses souillures [3].

LISTE DES MODIFICATIONS PAR RAPPORT À L'ÉDITION DU *CCL* 143 B

Les variantes graphiques (majuscule ou minuscule à l'initiale, italique ou romain, ponctuation, alinéas) ne sont pas signalées.

P. 42, (XXXIII, 11, l. 15) : *sterilitatem* au lieu de *sterelitatem*

P. 124 (XXXIII, 43, l. 19) : *occasionem* au lieu de *occaisonem* (*CCL* 1711, 34)

P. 128 (XXXIII, 45, l. 11) : *stetit* au lieu de *steti* (*CCL* 1713, 11)

P. 136 (XXXIII, 49, l. 28) : *quod* au lieu de *quos* (*CCL* 1716, 26)

P. 256 (XXXIV, 42, l. 25) : *pulicem* au lieu de *publicem* (*CCL* 1763, 25)

P. 292 (XXXV, 5, l. 2) : *nimirum* au lieu de *nimerum* (*CCL* 1777, 2)

P. 300 (XXXV, 10, l. 19) : *interpositione* au lieu de *interpostitione* (*CCL* 1780, 65)

P. 338 (XXXV, 31, l. 22) : *respondetur* au lieu de *responderur* (*CCL* 1795, 233)

1. *Mor.* 35, 45-46.
2. *Mor.* 35, 47-48.
3. *Mor.* 35, 49.

TEXTE ET TRADUCTION

LIBER TRIGESIMVS TERTIVS

1. Antiquo hosti, qui sub Behemoth nomine dominica uoce describitur, superbi quique tanto familiarius seruiunt, quanto huius uitae successibus apud semetipsos altius intumescunt. His namque cum gloria augetur elatio, cum 5 elatione uero additur cura, huc illucque animus tenditur, quia et desideria cum rebus crescunt. Cumque cogitationes innumeras quasi agri fenum proferunt, eisdem cogitationibus uelut desiderato pabulo Behemoth istius famem pascunt. Vnde recte nunc dicitur :

40,15 I, **2.** ***Huic montes herbas ferunt.*** In scriptura sacra cum numero singulari mons ponitur, aliquando incarnatus Dominus, aliquando sancta Ecclesia, aliquando testamentum Dei, aliquando apostata angelus, aliquando quilibet 5 haereticus designatur. Cum uero montes plurali numero nominantur, aliquando celsitudo apostolorum atque prophetarum, aliquando uero saecularium potestatum tumor exprimitur.

Mons namque Dominum designat, sicut scriptum est : 10 *Et erit in nouissimis diebus praeparatus mons domus Domini in uertice montium*[a]. Mons quippe est in uertice montium

2. a. Is 2, 2

LIVRE 33

1. Les superbes sont avec d'autant plus de bassesse au service de l'antique ennemi – qui est décrit sous le nom de Béhémoth par la voix du Seigneur – qu'ils s'enflent en eux-mêmes, avec plus d'arrogance, des réussites de cette vie. L'orgueil, en effet, augmente en eux avec la gloire ; mais, avec l'orgueil, les soucis s'accumulent : leur esprit est tiraillé de-ci de-là, parce que les convoitises aussi s'accroissent avec les possessions. Comme ils produisent d'innombrables pensées, tels les champs, de l'herbe, avec ces pensées ils assouvissent la faim de ce Béhémoth comme par une pâture convoitée. Aussi est-il bien dit maintenant :

Sens variés du terme de montagne(s)

I, **2.** ***C'est pour lui que les montagnes portent de l'herbe.*** Dans l'Écriture sainte, lorsque le terme de montagne est employé au singulier, il désigne parfois le Seigneur incarné, parfois la sainte Église, parfois le testament de Dieu, parfois l'ange apostat, parfois n'importe quel hérétique. Mais lorsqu'il est question de montagnes au pluriel, il s'agit parfois de l'élévation des apôtres et des prophètes, parfois aussi de l'orgueil des puissances séculières. **40,15**

La montagne, en effet, désigne le Seigneur, ainsi qu'il est écrit : *Et dans les derniers temps, la montagne de la demeure du Seigneur sera disposée sur le sommet des monts* [a]. En particulier, la montagne sur le sommet des monts, c'est le Sei-

incarnatus Dominus, transcendens celsitudinem prophetarum. Rursum per montem sancta designatur Ecclesia, sicut scriptum est : *Qui confidunt in Domino, sicut mons*
15 *Sion*[b]. Sion namque speculatio dicitur, per quam scilicet speculationem contemplans Deum Ecclesia figuratur. Rursum per montem testamentum Dei exprimitur, sicut Habacuc ait : *Deus a Libano ueniet, et sanctus de monte umbroso et condenso*[c]. Qui enim uenturum se per testa-
20 menti sui paginas spopondit, quasi inde uenit, unde uelut sub promissione se tenuit. Quod uidelicet testamentum bene mons umbrosus et condensus dicitur, quia spissis allegoriarum obscuritatibus opacatur. Rursum per montem angelus apostata designatur, sicut sub Babylonis regis specie
25 de antiquo hoste praedicatoribus dicitur : *Super montem caligosum leuate signum*[d]. Praedicatores quippe sancti super caligosum montem signum eleuant, quando contra Satanae superbiam, qui saepe sub nebula simulationis absconditur, uirtutem crucis exaltant. Rursum per montem haereticus
30 quilibet exprimitur, sicut ex uoce Ecclesiae psalmista ait : *In Domino confido, quomodo dicitis animae meae : « Transmigra in montem sicut passer*[e] *» ?* Cum enim fideli animae unitate derelicta, in tumenti doctrina confidere haeretici praedicatoris dicitur, deserto Domino quasi in montem
35 transmigrare suadetur.

Rursum per montes apostolorum atque prophetarum celsitudo designatur, sicut scriptum est : *Iustitia tua sicut montes Dei*[f]. Et uoce Pauli dicitur : *Vt nos efficeremur iustitia Dei in ipso*[g]. Vel sicut iterum uoce sperantis Ecclesiae
40 psalmista ait : *Leuaui oculos meos ad montes, unde ueniet auxilium mihi*[h]. Rursum per montes saecularium potes-

2. b. Ps 124, 1 c. Ha 3, 3 d. Is 13, 2 e. Ps 10, 2 f. Ps 35, 7 g. 2 Co 5, 21 h. Ps 120, 1

1. Cf. JÉRÔME, *Liber interpr. Hebr. nom.* 39, 25, etc.

gneur incarné qui transcende l'élévation des prophètes. La montagne désigne aussi la sainte Église, ainsi qu'il est écrit : *Ceux qui mettent leur confiance dans le Seigneur sont comme la montagne de Sion*[b]. Car Sion veut dire « contemplation[1] », et par cette contemplation est figurée bien entendu l'Église qui contemple Dieu. Par la montagne, on représente aussi le testament de Dieu, comme le dit Habacuc : *Dieu viendra du Liban, et le saint, de la montagne obscure et épaisse*[c]. Car celui qui, dans les pages de son testament, a promis qu'il viendrait, on peut dire qu'il est venu, du fait qu'il s'est tenu présent sous le couvert de la promesse. Et, bien entendu, ce testament est appelé à juste titre montagne obscure et épaisse, parce que sur lui l'épaisse obscurité des allégories projette son ombre. La montagne désigne aussi l'ange apostat, comme il est dit aux prédicateurs au sujet de l'antique ennemi figuré par le roi de Babylone : *Élevez l'étendard sur la montagne couverte de nuages*[d]. Les saints prédicateurs élèvent l'étendard sur la montagne couverte de nuages, quand ils exaltent la puissance de la croix contre l'orgueil de Satan, qui souvent se cache sous la nuée de l'hypocrisie. Le terme de montagne peut aussi représenter n'importe quel hérétique, ainsi que le dit le psalmiste par la voix de l'Église : *Je mets ma confiance dans le Seigneur, comment dites-vous donc à mon âme : « Émigre sur la montagne comme un passereau*[e] *» ?* Lorsqu'en effet il est dit à l'âme fidèle, qui a délaissé l'unité, de mettre sa confiance dans la doctrine présomptueuse d'un prédicateur hérétique, c'est comme si on la persuadait, après avoir abandonné le Seigneur, de se transplanter sur une montagne.

Les montagnes désignent aussi l'élévation des apôtres et des prophètes, ainsi qu'il est écrit : *Ta justice est comme les montagnes de Dieu*[f]. Et, par la voix de Paul, il est dit : *Afin qu'en lui nous devenions justice de Dieu*[g]. De même, le psalmiste, par la voix de l'Église pleine d'espérance, dit : *J'ai levé les yeux vers les montagnes, d'où me viendra le secours*[h]. Les montagnes représentent aussi l'orgueil des puissances

tatum tumor exprimitur, de quibus psalmista ait: *Montes sicut cera fluxerunt a facie Domini*[i], quia multi qui prius alta rigiditate tumuerant, Deo in carne apparente, magno sunt
45 per paenitentiam timore liquefacti. Vel sicut idem propheta iterum dicit: *Ascendunt montes, et descendunt campi*[j]. Plerique enim persecutores Domini superbi contra eum ueniunt, sed ab eo humiles reuertuntur. Qui montes ascendunt per tumorem potentiae, sed campi descendunt, plani uidelicet
50 facti per cognitionem culpae.

3. Sed quia nonnulli in elationis suae altitudine remanent, et ad diuina obsequia flecti humiliter dedignantur, pro eo quod iuxta desiderium antiqui hostis praua cogitare ac perpetrare non desinunt, recte hoc loco de Behemoth
5 dicitur: *Huic montes herbas ferunt*. Elati namque saeculi huic Behemoth herbas ferunt, quia ex eo illum reficiunt, quod nequiter operantur. Huic Behemoth herbas ferunt, quia suas illi offerunt fluxas et lubricas uoluptates. *Erunt enim*, ait apostolus, *homines seipsos amantes*[a]. Quorum descrip-
10 tionem complexus est, dicens: *Voluptatum amatores magis quam Dei*[b]. Quae est ergo herba montium, nisi uoluptas fluxa, quae ex corde gignitur superborum? Qui nisi Deum superbiendo contemnerent, nequaquam tot lubrica lasciuiendo perpetrarent. Quibus nimirum herbis Behemoth iste
15 pascitur, quia in eis poenam aeternae mortis esuriens, eorum perditis moribus satiatur.

Superbi enim huius saeculi, etsi quando supernae dispensationis ordine praepediti, ab expletione prauorum operum

2. i. Ps 96, 5 j. Ps 103, 8
3. a. 2 Tm 3, 2 b. 2 Tm 3, 4

séculières, dont le psalmiste dit : *Les montagnes ont fondu comme de la cire devant la face du Seigneur*[i], parce que beaucoup qui auparavant étaient gonflés d'orgueil dans une raideur hautaine, lorsque Dieu s'est manifesté dans la chair, ont fondu en une grande crainte par la pénitence. Ou, comme le dit encore le même prophète : *Les montagnes s'élèvent et les plaines s'abaissent*[j]. Car bien des persécuteurs du Seigneur viennent au devant de lui remplis d'orgueil, mais s'en retournent pleins d'humilité. Ils s'élèvent comme des montagnes par l'orgueil de la puissance, mais s'abaissent comme des plaines, c'est-à-dire sont rendus humbles par la reconnaissance de leur faute.

Les superbes de ce monde

3. Mais parce que certains demeurent dans leur arrogance hautaine et dédaignent de se courber humblement pour servir Dieu, pour la raison que, selon la convoitise de l'antique ennemi, ils ne cessent de méditer et de commettre de mauvaises actions, il est dit avec justesse dans ce passage au sujet de Béhémoth : *C'est pour lui que les montagnes portent de l'herbe*. En effet, les orgueilleux du monde portent de l'herbe pour ce Béhémoth, parce qu'ils le repaissent de ce qu'ils font de mal. Ils portent de l'herbe pour ce Béhémoth, parce qu'ils lui offrent leurs plaisirs dissolus et impurs. *Car*, dit l'Apôtre, *il y aura des hommes amoureux d'eux-mêmes*[a]. Et il résume la description de ces gens-là en disant : *Ils seront épris de leurs plaisirs plus que de Dieu*[b]. Quelle est donc cette herbe des montagnes, sinon le plaisir dissolu qui naît dans le cœur des superbes ? Car, s'ils ne méprisaient pas Dieu en étant orgueilleux, ils ne commettraient pas, en s'abandonnant à leur lascivité, tant d'actes impurs. Et de cette herbe, assurément, ce Béhémoth se repaît, parce qu'affamé de les voir punis de la mort éternelle, il se rassasie de leurs mœurs corrompues.

Il arrive parfois, il est vrai, que les superbes de ce monde, retenus par l'ordre de la Providence céleste, s'abstiennent

cessant, praua tamen in cogitatione multiplicant ; modo ut
20 se potentiores ceteris rebus et honoribus ostendant ; modo
ut eamdem suam potentiam in studio alienae laesionis exerceant ; modo ut lubricis motibus ducti, per facta se leuia
uoluptatesque dissoluant. Qui dum rebus diuinitus acceptis
nequaquam recta, sed praua semper agere cogitant, quid
25 aliud faciunt, nisi suis contra Dominum donis pugnant ?
Quia igitur Behemoth iste in superborum mentibus sua
semper desideria recognoscit, quasi herbas in montibus inuenit, quibus refectum suae malitiae uentrem tendit. Bene
autem subditur :

40,15 II, **4.** ***Omnes bestiae agri ludent ibi.*** Quid per bestias nisi
immundi spiritus, quid per agrum nisi praesens saeculum
designatur ? Vnde de ipso malignorum spirituum principe
contra Ephraim dicitur : *Bestia agri scindet eos*[a]. Vel sicut
5 Isaias ait : *Mala bestia non transibit per eam*[b]. Quia autem
agri nomine mundus accipitur, dominicus per euangelium
sermo testatur, qui ait : *Ager autem est mundus*[c]. Agri ergo
bestiae in herbis montium ludunt, quia proiecta de superioribus in hoc mundo daemonia prauis superborum operibus
10 delectantur. Bestiae in herbis ludunt cum reprobi spiritus
humana corda in illicitas cogitationes pertrahunt. An non
immundis spiritibus ludere est mentes hominum ad Dei
imaginem conditas, modo ficta promissione decipere, modo
uacuis terroribus irridere, modo eis transitoria gaudia quasi
15 mansura imprimere, modo mansuras poenas quasi transitorias leuigare ? Harum procul dubio bestiarum illusionem

4. a. Os 13, 8 b. Is 35, 9 c. Mt 13, 38

d'accomplir des œuvres mauvaises ; cependant, ils accumulent le mal en pensée : soit ils affectent d'être plus puissants que les autres en richesses et en honneurs, soit ils exercent ce même pouvoir qui est le leur pour nuire à leur prochain avec acharnement, soit, poussés par leurs pulsions impures, ils s'étourdissent dans la frivolité et les plaisirs. Or, tandis qu'avec des richesses reçues de Dieu, ce n'est jamais le bien qu'ils pensent à accomplir, mais toujours le mal, que font-ils d'autre sinon combattre le Seigneur avec ses propres dons ? Donc, comme ce Béhémoth reconnaît toujours dans le cœur des superbes ses propres convoitises, on peut dire qu'il trouve dans les montagnes de l'herbe, dont il se repaît pour distendre le ventre de sa malice. Il est fort bien dit ensuite :

Les esprits impurs

II, 4. ***Toutes les bêtes des champs y joueront.*** Que désignent les bêtes, sinon les esprits impurs, et le champ, sinon le monde présent ? Aussi, du prince même des esprits mauvais, il est dit à l'encontre d'Éphraïm : *La bête des champs les mettra en pièces* [a]. Ou, comme le dit Isaïe : *Et une bête méchante n'y passera pas* [b]. Qu'il faille comprendre le monde sous le nom de champ, une parole du Seigneur dans l'Évangile l'atteste : *Le champ, c'est le monde* [c]. Les bêtes des champs jouent donc dans l'herbe des montagnes, parce que les démons, précipités des hauteurs, prennent plaisir en ce monde aux œuvres mauvaises des superbes. Les bêtes jouent dans l'herbe, lorsque les esprits réprouvés entraînent le cœur des hommes vers des pensées illicites. Pour les esprits impurs, n'est-ce pas se jouer des âmes humaines créées à l'image de Dieu que de les tromper parfois par une promesse illusoire, de se moquer d'elles parfois par de vaines terreurs, ou parfois de leur représenter l'image de joies passagères comme si elles devaient durer, ou encore d'édulcorer les peines éternelles comme si elles n'étaient que transitoires ? Oui, sans aucun doute, il avait craint la moquerie de ces bêtes, celui qui disait :

40,15

pertimuerat, qui dicebat : *Deus meus, in te confido, non erubescam ; neque irrideant me inimici mei*[d].

Quia igitur superborum cor ad omne uitium sternitur, ut
20 cuilibet irruenti maligno spiritui praua cogitatione praeparetur, recte de herbis montium dicitur : *Omnes bestiae agri ludent ibi.* Pro eo enim quod superbi quique nullum malum cogitando praetereunt, nulla est agri bestia, quae non horum montium herba satietur. Nam etsi quando carnis luxuriam
25 fugiunt, interioris luxuriae uitium de ipsa castitate gloriando committunt. Si quando nil auare exterius rapiunt, nequaquam ab illecebra auaritiae mundi sunt, quia etsi res nullas ambiunt, fauore tamen hominum laudem de continentia rapere conantur. Huic ergo Behemoth montes herbas ferunt
30 et omnes agri bestiae ludunt ibi, quia in superborum corda quilibet malignus spiritus tanto latius pascitur, quanto et omne uitium de superbia generatur.

Sed quia audiuimus quid iste Behemoth comedat, nunc audiamus necesse est ubi interim per prauum suum desi-
35 derium requiescat. Sequitur :

40,16 III, **5.** ***Sub umbra dormit in secreto calami, in locis humentibus.*** Obumbratio in sacro eloquio aliquando incarnatio Domini ponitur, uel mentis refrigerium a feruore carnalium cogitationum, unde et appellatione umbrae ex
5 superna protectione hoc ipsum refrigerium cordis insinuari solet. Aliquando uero umbra, recedente caritate, torpor frigidae mentis accipitur.

4. d. Ps 24, 2-3

---

1. Sur le *refrigerium*, cf. *DACL* 14, 2179-2190.

Mon Dieu, en toi je mets ma confiance, que je ne rougisse pas et que mes ennemis ne se moquent pas de moi[d].

Parce que le cœur des superbes s'adonne donc à toute sorte de vices, si bien que sa pensée dépravée en fait une proie pour le premier esprit malin venu l'assaillir, c'est très justement qu'il est dit de l'herbe des montagnes : *Toutes les bêtes des champs y joueront.* En effet, parce que les superbes sans exception n'évitent aucun mal en pensée, il n'est aucune bête des champs qui ne soit rassasiée par l'herbe de ces montagnes. Car, même si, parfois, ils s'abstiennent de la luxure charnelle, ils commettent un péché de luxure spirituelle en se glorifiant de cette chasteté même. Si, parfois, ils ne montrent aucune avidité à s'emparer de rien d'extérieur, ils ne sont pas pour autant purs du vice de l'avarice, parce que, même s'ils ne recherchent rien, ils s'efforcent pourtant de s'attirer la louange et l'adulation des hommes au sujet de leur modération. Donc, les montagnes portent de l'herbe pour ce Béhémoth et toutes les bêtes des champs y jouent, parce que, dans le cœur des orgueilleux, n'importe quel esprit malin trouve sa pâture, et ceci d'autant plus abondamment que tout vice est engendré par l'orgueil.

Mais, puisque que nous avons entendu ce que mange ce Béhémoth, il faut maintenant écouter en quel lieu, pendant ce temps, il se repose, du fait de son désir dépravé. Le texte poursuit :

Sens divers de l'ombre

III, **5.** ***Il dort à l'ombre dans le secret des roseaux, en des lieux humides.*** Dans l'Écriture sainte, l'ombre représente parfois l'incarnation du Seigneur, ou le rafraîchissement[1] de l'âme à l'abri de l'ardeur des pensées charnelles ; de là vient aussi que, par le terme d'ombre qui émane de la protection céleste, on a coutume d'évoquer ce rafraîchissement du cœur. Mais, parfois, l'ombre est comprise comme l'engourdissement de l'âme que l'éloignement de la charité rend froide.

40,16

Nam quod dominica incarnatio seruata ueritate historiae, obumbrationis appellatione signetur, angelicus sermo
10 testatur, qui ad Mariam dicit : *Virtus Altissimi obumbrabit tibi*[a]. Quia enim umbra non aliter exprimitur, nisi per lumen et corpus, uirtus ei Altissimi obumbrauit, quia in eius utero lux incorporea corpus sumpsit. Ex qua uidelicet obumbratione omne in se refrigerium mentis accepit. Quod
15 rursum per umbram ex superna protectione refrigerium cordis exprimitur, sicut psalmista ait : *Sub umbra alarum tuarum protege me*[b]. Vel sicut sponsa in Canticis canticorum aduentum sponsi praestolata praenuntiat, dicens : *Sub umbra illius quem desideraueram sedi*[c]. Ac si dicat : Ab aestu deside-
20 riorum carnalium sub aduentus illius protectione requieui. Rursum per umbram recedente caritate, torpor frigidae mentis exprimitur, sicut de peccante homine scriptum est, quia secutus est umbram[d]. Calorem enim caritatis fugiens, ueritatis solem homo deseruit, et sub umbra se interni fri-
25 goris abscondit. Vnde et uoce eiusdem Veritatis dicitur : *Abundabit iniquitas, refrigescet caritas multorum*[e]. Vnde primus homo post culpam inter arbores paradisi ad auram post meridiem absconsus inuenitur[f]. Quia enim meridianum caritatis calorem perdiderat, iam sub peccati umbra
30 quasi sub frigore aurae torpebat.

6. Iste igitur Behemoth quia in illis quasi quamdam requiem inuenit, quos a ueri solis ardore subtrahendo frigidos facit, sub umbra dormire perhibetur. Nonnumquam uero per umbram, si tamen cum adiectione mortis ponatur, uel mors
5 carnis exprimitur, uel quilibet reprobi, qui antiqui hostis

5. a. Lc 1, 35 b. Ps 16, 8 c. Ct 2, 3 d. Cf. Gn 3, 8 e. Mt 24, 12 f. Cf. Gn 3, 8

Que l'incarnation du Seigneur, conformément à la vérité de l'histoire, soit signifiée par le terme d'ombre, la parole de l'ange l'atteste, lui qui dit à Marie : *La vertu du Très-Haut te couvrira de son ombre*[a]. En effet, comme il ne peut y avoir d'ombre sans lumière et sans corps, la vertu du Très-Haut l'a couverte de son ombre, c'est-à-dire qu'en son sein, la lumière incorporelle a pris un corps. Et c'est de cette ombre, assurément, qu'elle a reçu en elle tout le rafraîchissement de son âme. Et par l'ombre encore qui émane de la protection divine, on entend le rafraîchissement du cœur, ainsi que le dit le psalmiste : *A l'ombre de tes ailes protège-moi*[b]. Ou, comme le déclare l'épouse du Cantique des cantiques, dans l'attente de la venue de l'époux, quand elle dit : *Je me suis assise à l'ombre de celui que j'avais désiré*[c]. Comme si elle disait : Je me suis reposée à l'abri de la chaleur des désirs charnels, et sa venue me protège. Par l'ombre encore, on entend l'engourdissement de l'âme que l'éloignement de la charité rend froide, comme il est écrit de l'homme qui pécha, parce qu'il rechercha l'ombre[d]. Car, en fuyant la chaleur de la charité, l'homme a déserté le soleil de la vérité et s'est caché à l'ombre d'un froid intérieur. Aussi est-il dit encore par la voix de cette même Vérité : *L'iniquité abondera et la charité d'un grand nombre se refroidira*[e]. C'est pourquoi le premier homme, après la faute, est retrouvé caché parmi les arbres du paradis, à la brise du soir[f]. En effet, comme il avait perdu la chaleur du midi de la charité, désormais, sous l'ombre du péché, il était engourdi comme au froid de la brise.

L'ombre de la mort

6. Parce que ce Béhémoth trouve comme un certain repos dans ceux qu'il rend froids en les soustrayant à l'ardeur du vrai soleil, on peut donc dire qu'il dort à l'ombre. Quelquefois encore, par le terme d'ombre, si toutefois on le trouve accompagné du mot « mort », on entend soit la mort de la chair, soit tous ces réprouvés qui imitent les ténèbres de l'antique ennemi

tenebras studio prauae operationis imitantur. Vnde uoce martyrum per psalmistam dicitur : *Humiliasti nos in loco afflictionis, et operuit nos umbra mortis*[a]. Vmbra enim mortis electos Dei opprimit, cum mors carnis, quae imago mortis 10 aeternae est, ab hac eos uita disiungit, quia sicut illa a Deo animam, ita haec ab anima separat corpus. Vel certe umbra eos mortis opprimit, quia de antiquo hoste scriptum est : *Nomen illi mors*[b]. Vmbra ergo mortis sunt omnes reprobi, quia illius nequitiam elationis imitantur ; eiusque imaginem 15 quasi umbra exprimunt, dum eius in se malitiae similitudinem trahunt. Qui electos Dei operiunt, dum contra illos in atrocitate persecutionis temporaliter conualescunt.

Hoc autem loco umbra nequitiae torpor accipitur, in qua iste Behemoth dormit, quia contra corda caritate calentia 20 sollicitus uigilat, in frigidis autem mentibus securus iacet. Dormire enim in sanctorum cordibus non potest, quia et si quando se in eis ad breue momentum collocat, ipse eum desideriorum caelestium aestus fatigat, et quasi totiens ut recedat pungitur, quotiens ab eis amore intimo ad aeterna 25 suspiratur. Tantae eum uoces excitant, quantae ex illorum mentibus sanctae cogitationes ad caelum clamant. Vnde fit ut bonarum actionum armis territus, ac suspiriorum spiculis percussus fugiat, et ad corda reproborum frigida rediens, eam quam securus possideat malitiae umbram quaerat. Quae 30 ubi ab illo inueniatur ostenditur, cum protinus subinfertur : *in secreto calami*.

6. a. Ps 43, 20 b. Ap 6, 8

par leur penchant pour des œuvres mauvaises. Aussi le psalmiste met-il sur les lèvres des martyrs ces paroles : *Tu nous as humiliés dans un lieu d'affliction, et l'ombre de la mort nous a recouverts*[a]. L'ombre de la mort pèse, en effet, sur les élus de Dieu, lorsque la mort de la chair, qui est l'image de la mort éternelle, les détache de cette vie, car de même que l'une sépare l'âme de Dieu, l'autre sépare le corps de l'âme. Oui, l'ombre de la mort pèse sur eux, parce qu'il est dit de l'antique ennemi : *Son nom est « mort »*[b]. L'ombre de la mort, ce sont donc tous les réprouvés, parce qu'ils imitent la malice de son orgueil et reproduisent son image à la manière d'une ombre, en prenant les traits de sa malignité. Et ils recouvrent les élus de Dieu, en déployant contre eux leur puissance temporelle dans une atroce persécution.

Dans ce passage, par l'ombre, il faut comprendre l'engourdissement de la malice, dans lequel sommeille ce Béhémoth ; car, pour nuire aux cœurs brûlants de charité, il veille attentivement, mais, dans les âmes refroidies, il repose en sécurité. En effet, il ne peut dormir dans le cœur des saints, car, si jamais il s'y pose un court instant, l'ardeur même des désirs célestes le tourmente et c'est commme s'il ressentait une multitude de piqûres pour l'éloigner, chaque fois que ces cœurs soupirent vers l'éternité avec un amour profond. Il est réveillé par autant de cris qu'il y a dans leurs âmes de saintes pensées dont la clameur s'élève vers le ciel. D'où il arrive qu'effrayé par les armes des bonnes actions et transpercé par les pointes des soupirs, il prend la fuite et, retournant dans les cœurs froids des réprouvés, il y cherche cette ombre de la malice dont il pourra disposer en toute sécurité. Et il est montré où il la trouve, quand il est aussitôt ajouté après : *dans le secret des roseaux*.

7. In sacro eloquio calami uel arundinis appellatione aliquando uerbum manens, aliquando doctorum peritia, aliquando mobilitas mentis, aliquando nitor gloriae temporalis accipitur. Per calamum quippe Verbi aeternitas designatur, cum uoce Patris per psalmistam dicitur : *Lingua mea calamus scribae uelociter scribentis*[a]. Quia enim quod loquimur transit, quod scribimus permanet, lingua Patris scribae calamus dicitur, quia ab eo est Verbum illius coaeternum, ac sine transitu generatum. Rursum per calamum scriptorum doctrina exprimitur, sicut de sancta Ecclesia propheta pollicetur, dicens : *In cubilibus in quibus prius dracones habitabant, orietur uiror calami et iunci*[b]. Qua nimirum sententia, sicut in hoc opere longe superius diximus, per calamum exprimitur doctrina scribentium, per iuncum uiriditas auditorum. Rursum per calamum, seu certe arundinem, mentis mobilitas designatur ; sicut Iudaeorum turbis in Ioannis laude a Domino dicitur : *Quid existis in desertum uidere ? Arundinem uento agitatam*[c] ? Vt uidelicet subintellegatur non. Ioannes quippe arundo uento agitata non erat, quia eius mentem sancto Spiritu solidam per diuersas partes nullus linguarum flatus inclinabat. Rursum per calamum uel arundinem nitor gloriae temporalis exprimitur, sicut de iustis per Sapientiam dicitur : *Fulgebunt iusti et sicut scintillae in arundineto discurrent*[d]. Arundinetum namque uitam saecularium appellat, qui more arundinum per temporalem gloriam foris quasi ad alta proficiunt, sed intus a soliditate ueritatis inanescunt. Vnde et Iudaeorum regnum calamo comparatur, cum per prophetam apparente in ueritate carnis Domino dicitur : *Calamum quassatum non conteret et linum fumigans non exstinguet*[e]. Quid enim

7. a. Ps 44, 2 b. Is 35, 7 c. Mt 11, 7 ; Lc 7, 24 d. Sg 3, 7 e. Is 42, 3

1. Cette phrase d'Isaïe a déjà été commentée comme ici en *Mor.* 29, 52, ainsi que le rappelle Grégoire.

Le roseau ou bambou

7. Dans la sainte Écriture, le terme de « roseau » ou de « bambou » désigne soit le verbe qui demeure, soit la science des docteurs, soit la mobilité de l'esprit, soit l'éclat de la gloire temporelle. En effet, le roseau désigne l'éternité du Verbe, lorsqu'il est dit par la voix du Père à travers le psalmiste : *Ma langue est comme le calame d'un scribe qui écrit rapidement*[a]. Parce que nos paroles passent, tandis que nos écrits demeurent, la langue du Père est appelée le calame d'un scribe, c'est-à-dire que le Verbe de Dieu est coéternel au Père et engendré sans qu'il y ait passage. Le terme de roseau signifie aussi la doctrine des écrivains, comme le promet un prophète parlant de la sainte Église : *Dans les repaires où habitaient autrefois les dragons, poussera la verdeur du roseau et du jonc*[b 1]. Dans cette formulation, assurément, comme nous l'avons dit beaucoup plus haut dans cet ouvrage, le roseau exprime la doctrine de ceux qui écrivent, et le jonc, la vitalité de ceux qui écoutent. Le roseau, ou le bambou, désigne également la mobilité de l'esprit, comme le dit le Seigneur aux foules des juifs, à la louange de Jean : *Qu'êtes-vous allé voir dans le désert ? Un roseau agité par le vent*[c] ? Il faut évidemment sous-entendre : « Non ». Jean, assurément, n'était pas un roseau agité par le vent : son âme, affermie par le Saint-Esprit, n'était jamais agitée de côté et d'autre par le souffle des paroles. Le roseau, ou le bambou, exprime enfin l'éclat de la gloire temporelle, selon ce que la Sagesse dit des justes : *Les justes brilleront et courront comme des étincelles dans le chaume*[d]. Il appelle, en effet, un chaume la vie des séculiers qui, tels des bambous, ont l'air au dehors de progresser vers le haut par la gloire temporelle, mais n'ayant pas la solidité de la vérité sont creux au dedans. C'est pourquoi le royaume des juifs aussi est comparé à un roseau, lorsqu'il est dit par un prophète, tandis que le Seigneur se manifeste dans la vérité de la chair : *Il ne brisera pas le roseau cassé et n'éteindra pas la mèche de lin qui fume encore*[e]. Que veut-il désigner sous

calami nomine, nisi iudaici populi temporale regnum denuntiat, nitens quidem exterius, sed interius uacuum ? Et quia in eodem populo genus iam regale defecerat, et regnum eius alienigena possidebat, apte hoc idem regnum quassa-
35 tum calamum uocat. Quid uero per linum, nisi eius sacerdotium exprimitur, quod lineis nimirum uestibus utebatur ? Quod quia in aduentu Domini caritatis ardorem perdidit, quasi amisso iam igne fidei, non ardens, sed fumigans fuit. Incarnatus autem Dominus calamum quassatum non con-
40 fregit ; et linum fumigans non exstinxit, quia Iudaeae regnum, quod paene destructum iam fuerat, eiusque sacerdotium quod ignem fidei non tenebat, non potestate iudicii percu-lit, sed cum patientiae longanimitate tolerauit.

8. Hoc ergo loco quid aliud appellatione calami, nisi mentes saecularium temporali gloriae deditae designantur ? Qui tanto apud semetipsos intus inanescunt, quanto alti et nitidi exterius ostenduntur, quia dum ad exteriorem gloriam
5 per superficiem defluunt, nulla intus firmitate solidantur. More quippe calami intus quidem sunt per fatuitatem uacui, sed foris per speciem et ostentationem pulchri ; sed quanto ab eis exterior gloria studiosius quaeritur, tanto eorum corda grauioribus cogitationum stimulis agitantur. Vnde recte
10 nunc Behemoth iste in secreto calami dormire perhibetur, quia quorum studia ad appetitum temporalis nitoris atque altitudinis commouet, eorum corda tacitus tenet ; et quasi ibi ipse quietus dormit, ubi eos quos possidet quiescere non permittit. Dum enim excedere ceteros honorum altitudine
15 ambiunt, dum more calami per nitorem exterioris munditiae iustorum speciem, quasi solidarum arborum corticem,

le nom de roseau, sinon le royaume temporel du peuple juif, brillant, certes, au dehors, mais vide au dedans ? Parce qu'en ce même peuple, la dynastie royale avait déjà fait défaut et qu'un étranger possédait son royaume, il appelle fort bien ce royaume un roseau brisé. Et que signifie la mèche de lin, sinon son sacerdoce, car ses prêtres avaient coutume de porter des vêtements de lin ? Et, du fait que, lors de la venue du Seigneur, il a perdu l'ardeur de la charité, on peut dire que, le feu de la foi ayant désormais disparu, il ne brûlait plus, mais était encore fumant. Le Seigneur, ayant pris chair, ne brisa pas le roseau cassé ; il n'éteignit pas non plus la mèche de lin encore fumante, parce que le royaume de Judée, déjà presque détruit, avec son sacerdoce qui n'entretenait pas le feu de la foi, il ne l'a pas frappé d'un jugement rigoureux, mais il l'a supporté avec une patiente tolérance.

L'esprit des séculiers

8. En ce passage, que désigne donc le terme de roseau, sinon l'esprit des séculiers adonné à la gloire temporelle ? Ils sont aussi creux à l'intérieur qu'ils se montrent hautains et brillants à l'extérieur, car, tandis qu'ils semblent entraînés sur la pente d'une gloire apparente, ils ne sont affermis au dedans par rien de solide. A la manière du roseau, en effet, ils sont vides au dedans, du fait de leur folie, bien qu'au dehors ils aient l'aspect trompeur de la beauté ; mais plus ils recherchent avec avidité la gloire extérieure, plus leurs cœurs sont tourmentés par la violence des aiguillons de leurs pensées. Il est donc noté ici à juste titre que ce Béhémoth dort dans le secret des roseaux, car ceux qu'il pousse à la recherche ardente de l'éclat et de la grandeur de ce monde, il possède sans bruit leurs cœurs ; en quelque sorte, lui-même dort tranquille là où il ne permet pas à ceux qu'il possède de se reposer. En effet, tandis qu'ils s'efforcent de dépasser tous les autres par la grandeur des honneurs, tandis qu'à la manière du roseau, par l'éclat de leur parure extérieure, ils l'emportent sur les justes

uincunt ; in hoc quod ipsi interius uacui remanent, locum Behemoth isti, ubi apud se requiescere debeat, praebent. Vnde et in euangelio Veritas dicit quod spiritus exiens qui in
20 locis aridis et inaquosis requiem non inuenit, quia domum quam reliquerat, uacuam, scopisque mundatam repperit, hanc multiplicior intrauit[a]. Quia enim fluxa fit terra quae infunditur, loca arentia atque inaquosa sunt corda iustorum, quae per disciplinae fortitudinem ab omni carnalis
25 concupiscentiae humore siccantur. Vnde hic quoque adhuc ubi Behemoth iste dormiat, necessario demonstratur, cum protinus subditur : *in locis humentibus*.

9. Loca namque humentia sunt terrenorum hominum mentes, quas humor carnalis concupiscentiae, quia replet, fluidas facit. In quibus Behemoth iste iniquitatis suae uestigia tanto altius imprimit, quanto in eisdem mentibus per-
5 transitus illius quasi in fluxa terra descendit. Loca quippe humentia sunt opera uoluptuosa. Pes quippe in arida terra non labitur, fixus uero in lubrica uix tenetur. In locis ergo humentibus iter uitae praesentis faciunt, qui in hac ad iustitiam recti stare non possunt. In his itaque locis humentibus
10 Behemoth dormit, quia in reproborum hominum lubrica operatione requiescit. Nonnulli uero loca humentia membra genitalia suspicantur. Quod si ita est, quid aperte aliud locis humentibus nisi luxuria designatur, ut et per calamum gloria superbiae, et per loca humentia luxuria corporis exprima-
15 tur ? Duo quippe haec sunt uitia, quae humano generi immaniter dominantur, unum uidelicet spiritus, atque aliud carnis. Elatio namque spiritum erigit, luxuria carnem corrumpit. Antiquus itaque hostis humanum genus uel per elationem praecipue, uel per luxuriam premens, in secreto

8. a. Cf. Mt 12, 43-45 ; Lc 11, 24-26

qui eux, comme les arbres, ont une écorce rude, demeurant cependant vides à l'intérieur, ils offrent à ce Béhémoth un lieu où il doit se reposer en eux. Aussi la Vérité dit-elle dans l'Évangile qu'un esprit sortant, ne trouvant pas de repos dans des lieux secs et arides, parce qu'il retrouva vide et bien balayée la maison qu'il avait quittée, y entra, mais non pas seul[a]. En effet, parce que la terre humidifiée devient molle, les lieux secs et arides figurent, au contraire, les cœurs des justes qui, par une discipline rigoureuse, ont asséché en eux tout le flux de la concupiscence charnelle. Aussi est-il encore nécessaire de montrer où dort ce Béhémoth, alors qu'il est dit immédiatement après : *en des lieux humides.*

Orgueil et luxure

9. Les lieux humides sont les esprits des hommes terrestres, que le flux de la concupiscence charnelle qui les remplit rend malléables. En eux, ce Béhémoth imprime d'autant plus profondément les traces de son iniquité qu'en ces mêmes esprits, son passage se fait comme dans une terre meuble. Les lieux humides sont les actions voluptueuses. Sur une terre sèche, le pied ne trébuche pas, mais prenant appui sur ce qui glisse, c'est à peine s'il peut tenir. Ils parcourent donc le chemin de la vie présente en des lieux humides, ceux qui, en cette vie, ne peuvent demeurer droits en vue de la justice. Béhémoth dort en ces lieux humides, parce qu'il prend son repos dans la conduite lascive des réprouvés. Certains supposent que ces lieux humides sont les organes génitaux. S'il en est ainsi, que désignent les lieux humides, sinon la luxure, en sorte que le roseau exprime la gloire de la superbe, et les lieux humides la luxure du corps ? Les deux sont, en effet, des vices qui exercent sur le genre humain une domination malfaisante, l'un vice de l'esprit, l'autre de la chair ; car si l'orgueil élève l'esprit, la luxure corrompt la chair. C'est pourquoi l'antique ennemi, opprimant le genre humain principalement par l'orgueil, et aussi par la luxure,

20 calami atque in locis humentibus dormit, quia damnatum hominem sub ditione suae dominationis aut per elationem spiritus, aut per carnis corruptionem tenet. Quosdam uero in utroque possidet, quia cum eos superbiae spiritus eleuat, a tumore suae altitudinis nec uerecundia corruptionis in-
25 clinat. Sed numquid contra hos intra sanctam Ecclesiam incessanter cotidie uirtutum magistri non uigilant ? Numquid redarguere uoluptates infimas, et suadere gaudia patriae caelestis cessant ? Sed prauorum mentes tanto obstinatius summa non audiunt, quanto artius infimis inhaeserunt.
30 Quibus neque hoc sufficit, ut ipsi pereant ; sed adhuc, quod est deterius, cum quoslibet argui emendarique conspiciunt, iustorum increpationibus obuiant, ne saltim alii corrigantur. Vnde et bene subditur :

40,17 IV, **10.** ***Protegunt umbrae umbram eius.*** Vmbrae quippe sunt diaboli, omnes iniqui, qui dum imitationi iniquitatis eius inseruiunt, quasi ab eius corpore imaginis speciem trahunt. Sicut autem umbrae eius sunt pluraliter reprobi, ita
5 singulariter umbra eius est unusquisque peccator. Sed dum doctrinae iustorum mali contradicunt, dum ab eis iniquum quemlibet corrigi non permittunt, umbrae Behemoth istius umbram eius protegunt, quia peccatores quique in quo sibi male sunt conscii, in eo et alium peccantem defendunt.
10 Vmbrae umbram eius protegunt, dum nequissimorum facta nequiores peruersis patrociniis tuentur. Quod hoc nimirum studio faciunt, ne dum culpa in qua et ipsi obligati sunt, in aliis corrigitur, ad ipsos quandoque ueniatur. Se igitur

dort dans le secret des roseaux et en des lieux humides, parce qu'il tient l'homme réprouvé assujetti à sa tyrannie, ou par l'orgueil de l'esprit, ou par la corruption de la chair. Mais certains, il les possède par l'un et l'autre, car, lorsque l'esprit de superbe les élève, même la honte de la corruption ne peut diminuer l'enflure de leur orgueil hautain. Mais, à l'intérieur de la sainte Église, les maîtres en vertus ne veillent-ils pas sans relâche pour s'opposer chaque jour à eux ? Cessent-ils de reprocher ces basses voluptés et d'inviter aux joies de la patrie céleste ? Mais les esprit des dépravés mettent d'autant plus d'obstination à ne pas prêter attention aux réalités d'en haut qu'ils sont plus étroitement attachés à celles d'en bas. Et il ne leur suffit pas d'aller eux-mêmes à la perdition, mais encore – ce qui est pire – lorsqu'ils en voient certains s'amender sous l'effet des réprimandes, ils font obstacle aux reproches des justes pour empêcher du moins que d'autres ne se corrigent. C'est pourquoi il est dit ensuite avec raison :

L'ombre des pécheurs

IV, **10.** ***Des ombres protègent son ombre.*** Ce sont les ombres du diable, tous les hommes iniques qui, se vouant à l'imitation de son iniquité, s'approprient, en quelque sorte, l'image ressemblante de son corps. Or, de même que tous les réprouvés sont globalement ses ombres, on peut dire de chaque pécheur pris individuellement qu'il est son ombre. Mais, alors que les méchants s'opposent à l'enseignement des justes, alors qu'ils les empêchent de corriger aucun homme injuste, les ombres de ce Béhémoth protègent son ombre, parce que, quand ils sont conscients de mal agir, les pécheurs se font les défenseurs d'un autre qui pèche semblablement. Les ombres protègent son ombre quand les agissements des plus grands scélérats sont couverts par le patronage pervers d'hommes encore plus scélérats ! Et cela, ils le font avec le plus grand zèle, de peur que la faute dans laquelle ils sont eux-mêmes impliqués étant corrigée chez autrui, on en vienne un

40,17

tegunt dum alios protegunt, quia suam uitam praeuident
15 impeti, unde alios considerant libera correptione confundi.
Sicque fit ut summa criminum dum defenditur augeatur,
et uniuscuiusque nequitia eo sit ad perpetrandum facilis,
quo difficilis ad puniendum. Scelera quippe peccantium
tanto maiora incrementa percipiunt, quanto per defensio-
20 nem potentium diu inulta tolerantur. Sed tales quique seu
extra ecclesiam, seu intra sanctam Ecclesiam esse uideantur,
tanto se apertiores Dei hostes exhibent, quanto maiores sunt
patroni uitiorum. Contra illum quippe suis defensionibus
pugnant, cui ea quae displicent, defendendo multiplicant.
25 Quod factum bene per prophetam Dominus sub Babylonis specie redarguit, dicens : *Orientur in domibus eius spinae
et urticae et paliurus in munitionibus eius*[a]. Quid namque per
urticas nisi cogitationum prurigines, quid uero per spinas
nisi uitiorum punctiones accipimus ? In domibus igitur
30 Babylonis urticae et spinae pullulant, quia in confusione
mentis reprobae et desideria cogitationum surgunt quae
exasperant, et operum peccata quae pungunt. Sed haec agen-
tes habent etiam nequiores alios defensores suos. Vnde illic
apte protinus subdidit : *Et paliurus in munitionibus eius*[b].
35 Paliurus quippe tanta spinarum circumdatione densescit, ut
prae asperitate tangi uix possit. Intus igitur urtica et spina
nascitur, sed utrumque hoc exterius per paliurum munitur,
quia uidelicet minores iniqui mala quaelibet faciunt, sed
ea nequissimi maiores tuentur. Vnde bene et hic dicitur :

10. a. Is 34, 13 b. Is 34, 13

jour à faire de même pour eux. Ainsi, ils se mettent à l'abri, en protégeant les autres, car ils prévoient que l'on s'opposera à leur propre manière de vivre, lorsqu'ils constatent que les autres sont confondus par une libre admonestation. Il arrive ainsi que les péchés, si on les défend, peuvent augmenter en nombre et que, pour chacun, l'iniquité devient facile à commettre d'autant qu'elle est difficile à punir. Les crimes des pécheurs prennent d'autant plus d'ampleur que, du fait de la protection des grands, on les tolère longtemps sans les punir. Mais certains, soit qu'on les estime hors de l'Église, soit qu'ils semblent être dans la sainte Église, se montrent d'autant plus ouvertement ennemis de Dieu qu'ils sont plus grands protecteurs des vices. C'est contre lui, en effet, qu'ils combattent par leur défense des vices, puisqu'en prenant la défense de ce qui déplaît à Dieu, ils en favorisent la multiplication.

C'est ce comportement que, par le prophète, le Seigneur critique à bon droit sous l'image de Babylone, lorsqu'il dit : *Des épines et des orties croîtront dans ses demeures, et la ronce sur ses forteresses*[a]. Qu'entendons-nous par « orties », sinon les démangeaisons des pensées, et par « épines », sinon les piqûres des vices ? Ainsi, dans les demeures de Babylone, orties et épines pullulent, parce que, dans le désordre de l'âme réprouvée, surgissent à la fois les désirs des pensées qui l'irritent et les péchés des actions qui lui font sentir leurs piqûres. Mais ceux qui agissent ainsi ont pour défenseurs d'autres qui sont encore plus scélérats. C'est pourquoi, avec raison, le texte a ajouté aussitôt : *Et la ronce sur ses forteresses*[b]. Car la ronce est environnée d'une telle ceinture d'épines que l'on peut à peine la toucher, tant elle est piquante. A l'intérieur poussent l'ortie et l'épine, mais à l'extérieur la ronce leur sert à toutes deux de rempart, c'est-à-dire que des hommes injustes à l'échelon inférieur commettent tel ou tel mal, mais ceci sous la protection des plus injustes des hommes, à l'échelon supérieur. C'est pourquoi il est bien dit

40 *Protegunt umbrae umbram eius*. Dum enim malum peior uindicat, quasi umbra umbram, ne a ueritatis lumine irradietur, obscurat. Sequitur :

40,17 V, **11.** ***Circumdabunt eum salices torrentis.*** Infructuosae quidem arbores salicum, sed tamen tantae uiriditatis sunt, ut arescere uel abscissae radicitus et proiectae uix possint. Vnde in sacro eloquio salicum nomine aliquando pro uiriditate 5 boni, aliquando autem pro sterilitate, reprobi designantur. Nisi enim electorum uitam per constantiam suae uiriditatis exprimerent, nequaquam de sanctae Ecclesiae filiis propheta dixisset : *Germinabunt inter herbas, sicut salices iuxta praeterfluentes aquas*[a]. Sanctae enim Ecclesiae filii inter herbas 10 sicut salices germinant, dum inter arescentem uitam carnalium hominum ; et multiplici numerositate et perpetua mentis uiriditate perdurant. Qui bene iuxta praeterfluentes aquas germinare perhibentur, quia unusquisque eorum ubertatem ad fructum percipit ex doctrina sacri eloquii, 15 quae temporaliter percurrit. Et rursum nisi per sterilitatem salicum uita peccantium signaretur, nequaquam ex uoce praedicantium contra Babyloniam psalmista dixisset : *In salicibus in medio eius suspendimus organa nostra*[b]. Babylonis quippe medio inesse salices describuntur, quia nimirum in- 20 fructuosi quique, atque ab amore patriae caelestis alieni, totis uisceribus cordis in hac saeculi confusione radicantur. Vnde et praedicatores sancti in istis salicibus non exercent organa, sed suspendunt, quia cum infructuosas ac reprobas mentes

11. a. Is 44, 4 b. Ps 136, 2

ici aussi : *Des ombres protègent son ombre.* En effet, quand un homme mauvais est défendu par pire que lui, c'est comme si une ombre en obscurcissait une autre, afin qu'elle ne brille pas de la lumière de vérité. On poursuit :

L'amour de la vie temporelle

V, **11.** ***Les saules du torrent l'environneront.*** Les saules sont des arbres qui ne portent pas de fruits, mais ils ont une telle vitalité que, même coupés jusqu'à la racine et arrachés, c'est à peine s'ils se dessèchent. C'est pourquoi, dans la sainte Écriture, sous le nom de saules, on désigne parfois les bons, à cause de leur vitalité, mais parfois les réprouvés, à cause de leur stérilité. Si, en effet, ils n'exprimaient pas la vie des élus par la persistance de leur vitalité, le prophète n'aurait jamais dit au sujet des fils de la sainte Église : *Ils germeront parmi les herbes comme les saules au bord des eaux courantes*[a]. Les fils de la sainte Église, en effet, germent parmi les herbes comme les saules, tant qu'au milieu de l'existence desséchée des hommes charnels, ils demeurent en nombre considérable et dans une perpétuelle vitalité d'esprit. Et l'on mentionne à juste titre qu'ils germent au bord des eaux courantes, parce que chacun d'eux reçoit, afin de porter du fruit, la fécondité issue de l'enseignement de la parole sacrée, qui coule à travers le temps. Par ailleurs, si par la stérilité des saules n'était pas désignée la vie des pécheurs, le psalmiste n'aurait nullement dit contre Babylone par la voix des prédicateurs : *Au milieu d'elle, nous avons suspendu nos instruments aux saules*[b]. On dit que les saules sont au milieu de Babylone, parce qu'assurément ils ne portent aucun fruit et sont étrangers à l'amour de la patrie céleste, ceux qui sont enracinés par toutes les entrailles de leur cœur dans le désordre de ce monde. C'est pourquoi même les saints prédicateurs ne jouent pas de leurs instruments parmi ces saules, mais les y suspendent, car, lorsqu'ils voient des âmes ne portant pas de fruit et réprouvées,

40,17

aspiciunt, uim praedicationis suae non exhibent, sed potius
25 lugentes silent.

Quid etiam per torrentem, nisi huius mortalis uitae cursus exprimitur ? De quo rursum per prophetam dicitur : *De torrente in uia bibit, propterea exaltauit caput*[c], quia uidelicet Redemptor noster mortalis uitae poenam in quodam
30 transitu attigit ; et idcirco diu eidem morti cui sponte succubuit non inhaesit. Vnde die tertia hoc quod moriendo posuerat resurgendo caput eleuauit. Quid est ergo quod de Behemoth isto dicitur : *Circumdabunt eum salices torrentis*, nisi quod amatores uitae mortalis a bonis actibus quasi a
35 fructibus alieni, tanto illi artius inhaerent, quanto eos largius delectatio transitoriae uoluptatis infundit ? Hos enim quasi in radicibus torrens rigat, dum in suis cogitationibus amor uitae carnalis inebriat. Qui scilicet more salicum fructus non ferunt, in foliis uiridescunt ; quia ea quae grauia ad dicendum
40 non sunt, aliquando honestatis uerba proferunt, sed nullum uitae pondus ex bonis operibus ostendunt. Bene igitur dicitur : *Circumdabunt eum salices torrentis*, quia infructuosi quique dum amori uitae temporalis inseruiunt antiquo hosti peruersis moribus familiarius obsequuntur.

45 Sed quia quid ei a suis clientibus impendatur audiuimus, nunc etiam quid in illis ipse agat audiamus. Sequitur :

VI, **12.** ***Absorbebit fluuium et non mirabitur ; et habet***
40,18 ***fiduciam quod influat Iordanis in os eius.*** Quid hoc loco fluuii nomine nisi humani generis decursio designatur, quae uelut a fontis sui origine nascendo surgit, sed quasi ad

11. c. Ps 109, 7

1. Citation de Ps 109, 7 comme en *Mor.* 14, 68, où l'interprétation christologique est la même qu'ici : Jésus, mort sur la croix, ressuscite le troisième jour.

ils ne montrent pas la puissance de leur prédication, mais se taisent plutôt, en versant des larmes.

Et, de plus, qu'est-il exprimé par le torrent, sinon le cours de cette vie mortelle ? A ce sujet, le prophète dit encore : *Il a bu l'eau du torrent en chemin, c'est pourquoi il a relevé la tête*[c 1], c'est-à-dire que notre Rédempteur n'a touché la peine d'une vie mortelle que comme en passant et, pour cette raison, il n'est pas demeuré longtemps dans cette mort qu'il avait subie volontairement. C'est pourquoi, le troisième jour, en ressuscitant, il a relevé sa tête qu'il avait inclinée en mourant. Que signifie donc ce qui est dit de ce Béhémoth : *Les saules du torrent l'environneront*, sinon que les amants de cette vie mortelle, dépourvus de bonnes œuvres comme de fruits, lui sont d'autant plus attachés qu'ils sont plus comblés par lui de la délectation des plaisirs transitoires ? Le torrent, en effet, les irrigue comme dans leurs racines quand, dans leurs pensées, ils sont enivrés de l'amour de la vie charnelle. Eux qui, à la manière des saules, ne portent pas de fruits, ils sont verdoyants de feuilles, parce qu'ils profèrent parfois des paroles de bon aloi qui ne pèsent pas lourd, mais ne montrent rien qui ait du poids dans leur vie par la pratique des bonnes œuvres. Il est donc exact de dire : *Les saules du torrent l'environneront*, car les hommes qui ne portent pas de fruit, asservis qu'ils sont à l'amour de la vie temporelle, s'attachent plus étroitement par leur mauvaise conduite à l'antique ennemi.

Mais, après avoir appris ce que dépensent pour lui ses clients, écoutons maintenant ce qu'il opère en eux aussi. Le texte poursuit :

L'eau du baptême

VI, **12.** ***Il absorbera un fleuve et ne s'en étonnera pas ; il a confiance que le Jourdain coulera dans sa gueule.*** Dans ce passage, que faut-il entendre par le fleuve, sinon le cours du genre humain qui, en naissant prend son origine comme d'une source, mais, **40,18**

5 ima defluens moriendo pertransit ? Qui autem signantur appellatione Iordanis, nisi hi qui iam imbuti sunt sacramento baptismatis ? Quia enim Redemptor noster in hoc flumine baptizari dignatus est, eius nomine debent baptizati omnes exprimi, in quo hoc ipsum contigit sacramentum baptismatis 10 incohari. Quia igitur Behemoth iste a mundi origine exortum, uix paucis electis euadentibus, humanum genus in ima defluens usque ad redemptionis tempora quasi quemdam in se fluuium traxit, bene nunc dicitur : *Absorbebit fluuium et non mirabitur*. Quia uero et post Mediatoris aduentum 15 quosdam qui recte uiuere neglegunt etiam fideles rapit, recte subiungitur : *Et habet fiduciam quod influat Iordanis in os eius*. Ac si aperte diceretur : Ante Redemptorem mundi mundum non miratus absorbuit, sed, quod est acrius, etiam post Redemptoris aduentum quosdam qui baptismatis sacra-20 mento signati sunt deglutire se posse confidit.

Alios namque sub Christianitatis nomine positos deuorat, quia in ipso eos fidei errore supplantat. Alios a rectitudine fidei nequaquam deuiat, sed ad usum prauae operationis inclinat. Alios quantum uult in operatione immunditiae in-25 flectere non ualet ; sed apud semetipsos intus in studio intentionis intorquet, ut dum a caritate mentem diuidunt, rectum non sit quicquid extrinsecus operentur. Et fidem tenent, sed uitam fidei non tenent, quia aut aperte illicita faciunt, aut ex peruerso corde quae agunt praua sunt, etiam 30 si sancta uideantur. Quia enim nonnulli confitendo fideles sunt, non uiuendo, hinc est quod uoce Veritatis dicitur : *Non omnis qui dicit mihi : « Domine, Domine » intrabit in regnum caelorum*[a]. Hinc rursum ait : *Quid autem uocatis*

12. a. Mt 7, 21

comme s'il coulait vers le bas, disparaît en mourant ? Qui désigne-t-on sous l'appellation de Jourdain, sinon ceux-là que, déjà, le sacrement du baptême a lavés ? Puisque notre Rédempteur a daigné, en effet, être baptisé dans ce fleuve, celui-ci doit aussi désigner tous les baptisés, car, en ses eaux, il est advenu précisément que le sacrement du baptême a été inauguré. Donc, puisque ce Béhémoth a attiré à lui – un petit nombre à peine d'élus lui ont échappé – le genre humain qui, depuis sa naissance à l'origine du monde, s'écoule, tel un fleuve, vers le bas, jusqu'aux temps de la rédemption, il est bien dit maintenant : *Il absorbera un fleuve et ne s'en étonnera pas*. Et parce que, même après la venue du Médiateur, il attire même certains fidèles qui négligent de bien vivre, c'est avec raison qu'il est ajouté : *Il a confiance que le Jourdain coulera dans sa gueule*. Comme s'il était dit clairement : Avant que ne vienne le Rédempteur du monde, il a englouti le monde sans s'étonner, mais, ce qui est plus amer, c'est qu'il a confiance, même après la venue du Rédempteur, de pouvoir en avaler certains qui ont été marqués du sacrement du baptême.

Les uns, en effet, qui portent le nom de chrétiens, il les dévore parce qu'il les fait tomber dans l'erreur au sujet de la foi. D'autres, il ne les détourne nullement de la rectitude de la foi, mais il les fait pencher vers la pratique d'une conduite dépravée. Pour d'autres qu'il ne peut incliner autant qu'il le voudrait vers une conduite impure, il imprime une torsion intérieure au mouvement de leur volonté, en sorte qu'ayant séparé leur âme de la charité, plus aucune de leurs actions à l'extérieur ne sont droites. Oui, ils gardent la foi, mais ils ne gardent pas une vie conforme à la foi, car ou bien ils posent ouvertement des actes illicites, ou bien, venant d'un cœur pervers, leurs actions sont dépravées, quelque saintes qu'elles puissent paraître. Et parce que certains sont des fidèles par la confession de leur foi, non par leur vie, il est dit par la voix de la Vérité : *Tout homme qui me dit « Seigneur, Seigneur » n'entrera pas dans le royaume des cieux*[a]. Ou encore : *Pourquoi*

me: « Domine, Domine » et non facitis quae dico[b] *?* Hinc
35 Paulus ait : *Confitentur se nosse Deum, factis autem negant*[c].
Hinc Ioannes dicit : *Qui dicit se nosse eum, et mandata eius non custodit, mendax est*[d]. Hinc est quod de ipsa prima sua Dominus plebe conqueritur, dicens : *Populus hic labiis me honorat ; cor autem eorum longe est a me*[e]. Hinc etiam psal-
40 mista ait : *Dilexerunt eum in ore suo et lingua sua mentiti sunt ei*[f]. Sed minime mirum fuit quod Behemoth iste ante lauacri undam, ante sacramenta caelestia, ante corpoream praesentiam Redemptoris, humani generis fluuium hiatu profundae persuasionis absorbuit ; sed hoc ualde mirum, hoc
45 ualde terribile est, quia multos aperto ore etiam post cognitionem Redemptoris suscipit, post lauacri undam polluit, post sacramenta caelestia ad inferni profundum rapit.

Dicatur ergo, dicatur terribiliter uoce Veritatis : *Absorbebit fluuium et non mirabitur ; et habet fiduciam quod influat*
50 *Iordanis in os eius*. Neque enim pro magno diabolus habuit, quod infideles tulit ; sed toto nunc annisu in illorum morte se erigit, quos contra se regeneratos tabescit. Nemo igitur fidem sibi sine operibus sufficere posse confidat, cum scimus quod scriptum sit : *Fides sine operibus otiosa est*[g]. Nullus
55 Behemoth morsum ex sola confessione fidei plene euasisse se existimet, quia iam quidem fluuium absorbuit, sed adhuc Iordanem sitit ; et totiens in ore illius Iordanis fluit, quotiens Christianus quisque ad iniquitatem defluit. Os quidem eius fide nos subleuante fugimus, sed magno studio curandum est,
60 ne in hoc lubrica operatione dilabamur. Si ambulandi cautela neglegitur, incassum credendo rectum iter tenetur ; quia uia

12. b. Lc 6, 46 c. Tt 1, 16 d. 1 Jn 2, 4 e. Is 29, 13 ; Mt 15, 8 ; Mc 7, 6
f. Ps 77, 36 g. Jc 2, 20

m'appelez-vous « Seigneur, Seigneur » et ne faites-vous pas ce que je dis[b] ? Et Paul, de même : *Ils professent connaître Dieu, mais ils le nient par leurs œuvres*[c]. Et Jean aussi : *Celui qui dit le connaître et ne garde pas ses commandements, est un menteur*[d]. De là vient que le Seigneur se plaint de son premier peuple lui-même, en disant : *Ce peuple m'honore des lèvres, mais son cœur est loin de moi*[e]. Et encore le psalmiste : *Ils l'ont aimé de bouche et lui ont menti par leur langue*[f]. Il n'est pas du tout surprenant qu'avant l'eau du baptême, avant les sacrements célestes, avant la présence corporelle du Rédempteur, ce Béhémoth ait absorbé le fleuve de la race humaine dans la gueule béante de ses persuasions abyssales, mais ce qui est vraiment surprenant, ce qui est vraiment terrible, c'est qu'il en reçoive beaucoup dans sa gueule ouverte, même après la connaissance du Rédempteur, qu'il en souille beaucoup après l'eau du baptême, qu'il en entraîne beaucoup dans le gouffre de l'enfer après les sacrements célestes.

Qu'elle le dise donc, qu'elle le dise de manière effrayante, la voix de la Vérité : *Il absorbera un fleuve et ne s'en étonnera pas ; il a confiance que le Jourdain coulera dans sa gueule.* Le diable, en effet, n'a pas trouvé difficile de s'emparer des infidèles, mais maintenant il se dresse de toutes ses forces afin de donner la mort à ceux qu'il enrage de voir renaître à ses dépens. Que personne, donc, ne s'imagine naïvement que pour lui la foi peut suffire sans les œuvres, alors que nous savons qu'il est écrit : *La foi, sans les œuvres, est inutile*[g]. Que nul ne se figure avoir totalement échappé à la morsure de Béhémoth par la seule confession de la foi, car, s'il a déjà englouti le fleuve, il a soif encore du Jourdain, et le Jourdain coule dans sa gueule chaque fois qu'un chrétien glisse dans l'iniquité. Nous avons, il est vrai, échappé à sa gueule grâce à la foi qui nous soutient, mais il faut prendre grand soin de ne point y être entraîné par une conduite hasardeuse. Si l'on néglige de prendre des précautions en marchant, c'est en vain que l'on se tient, en croyant, dans le droit chemin, car certes

quidem fidei ad caelestem patriam proficit, sed offendentes minime perducit.

13. Habemus adhuc quod hac in re subtilius perpendamus. Hi enim quos per Iordanem diximus exprimi, possunt per fluuium designari. Qui enim fidem iam ueritatis agnouerunt, sed uiuere fideliter neglegunt, recte fluuius 5 dici possunt, quia uidelicet deorsum fluunt. Iordanis uero hebraeo uocabulo descensio eorum dicitur. Et sunt nonnulli qui uias ueritatis appetentes semetipsos abiciunt, atque a uitae ueteris elatione descendunt ; cumque aeterna cupiunt, ualde se ab hoc mundo alienos reddunt, dum non solum 10 aliena non appetunt ; sed etiam sua derelinquunt, non solum in eo gloriam non quaerunt, sed hanc cum se obtulerit, etiam contemnunt. Hinc est enim quod uoce Veritatis dicitur : *Si quis uult post me uenire, abneget semetipsum*[a]. Semetipsum enim abnegat qui, calcato typho superbiae, ante Dei oculos 15 esse se alienum demonstrat. Hinc psalmista ait : *Memor ero tui de terra Iordanis et Hermoniim*[b]. Iordanis quippe, ut dixi, descensio, Hermon autem anathema, id est alienatio, interpretatur. De terra ergo Iordanis et Hermoniim Dei reminiscitur, qui in eo quod semetipsum deicit, atque a se alienus 20 exsistit, ad conditoris sui memoriam reuocatur.

Sed antiquus hostis pro magno hoc non habet, cum sub iure suae tyrannidis terrena quaerentes tenet. Propheta quippe attestante cognouimus quia *esca eius electa*[c]. Neque enim mirum deputat, si eos absorbeat, quos superbia erigit, 25 auaritia tabefacit, uoluptas dilatat, malitia angustat, ira in-

13. a. Mt 16, 24 ; Lc 9, 23 b. Ps 41, 7 c. Ha 1, 16

1. Cf. Jérôme, *Liber interpr. Hebr. nom.* 7, 20, etc.
2. *Ibid.*, 22, 9, etc.

la route de la foi mène à la patrie céleste, mais elle n'y peut conduire ceux qui tombent.

Renoncer à l'orgueil

13. Nous avons encore de quoi réfléchir plus profondément à ce sujet. En effet, ceux que nous avons dits être figurés par le Jourdain peuvent être désignés sous le nom de fleuve. Car ceux qui ont désormais connaissance de la foi véritable, mais négligent de vivre selon la foi, on a raison de les appeler « fleuve », puisqu'à l'évidence ils coulent vers le bas. Or, en hébreu, le mot Jourdain signifie « leur descente[1] ». Il y a des gens qui, cherchant les voies de la vérité, s'abaissent eux-mêmes et descendent de l'orgueil de leur vie antérieure ; comme ils désirent les biens éternels, ils se rendent tout à fait étrangers à ce monde : loin de désirer les biens d'autrui, ils abandonnent aussi les leurs ; non seulement ils ne recherchent pas la gloire en ce monde, mais ils la méprisent, quand elle s'offre à eux. C'est pour cette raison qu'il est dit par la voix de la Vérité : *Si quelqu'un veut venir après moi, qu'il se renonce soi-même*[a]. Celui-là se renonce soi-même qui, foulant aux pieds l'arrogance de la superbe, se montre, aux yeux de Dieu, étranger à lui-même. Aussi le psalmiste dit-il : *Je me souviendrai de toi dans la terre du Jourdain et de l'Hermon*[b]. Jourdain signifie, comme je l'ai dit, « descente », et Hermon « anathème[2] », c'est-à-dire « aliénation ». Dans la terre du Jourdain et de l'Hermon, il se souvient de Dieu, celui qui en s'humiliant et se tenant étranger à lui-même est ainsi ramené au souvenir de son Créateur.

Mais c'est peu, pour l'antique ennemi, de tenir sous la domination de sa tyrannie ceux qui recherchent les biens terrestres. Nous avons appris, en effet, par le prophète, que *sa nourriture est élue*[c]. Car il ne pense pas que ce soit merveille d'absorber ceux que dresse l'orgueil, ceux que ronge l'avarice, ceux que dilate la volupté, ceux que resserre la méchanceté, ceux qu'enflamme la colère, ceux que déchire

flammat, discordia separat, inuidia exulcerat, luxuria inquinans necat. *Absorbebit* ergo *fluuium et non mirabitur*; quia pro magno non aestimat cum eos deuorat, qui per ipsa suae uitae studia deorsum currunt; sed illos magnopere rapere 30 nititur quos, despectis terrenis studiis, iungi iam caelestibus contemplatur. Vnde absorpto fluuio recte subiungitur: *Et habet fiduciam quod influat Iordanis in os eius*; quia illos insidiando rapere appetit, quos pro amore supernae patriae a praesentis uitae gloria semetipsos deicere agnoscit. Non- 35 nulli quippe mundum deserunt et honorum transeuntium uana derelinquunt; et ima humilitatis appetentes, humanae conuersationis morem bene uiuendo transcendunt; atque in tanta studiorum arce proficiunt, ut signorum iam uirtutes operentur; sed quia semetipsos circumspiciendo tegere 40 neglegunt, inanis gloriae telo percussi, peius de alto ruunt.

Hinc est enim quod aeternus iudex, qui occulta cordis examinat, eiusdem ruinae casum praenuntians intentat, cum dicit: *Multi dicent mihi in illa die: « Domine, Domine, nonne in nomine tuo prophetauimus, et in tuo nomine dae- 45 monia eiecimus, et in tuo nomine uirtutes multas fecimus? » Et tunc confitebor illis quia numquam noui uos, discedite a me qui operamini iniquitatem, nescio qui estis*[d]. Hinc etiam per prophetam dicitur: *Vocauit Dominus iudicium ad ignem et deuorauit abyssum multam, et comedit partem domus*[e]. Iudi- 50 cium quippe ad ignem uocatur, cum iustitiae sententia ad poenam iam aeternae concremationis ostenditur. Et multam abyssum deuorat, quia iniquas atque incomprehensibiles hominum mentes concremat, quae nunc se hominibus etiam sub signorum miraculis occultant. Pars autem domus come-

13. d. Mt 7, 22-23 e. Am 7, 4

la discorde, ceux que l'envie ulcère, ceux que la luxure fait périr de corruption. *Il absorbera* donc *un fleuve et ne s'en étonnera pas*, car il n'estime pas difficile de dévorer ceux qui, par les penchants mêmes de leur vie, se précipitent vers le bas. Mais il emploie surtout ses efforts à s'emparer de ceux qu'il voit mépriser tout désir des biens terrestres et s'attacher dès lors aux biens célestes. Aussi, le fleuve une fois englouti, il est ajouté à bon droit : *Il a confiance que le Jourdain coulera dans sa gueule*, car il cherche, en leur tendant des pièges, à s'emparer de ceux qu'il voit renoncer pour eux-mêmes à la gloire de la vie présente par amour de la patrie d'en haut. Quelques-uns, en effet, quittent le monde et abandonnent la vanité des honneurs passagers ; et, recherchant les profondeurs de l'humilité, ils surpassent, par l'excellence de leur vie, l'habituelle manière de vivre des hommes ; ils parviennent à un si haut degré de perfection qu'ils mettent alors en œuvre la puissance des miracles ; mais, parce qu'ils négligent de veiller sur eux-mêmes avec circonspection, frappés du trait de la vaine gloire, ils tombent d'autant plus dangereusement que c'est de plus haut.

C'est pourquoi le Juge éternel, qui sonde le secret des cœurs, annonce en menaçant l'accomplissement de cette chute, lorsqu'il dit : *Beaucoup me diront en ce jour-là : « Seigneur, Seigneur, en ton nom n'avons-nous pas prophétisé et chassé les démons et en ton nom fait beaucoup de miracles ? » Et je leur répondrai alors : « Je ne vous ai jamais connus. Éloignez-vous de moi, vous qui accomplissez l'iniquité, je ne sais pas qui vous êtes*[d]. » A ce sujet, il est dit aussi par le prophète : *Le Seigneur a appelé la condamnation au feu et il a dévoré le grand abîme et consumé une partie de la maison*[e]. Assurément la condamnation au feu est appelée lorsque la sentence de la justice se manifeste par la peine d'un feu désormais éternel. Et il dévore le grand abîme, c'est-à-dire qu'il brûle les âmes iniques et insaisissables des hommes qui maintenant se dissimulent aux hommes même sous les prodiges de miracles.

55 ditur, quia illos quoque gehenna deuorat, qui nunc quasi in sanctis actibus de electorum numero se esse gloriantur. Qui igitur hic Iordanis, ipsi illic pars domus uocantur. Antiquus ergo hostis habet fiduciam quia in os eius et Iordanis influat ; quia nonnumquam calliditatis suae insidiis eos etiam qui 60 iam electi putantur, necat. Sed cuius cordis duritiam non ista Domini uerba perturbent ? Cuius mentis constantia non ab intimis cogitationum radicibus quatiatur, cum hostis noster tantae esse contra nos fortitudinis demonstratur ? Nullumne erit consolationis adiutorium ? Erit certe, nam subditur :

40,19 VII, **14.** ***In oculis eius quasi hamo capiet eum.*** Notandum ualde est quod scripturae suae uerba misericorditer temperans Deus, modo nos asperis incitationibus terret, modo blandis consolationibus refouet, et terrorem fomentis 5 miscet ; et fomenta terrori, ut dum circa nos utrumque mira magisterii arte temperatur, nec desperate inueniamur territi, nec incaute securi. Nam cum Behemoth astutas insidias, atque effrenatas uires multiplicibus sententiis indicasset, protinus unigeniti Filii sui Redemptoris nostri commendat 10 aduentum ; et quo ab illo ordine Behemoth iste sit perimendus insinuat, ut quia cor nostrum narrata illius uirtute perculerat, maerorem nostrum citius indicata eius perditione releuaret. Igitur postquam dixit : *Absorbebit fluuium et non mirabitur ; et habet fiduciam quod influat Iordanis* 15 *in os eius*[a] ; ipsum ilico aduentum dominicae incarnationis annuntiat, dicens : *In oculis eius quasi hamo capiet eum.*

14. a. Jb 40, 18

Une partie de la maison est consumée, parce que la géhenne dévore aussi ceux qui, par un simulacre de bonnes œuvres, se font gloire aujourd'hui d'être au nombre des élus. Ceux qui donc sont ici appelés « Jourdain », sont appelés là « une partie de la maison ». L'antique ennemi a donc confiance que le Jourdain aussi coulera dans sa gueule, car il fait mourir parfois, au moyen des embûches que déploie sa ruse, ceux-là mêmes que déjà l'on estime élus. Mais quel cœur endurci ne serait troublé par ces paroles du Seigneur ? Quel esprit opiniâtre ne serait ébranlé jusqu'aux plus profondes racines de ses pensées, en voyant ce pouvoir prodigieux que notre ennemi a contre nous ? N'y aura-t-il aucun secours de la consolation ? Mais non, il y en aura, car le texte poursuit :

Le Christ hameçon

40,19

VII, **14.** ***Il le prendra par les yeux comme à l'hameçon.*** Il faut bien remarquer que Dieu, équilibrant avec miséricorde les paroles de son Écriture, tantôt nous effraie par de sévères exhortations, tantôt nous réconforte par de douces consolations. Il mêle la terreur au réconfort et le réconfort à la terreur, en sorte qu'équilibrant les deux avec l'art du maître, nous ne nous trouvions ni terrifiés et sans espoir, ni imprudemment rassurés. En effet, après avoir signalé, par des avis multipliés, les embûches astucieuses et la force démesurée de Béhémoth, aussitôt Dieu nous fait la promesse de l'avènement de son Fils unique, notre Rédempteur, et nous révèle selon quelle disposition ce Béhémoth doit périr par lui, afin qu'après avoir ébranlé notre cœur au récit des exploits de celui-ci, il soulage aussitôt notre tristesse par l'annonce de sa perte. C'est pourquoi, après avoir dit : *Il absorbera le fleuve et ne s'en étonnera pas ; il a confiance que le Jourdain coulera dans sa gueule* [a], il annonce aussitôt l'avènement de l'Incarnation du Seigneur en disant : *Il le prendra par les yeux comme à l'hameçon.*

Quis nesciat quod in hamo esca ostenditur, aculeus occultatur ? Esca enim prouocat, ut aculeus pungat. Dominus itaque noster ad humani generis redemptionem ueniens, 20 uelut quemdam de se in nece diaboli hamum fecit. Assumpsit enim corpus, ut in eo Behemoth iste quasi escam suam mortem carnis appeteret. Quam mortem dum in illo iniuste appetit, nos quos quasi iuste tenebat amisit. In hamo ergo eius incarnationis captus est, quia dum in illo appetit escam 25 corporis, transfixus est aculeo diuinitatis. Ibi quippe inerat humanitas quae ad se deuoratorem duceret, ibi diuinitas quae perforaret, ibi aperta infirmitas quae prouocaret, ibi occulta uirtus quae raptoris faucem transfigeret. In hamo igitur captus est, quia inde interiit unde deuorauit. Et 30 quidem Behemoth iste Filium Dei incarnatum nouerat, sed redemptionis nostrae ordinem nesciebat. Sciebat enim quod pro redemptione nostra incarnatus Dei Filius fuerat, sed omnino quod idem Redemptor noster illum moriendo transfigeret nesciebat. Vnde et bene dicitur : *In oculis eius* 35 *quasi hamo capiet eum*. In oculis quippe habere dicimus quod coram nobis positum uidemus. Antiquus uero hostis humani generis Redemptorem ante se positum uidit, quem, cognoscendo confessus est confitendo pertimuit, dicens : *Quid nobis et tibi, Fili Dei ? Venisti ante tempus torquere* 40 *nos*[b]. In oculis itaque suis hamo captus est, quia et nouit et momordit ; et cognouit prius quem pertimesceret et tamen post non timuit, cum in illo quasi escam propriam, mortem carnis esuriret. Igitur quia caput nostrum quid per se fecit audiuimus, nunc per membra sua quod faciat audiamus. 45 Sequitur :

14. b. Mt 8, 29

Qui donc ignore que, dans un hameçon, l'appât est visible tandis que la pointe est cachée ? L'appât attire, en effet, pour que la pointe puisse transpercer. C'est pourquoi notre Seigneur, venant pour la rédemption du genre humain, a fait de lui-même comme une sorte d'hameçon pour la perte du diable. Il a, en effet, assumé un corps afin que ce Béhémoth allât chercher en lui, comme son appât, la mort de la chair. Et tandis qu'il poursuivait indûment cette mort dans le Seigneur, nous lui avons échappé, nous qu'il tenait captifs comme à bon droit. Il a été pris à l'hameçon de l'Incarnation, parce que c'est en voulant dévorer l'appât du corps qu'il a été transpercé de la pointe de la divinité. C'est là que se trouvait à la fois l'humanité qui attirerait à elle le prédateur vorace et la divinité qui le transpercerait, la faiblesse apparente qui l'exciterait et la force cachée qui transpercerait la gorge du ravisseur. Il fut donc pris à l'hameçon, parce que, ce qui le fit périr, c'est ce qu'il dévora. Et pourtant ce Béhémoth avait appris que le Fils de Dieu s'était incarné, mais il ignorait l'économie de notre rédemption. Il savait bien que le Fils de Dieu avait pris chair pour notre rédemption, mais il ignorait que le Fils de Dieu, notre Rédempteur, le transpercerait en mourant. C'est pourquoi il est dit à juste titre : *Il le prendra par les yeux comme à l'hameçon*. En effet, nous disons « avoir dans l'œil » ce que nous voyons placé devant nous. Or, l'antique ennemi vit placé devant lui le Rédempteur du genre humain ; le reconnaissant, il le confessa ; le confessant, il fut saisi d'une grande crainte et dit : « *Qu'y a-t-il entre nous et toi, Fils de Dieu* ? *Es-tu venu nous tourmenter avant le temps*[b] *?* » C'est donc par ses propres yeux qu'il a été pris à l'hameçon, parce qu'il a connu et il a mordu. Il a d'abord reconnu celui qu'il devait redouter et pourtant ensuite il ne l'a pas craint, dès lors qu'en celui-ci, il convoitait la mort de la chair, comme une pâture pour lui. Et donc, après avoir appris ce que notre chef a fait par lui-même, écoutons maintenant ce qu'il va faire par ses membres. Le texte poursuit :

40,19 VIII, **15.** ***Et in sudibus perforabit nares eius.*** Quid aliud sudes, id est palos accipimus, qui uidelicet exacuuntur ut figantur, nisi acuta sanctorum consilia ? Quae huius Behemoth nares perforant, dum sagacissimas eius insidias et ui-
5 gilando circumspiciunt, et superando transfigunt. Per nares uero odor trahitur, et ducto flatu hoc agitur, ut res etiam quae longe est posita cognoscatur. Naribus ergo Behemoth callidae eius insidiae designantur, per quas sagacissime nititur et occulta cordis nostri bona cognoscere et haec pessi-
10 ma persuasione dissipare. In sudibus itaque Dominus nares eius perforat, quia callidas eius insidias acutis sanctorum sensibus penetrans eneruat. Saepe autem bonorum uias tanta insidians arte circumuolat, ut per ea quae ab eis bene gesta cognouerit, ad malitiam aditum quaerat. Nam cum
15 alium largiri quid conspicit, inde alium in discordiae flamma succendit ; et cum hunc respicit misereri, illi persuadet irasci ; ut dum bonum quasi non communiter factum insinuat, concordes animos a bono gratiae communis abscindat. Quia enim iustorum mentes ad mala suadendo non ualet frangere,
20 bonis satagit actibus inter eas mala seminare. Sed sancti uiri has eius insidias tanto celerius uincunt, quanto et subtilius deprehendunt.

Quod melius ostendimus, si unum e multis assertoribus ueritatis in testimonio Paulum uocemus, sub quo quidam
25 Corinthius dum incesti facinus perpetrasset, eum doctor egregius in carnis interitu ad satisfactionem paenitentiae Satanae tradidit [a], et in die Domini saluum eius spiritum reseruauit. Magna quippe arte magisterii ipsi est traditus

15. a. Cf. 1 Co 5, 5

Exemple de Paul

40,19

VIII, **15.** ***Et avec des épieux il percera ses narines.*** Que sont ces épieux, c'est-à-dire ces piquets, ceux dont on aiguise la pointe pour qu'ils s'enfoncent, sinon les jugements pénétrants des saints ? Ils percent les narines de ce Béhémoth, car ses embûches si ingénieuses, ils les découvrent en étant sur leurs gardes et les transpercent en les déjouant. Les odeurs pénètrent par les narines, et, en aspirant l'air, il arrive qu'un objet, même éloigné, parvienne à notre connaissance. Les narines désignent donc les embûches pleines de ruse de ce Béhémoth, embûches dont il use avec grande subtilité pour s'efforcer à la fois de découvrir le bien caché dans notre cœur, et de l'anéantir par sa détestable persuasion. C'est pourquoi le Seigneur perce ses narines avec des épieux, parce qu'il déjoue les embûches rusées de celui-ci en y pénétrant par l'aiguillon qu'est la perspicacité des saints. Souvent Béhémoth circonvient les chemins des bons de pièges si artificieux que, dans le bien même qu'il leur verra accomplir, il cherche un accès pour le mal. Il se sert, par exemple, de la libéralité qu'il constate chez l'un pour allumer chez l'autre la flamme de la discorde ; voyant celui-ci exercer la miséricorde, il persuade celui-là de s'en fâcher. En insinuant qu'un bien n'est pour ainsi dire pas accompli en commun, il arrache aux âmes unies le bien qu'est la gratitude commune. En effet, comme il ne parvient pas à briser les âmes des justes en les persuadant de mal agir, il s'efforce de semer le mal entre elles par de bonnes actions. Mais les saints triomphent d'autant plus facilement de ses pièges qu'ils les découvrent avec plus de perspicacité.

Ce que nous démontrons mieux si nous faisons appel au témoignage de l'un des nombreux défenseurs de la vérité, Paul. Un Corinthien ayant commis le crime d'inceste, l'insigne docteur le livra à Satan pour satisfaire à la pénitence dans la mort de la chair [a], et il garda sauf son esprit pour le jour du Seigneur. Par une grande habileté du maître, il fut livré, contre son gré, pour son châtiment, à celui même auquel

coactus in poenam cui sponte est substratus in culpa ; ut
30 qui auctor fuerat ad uitium nequitiae, ipse flagellum fieret disciplinae. Qua tamen bene gesta paenitentia, dum cognouisset Corinthios super eum iam misericorditer motos, ait : *Cui aliquid donastis, et ego ; nam et ego quod donaui, si quid donaui, propter uos in persona Christi*[b]. Communionis itaque
35 gratiam cogitans ait : *Cui aliquid donastis, et ego*. Ac si diceret : A bono uestro non dissentio, meum sit quicquid ipsi fecistis. Atque mox subdidit : *Et ego si quid donaui, propter uos*. Ac si diceret : Vestris actibus bonum addidi, quicquid propter uos misericorditer feci. Vestra ergo est utilitas, bo-
40 nitas mea, mea est utilitas, bonitas uestra. Qui ipsam mox compagem cordium, in qua sic tenetur, adiungens subdidit : *In persona Christi*. Cui uelut si dicere praesumamus : Quare te ita caute discipulis copulas ? Quare uel te illorum uel illos tuis actionibus tam sollicita mente conformas ? Ilico
45 subiunxit : *Vt non circumueniamur a Satana*[c]. Cuius sagaces insidias quam acuto sensu transfigat insinuat subdens : *Non enim ignoramus cogitationes eius*[d]. Ac si uerbis aliis dicat : Acuti auctore Domino sudes sumus, et nares Behemoth istius subtiliter circumspiciendo penetramus, ne hoc quod
50 bene mens incohat, ipse in malitiae finem uertat.

16. Possunt per sudes acuta ipsius per carnem manifestatae sapientiae uerba signari, ut quia naribus odor trahitur, per Behemoth nares illa antiqui hostis exploratio figuretur. Qui cum Deum incarnatum esse dubitaret, hoc expetitis

15. b. 2 Co 2, 10 c. 2 Co 2, 11 d. 2 Co 2, 11

il s'était soumis volontairement par son péché, en sorte que celui qui avait été l'instigateur du vice de la débauche devînt lui-même le fouet qui la corrigerait. Pourtant, après qu'il eut bien fait sa pénitence, Paul, voyant les Corinthiens désormais émus de miséricorde à son endroit, leur dit : *Celui à qui vous avez pardonné quelque chose, moi aussi ; car, que j'aie pardonné, si j'ai pardonné quelque chose, c'est à cause de vous en la personne du Christ*[b]. Et c'est en référence à la grâce de la communion qu'il leur dit : *Celui à qui vous avez pardonné quelque chose, moi aussi.* Comme s'il disait : Je ne suis pas en désaccord avec le bien que vous accomplissez ; que soit mien tout ce que vous avez fait. Et il a ajouté aussitôt : *Et moi-même, si j'ai pardonné quelque chose, c'est à cause de vous.* Comme s'il disait : La miséricorde que j'ai exercée à cause de vous est un bien ajouté à vos propres actions. Ma bonté est pour votre utilité, et votre bonté pour mon utilité. Et, voulant montrer aussitôt quel est ce lien qui unit ainsi les cœurs, il a poursuivi en ajoutant : *en la personne du Christ.* Comme si nous osions lui dire : Pourquoi es-tu si attentif à t'unir à tes disciples ? Pourquoi as-tu un tel souci de te conformer à leurs actions et de rendre les leurs conformes aux tiennes ? Il a ajouté aussitôt : *afin que nous ne soyons pas circonvenus par Satan*[c]. Et il poursuit, en suggérant avec quelle acuité de jugement il perce ses pièges ingénieux : *En effet, nous n'ignorons pas ses projets*[d]. En d'autres termes, c'est comme s'il disait : Par la grâce du Seigneur, nous sommes des pieux aiguisés et, veillant avec précaution, nous perçons les narines de ce Béhémoth, de crainte que le bien commencé par l'âme, lui-même ne le tourne en malice.

16. Les pieux peuvent signifier les paroles pénétrantes de la Sagesse elle-même manifestée dans la chair, et puisque les odeurs pénètrent par les narines, les narines de Béhémoth figurent cette investigation de l'antique ennemi. Comme il doutait qu'il soit le Dieu incarné, il chercha à le savoir en lui

5 miraculis uoluit temptando cognoscere, dicens : *Si Filius Dei es, dic ut lapides isti panes fiant*[a]. Quia ergo signorum indiciis odorem diuinitatis eius cognoscere concupiuit, quasi flatum naribus traxit. Sed dum ei protinus respondetur : *Non in pane solo uiuit homo*[b]. Et : *Non temptabis Dominum*
10 *Deum tuum*[c], quia sententiarum suarum acuminibus indagationem antiqui hostis ueritas perculit, quasi nares eius sudibus perforauit.

Sed quia Behemoth iste per uaria fraudum argumenta distenditur, adhuc adiuncto et alio nomine notatur. Nam
15 subditur :

40,20 IX, **17.** ***An extrahere poteris Leuiathan hamo ?*** Leuiathan quippe additamentum eorum dicitur. Quorum uidelicet, nisi hominum ? Quibus semel culpam praeuaricationis intulit et hanc usque ad aeternam mortem cotidie pessi-
5 mis suggestionibus extendit. Quibus dum reatum fenore peccati multiplicat, poenas procul dubio sine cessatione coaceruat. Potest quoque Leuiathan etiam per irrisionem uocari. Primo quippe homini persuasione callida diuinitatem se additurum perhibuit, sed immortalitatem tulit[a].
10 Additamentum ergo hominum per irrisionem dici potuit, quibus dum hoc quod non erant se addere spopondit, etiam hoc quod erant fallendo subtraxit. Sed Leuiathan iste hamo captus est, quia in Redemptore nostro dum per satellites suos escam corporis momordit, diuinitatis illum aculeus
15 perforauit. Quasi hamus quippe fauces glutientis tenuit, dum in illo et esca carnis patuit, quam deuorator appeteret, et diuinitas passionis tempore latuit, quae necaret. In hac quippe aquarum abysso, id est in hac immensitate generis

16. a. Mt 4, 3 b. Dt 8, 3 ; Mt 4, 4 c. Mt 4, 7
17. a. Cf. Gn 3, 5

demandant des miracles. Le tentant alors, il lui dit : *Si tu es le Fils de Dieu, commande à ces pierres de devenir du pain*[a]. Parce qu'il a désiré connaître l'odeur de sa divinité par le témoignage des miracles, on peut dire qu'il a aspiré l'air par les narines. Mais comme il lui est aussitôt répondu : *L'homme ne vit pas seulement de pain*[b], et : *Tu ne tenteras pas le Seigneur ton Dieu*[c], parce que la Vérité a déjoué les manœuvres de l'antique ennemi par la pointe de ses réponses, c'est comme s'il lui avait percé les narines avec des épieux.

Mais parce que ce Béhémoth se déploie au travers des manifestations variées de ses ruses, il est désigné encore par un autre nom qu'on lui ajoute. Le texte poursuit en effet :

Le nom de Léviathan

IX, **17**. ***Pourras-tu tirer Léviathan avec un hameçon ?*** Léviathan signifie « ajout pour ceux-ci ». Pour qui assurément, si ce n'est pour les hommes ? Il leur a apporté une fois la faute de la prévarication et il la prolonge jusqu'à la mort éternelle chaque jour par ses funestes suggestions. Et tandis qu'il fait fructifier en eux la faute par la rente du péché, indubitablement, c'est sans répit qu'il amoncelle ainsi leurs châtiments. Il peut aussi être appelé Léviathan par dérision. Au premier homme, bien sûr, par une trompeuse persuasion, il prétendit donner en surplus la divinité, mais il lui ravit l'immortalité[a]. Il a donc pu être appelé par dérision « ajout pour les hommes » : en leur promettant qu'il leur donnerait en plus ce qu'ils n'étaient pas, il leur enleva, par sa tromperie, même ce qu'ils étaient. Mais ce Léviathan a été pris à l'hameçon : oui, alors qu'en notre Rédempteur, par ses satellites, il a mordu l'appât du corps, la pointe de la divinité l'a transpercé. Comme l'hameçon, il a tenu ferme la gueule de Léviathan qui avalait, alors que fut visible en lui l'appât de la chair dont le prédateur vorace avait faim, mais que restait cachée, au temps de la Passion, la divinité qui devait lui donner la mort. Certes, dans ce gouffre des eaux – c'est-à-dire dans cette immensité

40,20

humani, ad omnium mortem inhians, uitam paene omnium
20 uorans, huc illucque aperto ore cetus iste ferebatur ; sed ad mortem ceti istius hamus in haec aquarum profunda caligosa mira est dispositione suspensus. Huius hami linea illa est per euangelium antiquorum patrum propago memorata. Nam cum dicitur : *Abraham genuit Isaac, Isaac genuit Iacob*[b],
25 cumque ceteri successores interposito Ioseph nomine usque ad Mariam uirginem describuntur, quasi quaedam linea torquetur, in cuius extremo incarnatus Dominus, id est hamus iste ligaretur, quem in his aquis humani generis dependentem aperto ore iste cetus appeteret, sed eo per satel-
30 litum suorum saeuitiam morsu, mordendi uires ulterius non haberet. Ne ergo iste humanis mortibus cetus insidians quos uellet ultra deuoraret, hamus hic fauces raptoris tenuit, et sese mordentem momordit. Incarnationem igitur unigeniti Filii fideli famulo indicans Deus, ait : *An extrahere poteris*
35 *Leuiathan hamo ?* Subaudis ut ego, qui ad raptoris mortem incarnatum unigenitum Filium mitto, in quo dum mortalis caro conspicitur, et immortalitatis potentia non uidetur, quasi hamus quidam inde deuorantem perimat unde acumen potentiae quo transfigat occultat. Sequitur :

40,20 X, **18.** ***Et fune ligabis linguam eius ?*** Subaudis ut ego. Scriptura enim sacra fune aliquando dimensionum sortes, aliquando peccata, aliquando autem fidem designare consueuit. Nam propter hereditarias dimensionum sortes dicitur :
5 *Funes ceciderunt mihi in praeclaris; etenim hereditas mea praeclara est mihi*[a]. Funes quippe in praeclaris cadunt, dum per humilitatem uitae sortes nos patriae melioris excipiunt.

17. b. Mt 1, 2
18. a. Ps 15, 6

du genre humain –, affamé de la mort de tous, dévorant la vie de presque tous, ce monstre marin allait çà et là, gueule béante. Mais, pour faire périr ce monstre, un hameçon a été suspendu dans cette profondeur ténébreuse des eaux par une disposition admirable. La corde de cet hameçon est la succession des anciens Pères que nous rappelle l'Évangile. En effet, alors qu'il est dit : *Abraham engendra Isaac, Isaac engendra Jacob*[b], et alors que tous les autres descendants sont nommés, et parmi eux Joseph, jusqu'à la Vierge Marie, c'est comme si une sorte de corde était tressée ; à son extrémité est attaché, tel l'hameçon, le Seigneur incarné, suspendu dans ces eaux du genre humain, lui que poursuivait la gueule ouverte de ce monstre, mais qui, par suite de cette morsure due à la cruauté de ses satellites, n'aurait plus désormais le pouvoir de mordre. Et pour que ce monstre, complotant la mort des hommes, ne puisse plus en dévorer, cet hameçon retint la gueule du prédateur et mordit lui-même celui qui le mordait. C'est pourquoi Dieu, montrant à son fidèle serviteur l'Incarnation de son Fils unique, lui dit : *Pourras-tu tirer Léviathan avec un hameçon ?* Sous-entendu : comme moi qui, pour la mort du prédateur, envoie le Fils unique incarné ; tandis qu'en lui la chair mortelle est apparente et la puissance de l'immortalité invisible, il est comme un hameçon qui fait périr qui le dévore, en lui cachant la pointe de la puissance dont il sera transpercé. On poursuit :

Sens divers de la corde

X, **18.** ***Et lieras-tu sa langue avec une corde ?*** Sous-entendu : comme moi. La sainte Écriture a coutume de désigner sous le nom de corde soit les partages de biens, soit les péchés, soit aussi la foi. En effet, au sujet des partages qui s'effectuent lors d'un héritage, il est dit : *Le cordeau est tombé très avantageusement pour moi, car mon héritage est magnifique*[a]. Le cordeau tombe très avantageusement lorsque, par l'humilité de notre vie, il nous fait obtenir le lot d'une patrie plus précieuse.

40,20

Rursum quia fune peccata signantur, per prophetam dicitur : *Vae qui trahitis iniquitates in funiculis uanitatis*[b]. Iniquitas
10 namque in funiculis uanitatis trahitur, dum per augmentum culpa protelatur. Vnde per psalmistam dicitur : *Funes peccatorum circumplexi sunt me*[c]. Quia enim funis addendo torquetur ut crescat, non immerito peccatum in fune figuratur, quod peruerso corde saepe, dum defenditur, multiplicatur.
15 Rursum fune fides exprimitur, Salomone attestante, qui ait : *Funiculus triplex difficile rumpitur*[d] ; quia uidelicet fides, quae de cognitione Trinitatis ab ore praedicantium texitur, fortis in electis permanens, in solo reproborum corde dissipatur. Hoc itaque loco funis nomine siue peccatum, seu fidem
20 nil obstat intellegi. Incarnatus etenim Dominus noster fune Leuiathan linguam ligauit, quia in similitudine carnis peccati apparuit, et omnia errorum eius praedicamenta damnauit. Vnde Paulo attestante dicitur : *Et de peccato damnauit peccatum*[e]. Fune linguam ligauit, qui per similitudinem carnis
25 peccati ab electorum suorum cordibus cuncta eius fallaciae argumenta destruxit. Ecce enim apparente in carne Domino, Leuiathan lingua ligata est, quia ueritate eius cognita, illae falsitatis doctrinae tacuerunt.

19. Vbi enim nunc est Academicorum error, qui certe conantur astruere certum nil esse, qui impudenti fronte assertionibus suis fidem ab auditoribus exigunt, cum uera esse nulla testantur ? Vbi Mathematicorum superstitio qui,
5 dum signorum cursus suspiciunt, uitas hominum in siderum momenta suspendunt ? Quorum aperte doctrinam saepe

18. b. Is 5, 18 c. Ps 118, 61 d. Qo 4, 12 e. Rm 8, 3

Parce que les cordes signifient aussi les péchés, il est dit par le prophète : *Malheur à vous qui traînez les iniquités avec les cordes de la vanité*[b]. L'iniquité est traînée avec les cordes de la vanité, lorsque la faute se prolonge en s'aggravant. Ce qui fait dire au psalmiste : *Les cordes des péchés m'ont garrotté*[c]. Puisqu'en effet la corde grossit par la torsion de torons ajoutés, elle figure très bien le péché qui, dans un cœur pervers, se multiplie fréquemment lorsqu'on cherche à le justifier. Enfin, par la corde, c'est la foi qui est désignée, ainsi que le prouve cette parole de Salomon : *Une corde triple est difficile à rompre*[d] ; c'est-à-dire que la foi qui est tissée par la bouche des prédicateurs à partir de la connaissance de la Trinité, demeurant ferme chez les élus, ne se détruit que dans le cœur des réprouvés. Donc, dans ce passage, sous le nom de corde, rien n'empêche de comprendre soit les péchés, soit la foi. Notre Seigneur, en effet, s'étant incarné, a lié la langue de Léviathan avec une corde, parce qu'il est apparu dans la ressemblance de la chair de péché et a condamné toutes ses assertions erronées. C'est pourquoi il est dit par le témoignage de Paul : *Il a condamné le péché par le péché*[e]. Il a lié sa langue avec une corde, car, en prenant la ressemblance de la chair de péché, il a rejeté du cœur de ses élus tous les fallacieux arguments de Léviathan. Voici, en effet, qu'à la venue du Seigneur dans la chair, la langue de Léviathan a été liée, car sa vérité s'étant fait connaître, les doctrines fallacieuses sont devenues muettes.

Fausse sagesse de ce monde

19. Où est maintenant, en effet, l'erreur des Académiciens, qui s'efforcent d'établir avec certitude qu'il n'y a rien de certain ? Ils ont le front d'exiger avec impudence de leurs disciples la foi en leurs assertions, alors qu'ils affirment que rien n'est vrai ! Où est la superstition des astrologues qui, observant le cours des astres, font dépendre la vie des hommes du mouvement des astres ? Mais il est évident que leur doctrine est souvent

geminorum natiuitas dissipat, qui cum uno eodemque momento horae prodeant, non in una conuersationis qualitate perdurant. Vbi tot praedicamenta falsitatis, quae enumerare
10 refugimus, ne ab exponendi ordine longe recedamus ? Sed cuncta iam erroris doctrina conticuit, quia Leuiathan linguam Dominus incarnationis suae fune constrinxit. Vnde bene etiam per prophetam dicitur : *Et desolabit Dominus linguam maris Aegypti* [a]. Lingua quippe maris est scientia
15 doctrinae saecularis. Bene autem mare Aegyptium dicitur, quia peccati obscuritate fuscatur. Linguam ergo maris Aegyptii Dominus desolauit, quia huius mundi falsam sapientiam per carnem se ostendendo destruxit. Fune ergo Leuiathan lingua constringitur, quia per similitudinem carnis peccati
20 ligata est praedicatio uetusti peccatoris.

20. Si autem fides fune signatur, isdem nobis iterum intellectus innuitur, quia dum per praedicatores sanctos in mundo fides Trinitatis innotuit, contra electorum mentes erumpere mundi doctrina cessauit. Vnde bene Domino per
5 prophetam dicitur : *Tu dirupisti fontes et torrentes, tu siccasti fluuios Ethan* [a]. Ethan quippe interpretatur fortis. Et quis est hic nisi de quo per euangelium Veritas dicit : *Nemo potest uasa fortis ingressus domum diripere, nisi prius fortem alliget* [b] *?* Fontes itaque et torrentes Dominus dirupit, dum
10 in apostolorum suorum cordibus fluenta ueritatis aperuit. De quibus rursum per prophetam alium dicitur : *Haurietis aquas in gaudio de fontibus Saluatoris* [c]. Ad eorum quippe doctrinam sitientes pergimus, et ueritate plenas cordium nostrorum lagunculas reportamus. Sed emanantibus suis

19. a. Is 11, 15
20. a. Ps 73, 15 b. Mc 3, 27 c. Is 12, 3

1. JÉRÔME, *Tractatuum in psalmos series altera*, 88, 3 et 13.

mise en pièces lors de la naissance de jumeaux qui, bien que naissant exactement à la même heure, n'ont pas, dans la durée, la même manière de vivre. Où sont tant de propos fallacieux, que nous évitons d'énumérer pour ne pas nous éloigner du plan de notre exposé ? Mais toute doctrine erronée est désormais réduite au silence, parce que le Seigneur a lié la langue de Léviathan avec la corde de son Incarnation. C'est pourquoi le prophète a raison de dire aussi : *Et le Seigneur mettra à sec la langue de la mer d'Égypte*[a]. La langue de la mer, c'est la science des doctrines séculières. Elle est bien appelée mer des Égyptiens, car elle est enténébrée par l'obscurité du péché. Le Seigneur a donc mis à sec la langue de la mer d'Égypte parce qu'en se montrant dans la chair, il a détruit la fausse sagesse de ce monde. C'est donc par une corde que la langue de Léviathan est tenue serrée, car c'est par la ressemblance de la chair de péché qu'est liée la parole de ce pécheur invétéré.

La foi en la Trinité

20. Et si la corde désigne la foi, c'est un sens identique qui nous est de nouveau suggéré, car, tandis que la foi en la Trinité a été proclamée dans le monde par les saints prédicateurs, la doctrine mondaine a cessé de se déchaîner contre les âmes des élus. Et c'est ce qu'exprime justement le prophète, disant au Seigneur : *Tu as détruit les sources et les torrents, tu as desséché les fleuves d'Éthan*[a]. Car Éthan signifie « fort[1] ». Et qui est donc ce fort, sinon celui dont la Vérité dit dans l'Évangile : *Personne ne peut entrer dans la maison du fort et détruire ce qu'il possède, si auparavant il ne l'a lié*[b]. Oui, le Seigneur a détruit les sources et les torrents, lorsqu'il a ouvert le flux de la vérité dans le cœur de ses apôtres. A ce sujet, un autre prophète dit encore : *Vous puiserez avec joie de l'eau aux sources du Sauveur*[c]. C'est vers leur doctrine que nous allons, assoiffés, et nous rapportons tels des vases nos cœurs remplis de la vérité. Mais, en faisant jaillir ses propres

15 fontibus Ethan fluuios exsiccauit, dum doctrinam fortis et maligni spiritus ostenso radio suae ueritatis arefecit. Leuiathan ergo lingua fune stringitur, quia extensa fide Trinitatis, errorum praedicamenta siluerunt. Sed quia iam se aperte extollere non ualet, huc illucque circumiens per in-
20 sidias mordet. Mira autem misericordia contra hunc pro nobis Dominus uigilat, atque eum et in hoc quod fraudibus molitur expugnat. Vnde subditur :

40,21 XI, **21.** ***Numquid pones circulum in naribus eius ?*** Sicut per nares insidiae, ita per circulum diuinae uirtutis omnipotentia designatur. Quae cum apprehendi nos temptationibus prohibet, miris ordinibus antiqui hostis insidias
5 circumplectens tenet. Circulus ergo ei in naribus ponitur, dum circumducta protectionis supernae fortitudine, eius sagacitas retinetur, ne contra infirmitates hominum tantum praeualeat, quantum perditionis argumenta latenter explorat. Potest etiam circuli nomine occulti iudicii adiutorium
10 designari, quod in huius Behemoth naribus ponitur, dum a callida sua crudelitate refrenatur. Vnde bene per prophetam, cum ab Israelitarum laesione prohibetur, regi Babyloniae dicitur : *Ponam circulum in naribus tuis*[a]. Ac si aperte diceretur : Cogitando insidias suspiras ; sed explere
15 quae appetis non ualendo omnipotentiae meae circulum in naribus portas, ut cum bonorum mortem ardentius anhelas, ab eorum uita uacuus redeas.

Quod uero hoc loco circulum, hoc scriptura sacra per Ioannem in Apocalypsi falcem uocat. Ait enim : *Vidi et ecce*
20 *nubes candida et super nubem sedentem similem Filio homi-*

21. a. Is 37, 29

sources, il a mis à sec les fleuves d'Éthan lorsqu'il a desséché la doctrine de l'esprit fort et méchant en montrant le trait de lumière de sa vérité. La langue de Léviathan est donc liée par une corde, lorsque, la foi en la Trinité se propageant, les assertions erronées ont été réduites au silence. Mais parce qu'il ne peut plus désormais se glorifier ouvertement, rôdant çà et là, il mord par ses embûches. Le Seigneur, cependant, dans son admirable miséricorde, exerce contre lui sa vigilance en notre faveur et triomphe de lui en dépit des ruses qu'il invente. Aussi le texte poursuit-il :

La toute-puissance divine

XI, **21.** ***Lui mettras-tu un anneau dans les narines ?*** Comme les narines signifient les embûches, ainsi l'anneau signifie la toute-puissance divine. Car lorsqu'elle ne permet pas que les tentations s'emparent de nous, par d'admirables dispositions, elle retient, en les enlaçant, les embûches de l'antique ennemi. Un anneau lui est donc mis aux narines, lorsque, circonscrite par la force de la protection céleste, son astuce est retenue, afin qu'il ne puisse triompher des faiblesses de l'homme, bien qu'il cherche en secret les moyens de causer sa perte. L'anneau qui est mis aux narines de ce Béhémoth peut aussi désigner le secours d'un jugement caché lorsqu'il est réfréné dans sa cruauté pleine de ruse. Aussi, il est bien dit par le prophète au roi de Babylone, alors empêché de nuire au peuple d'Israël : *Je te mettrai un anneau aux narines*[a]. Comme s'il lui disait clairement : Tu n'aspires, en pensée, qu'aux embûches, mais, n'ayant pas le pouvoir d'accomplir ce que tu désires, tu portes aux narines l'anneau de ma toute-puissance, si bien que, tandis que tu convoites ardemment la mort des bons, tu t'en retournes le ventre creux sans t'être emparé de leur vie.

40,21

Ce que notre texte appelle un anneau, l'Écriture sainte l'appelle une faux, dans l'Apocalypse de Jean. Il dit en effet : *Et voici qu'apparut à mes yeux une nuée blanche, et, sur la*

nis ; habentem in capite suo coronam auream et in manu sua falcem acutam[b]. Potestas enim diuini iudicii, quia undique stringit, circulus dicitur, et quia intra se omnia incidendo complectitur falcis appellatione signatur. In falce enim quic-
25 quid inciditur, quaquauersum flectitur, intus cedit. Et quia potestas superni iudicii nullatenus euitatur, intra ipsam quippe sumus, quo libet fugere conemur, recte cum uenturus iudex ostenditur, falcem tenere perhibetur, quia cum potenter ad omnia obuiat, incidendo circumdat. Esse se intra iudicii
30 falcem uidit propheta, cum diceret : *Si ascendero in caelum, tu illic es ; si descendero in infernum, ades. Si sumpsero pennas meas ante lucem, et habitauero in postremo maris, etenim illuc manus tua deducet me, et tenebit me dextera tua*[c]. Intra quamdam se falcem uidit, cum ex nullo sibi loco patere fugae
35 aditum posse cognouit, dicens : *Quia neque ab oriente, neque ab occidente, neque a desertis montibus*[d] ; subaudis patet uia fugiendi ; atque mox ipsam supernae potentiae omnimodam comprehensionem subdens, ait : *Quoniam Deus iudex est*[e]. Ac si diceret : Fugiendi uia undique deest, quia ille iudicat
40 qui ubique est.

Diuina itaque iudicia sicut signantur falce quia circumuallantia incidunt ; ita exprimuntur circulo, quia undique stringunt. In Leuiathan itaque naribus a Domino circulus ponitur, quia iudicii eius potentia in insidiis suis ne quan-
45 tum uult praeualeat coarctatur. Dicatur ergo : *Numquid pones circulum in naribus eius ?* Subaudis ut ego, qui astutas eius insidias omnipotenti iudicio stringo, ut nec tantum

21. b. Ap 14, 14 c. Ps 138, 8-10 d. Ps 74, 7 e. Ps 74, 8

nuée, était assis comme un Fils d'homme, ayant sur la tête une couronne d'or et, dans la main, une faux tranchante[b]. Comme, en effet, la puissance du jugement divin environne de toute part, elle est comparée à un anneau et, parce qu'en son cercle elle enserre tout ce qu'elle tranche, elle est appelée faux. En effet, tout ce qui est tranché par la faux, de quelque côté que cela penche, tombe à l'intérieur. Ainsi, parce que la puissance du jugement divin ne peut être évitée en aucune manière, car nous sommes à l'intérieur de son cercle, même si nous essayons de nous enfuir, c'est avec raison que le Juge, lorsqu'il viendra, est dépeint la faux à la main, puisque, quand dans sa puissance il écarte tout sur son passage, il entoure ce qu'il tranche. Le prophète se vit cerné par la faux du jugement lorsqu'il disait : *Si je monte au ciel, tu y es ; si je descends dans les enfers, tu es là. Si je prends mes ailes au point du jour et que j'habite aux extrémités de la mer, là encore ta main me conduira et ta droite me tiendra*[c]. Il se vit cerné comme par une faux, lorsqu'il comprit qu'en aucun endroit ne pouvait s'ouvrir une issue à sa fuite, *parce que ni du côté de l'orient*, dit-il, *ni du côté de l'occident, ni dans le désert des montagnes*[d], sous-entendu : n'était ouverte une voie à ma fuite. Et aussitôt mentionnant cette universalité de la puissance céleste embrassant toutes choses, il ajoute : *Puisque Dieu est le juge*[e]. Comme s'il disait : le chemin de la fuite se dérobe de toutes parts, puisque celui qui juge est partout.

Les jugements divins sont figurés comme par une faux, parce qu'ils tranchent dans les barrages alentour ; de même, ils sont désignés par un anneau, parce qu'ils enserrent de toutes parts. Le Seigneur met un anneau aux narines de Léviathan, parce que ses ruses sont refrénées par la puissance de la volonté du Seigneur, afin qu'il ne puisse exercer son pouvoir autant qu'il le souhaiterait. C'est pourquoi il est dit : *Lui mettras-tu un anneau dans les narines ?* Sous-entendu : comme moi qui enserre ses machinations astucieuses par une

temptet quantum appetit, nec tantum capiat quantum temptat. Sequitur :

40,21 XII, **22.** ***Aut armilla perforabis maxillam eius ?*** Ab intellectu circuli armilla non discrepat, quia ipsa quoque hoc ubi ponitur ambiendo constringit. Sed quia armilla latius tenditur, per armillam occulti eius iudicii erga nos protectio
5 impensior designatur. Armilla ergo Dominus maxillam Leuiathan istius perforat, quia ineffabili misericordiae suae potentia sic malitiae antiqui hostis obuiat, ut aliquando eos etiam quos iam cepit amittat ; et quasi ab ore illius cadunt, qui post perpetratas culpas ad innocentiam redeunt. Quis enim
10 ore illius semel raptus maxillam eius euaderet, si perforata non esset ? An non in ore Petrum tenuit, cum negauit[a] ? An non in ore Dauid tenuit, cum in tantam se luxuriae uoraginem mersit[b] ? Sed dum ad uitam uterque per paenitentiam rediit, Leuiathan iste eos aliquo modo quasi per maxillae
15 suae foramen amisit. Per foramen ergo maxillae ab eius ore subtracti sunt qui post perpetrationem tantae nequitiae paenitendo redierunt. Quis autem hominum Leuiathan istius os euadat, ut illicita nulla committat ? Sed hinc cognoscimus quantum redemptori humani generis debitores sumus, qui
20 non solum nos in ore Leuiathan ire prohibuit, sed ab ore etiam redire concessit ; qui spem peccatori non abstulit, quia maxillam eius, ut euadendi uiam tribueret, perforauit, ut saltim post morsum fugiat ; qui incautus prius nequaquam morderi metuebat. Vbique ergo nobis occurrit superna
25 medicina, quia et dedit homini praecepta ne peccet, et

22. a. Cf. Mt 26, 69-74 b. Cf. 2 S 11, 4

volonté tout-puissante, en sorte qu'il ne puisse tenter autant qu'il le désire, ni séduire autant qu'il tente. Le texte poursuit :

Espérance des pécheurs

XII, **22.** ***Ou perceras-tu sa mâchoire avec une boucle ?*** La boucle a la même signification que l'anneau, parce qu'elle aussi serre les objets en les entourant là où on la pose. Mais, comme la boucle est plus large que l'anneau, elle désigne une protection plus grande à notre égard de son jugement caché. Avec une boucle, le Seigneur perce la mâchoire de ce Léviathan, car, par la puissance ineffable de sa miséricorde, il s'oppose de telle manière à la malice de l'antique ennemi que parfois celui-ci laisse même échapper ceux qu'il avait déjà capturés. Ils tombent, pour ainsi dire, de sa gueule, ceux qui, après avoir commis des fautes, reviennent à une vie innocente. Et qui donc, une fois happé par cette gueule, pourrait échapper de sa mâchoire, si elle n'était percée ? N'a-t-il pas tenu dans sa gueule Pierre lors de son reniement [a] ? N'a-t-il pas tenu dans sa gueule David, qui s'était plongé dans un si grand gouffre d'impureté [b] ? Mais lorsque l'un et l'autre sont revenus à la vie par la pénitence, ce Léviathan les a d'une certaine façon laissé échapper comme par les trous de sa mâchoire. Ils se sont donc échappés de sa gueule par les trous de sa mâchoire, eux qui, après avoir commis une telle iniquité, sont revenus par la pénitence. Or, y a-t-il un homme qui échappe à la gueule de ce Léviathan en ne commettant pas la moindre faute ? Mais par là nous reconnaissons combien nous sommes redevables au Rédempteur du genre humain, lui qui non seulement nous a empêchés de tomber dans la gueule de Léviathan, mais nous a même accordé de pouvoir en revenir ; lui qui n'a pas enlevé toute espérance au pécheur : pour lui donner une possibilité de s'enfuir, il a percé cette mâchoire, afin que, même après avoir été mordu, il puisse encore s'échapper, cet imprudent qui tout d'abord ne redoutait aucune morsure. De tout côté s'offre donc à nous la médecine céleste, parce que, d'une

40,21

tamen peccanti dedit remedia, ne desperet. Vnde cauendum summopere est ne quis delectatione peccati Leuiathan istius ore rapiatur ; et tamen, si raptus fuerit, non desperet ; quia si peccatum perfecte lugeat, adhuc foramen in maxilla eius
30 inuenit, per quod euadat. Iam dentibus teritur, sed adhuc si euadendi uia quaeritur, in maxilla eius foramen inuenitur. Habet etiam captus quo exeat, qui praeuidere noluit ne caperetur. Quisquis ergo nondum captus est, maxillam eius fugiat ; quisquis uero iam captus est, in maxilla foramen
35 quaerat. Pius quippe ac iustus est conditor noster.

23. Sed nemo dicat : Quia pius est, uenialiter pecco. Et nemo qui peccauerit dicat : Quia iustus est, de peccati remissione despero. Relaxat enim Deus facinus quod defletur, sed perpetrare quisque timeat quod si digne deflere possit
5 ignorat. Ante culpam ergo iustitiam metuat, post culpam tamen de pietate praesumat ; neque ita iustitiam timeat, ut nulla spei consolatione conualescat ; neque ita confidat de misericordia, ut adhibere uulneribus suis dignae paenitentiae neglegat medicinam ; sed quem praesumit sibi pie parcere,
10 semper etiam cogitet districte iudicare. Sub pietate itaque eius spes peccatoris gaudeat, sed sub districtione illius paenitentis correctio contremiscat. Spes igitur praesumptionis nostrae habeat etiam morsum timoris ; ut ad corrigenda peccata iustitia iudicantis terreat, quem ad fiduciam ueniae
15 gratia parcentis inuitat. Hinc enim per quemdam sapientem

part, Dieu a donné à l'homme des préceptes pour lui éviter de pécher, et, à celui qui pèche cependant, il a donné des remèdes pour qu'il ne désespère pas. Donc, que chacun, avec le plus grand soin, évite de devenir la proie de ce Léviathan, à cause de l'attrait du péché. Et pourtant, s'il a été pris, qu'il ne désespère pas, parce que, s'il pleure sincèrement son péché, il trouve alors dans la mâchoire un trou pour s'échapper. Oui, le voilà déjà broyé par les dents, mais s'il cherche encore une voie pour s'échapper, il trouve dans cette mâchoire un trou. Pris, il a encore le moyen de sortir lui qui n'a pas voulu veiller à ne pas se faire prendre. Celui qui n'a pas encore été pris, qu'il fuie cette mâchoire. Mais celui qui est déjà pris, qu'il cherche un trou dans la mâchoire. Vraiment, il est à la fois bon et juste, notre Créateur !

Dieu est juste et bon

23. Que personne cependant ne dise : Puisqu'il est bon, je puis pécher ; il me pardonnera. Et que personne, ayant péché, ne dise : Puisqu'il est juste, je ne puis espérer le pardon de mon péché. Car Dieu pardonne un crime si on le pleure, mais il faut craindre de commettre ce que l'on n'est pas assuré de pouvoir pleurer comme il convient. Avant la faute, qu'on craigne donc la justice, mais, après la faute, qu'on espère cependant en la bonté ; qu'on ne redoute pas la justice au point de ne trouver aucune consolation dans l'espérance, mais qu'on ne se fie pas non plus en la miséricorde au point de négliger d'appliquer à ses propres blessures le remède d'une pénitence convenable ; oui, il faut penser sans cesse que celui dont on espère qu'il pardonnera avec bonté jugera aussi avec rigueur. Que devant sa bonté l'espérance du pécheur se réjouisse donc, mais que, devant sa sévérité, la correction fasse trembler le pénitent. Que l'espoir né de notre attente n'élimine donc pas la morsure de la crainte, afin que, pour corriger ses péchés, la justice du juge effraie l'homme qu'invite à la confiance dans la rémission la bonté de celui qui pardonne. Aussi est-il dit

dicitur : *Ne dixeris : « Miserationes Domini multae sunt, peccatorum meorum non memorabitur*[a]. » Pietatem namque eius protinus, et iustitiam subdit, dicens : *Misericordia enim et ira ab illo*[b].

20 Diuina itaque clementia maxillam Behemoth istius perforans, ubique humano generi et misericorditer et potenter occurrit ; quia nec libero admonitionem praecauendi tacuit, nec capto remedium fugiendi subtraxit. Ad hoc quippe in scriptura sacra uirorum talium, id est Dauid et Petri, pec- 25 cata sunt indita, ut cautela minorum sit ruina maiorum. Ad hoc uero utrorumque illic et paenitentia insinuatur et uenia, ut spes pereuntium sit recuperatio perditorum. De statu ergo suo Dauid cadente, nemo superbiat. De lapsu etiam suo Dauid surgente, nemo desperet. Ecce quam mirabiliter 30 scriptura sacra eodem uerbo superbos premit, quo uerbo humiles leuat. Vnam namque rem gestam rettulit, et diuerso modo superbos quidem ad humilitatis formidinem, humiles uero ad spei fiduciam reuocauit. O inaestimabile noui generis medicamentum, quod uno eodemque ordine posi- 35 tum, et premendo tumentia exsiccat, et subleuando arentia infundit ! De maiorum nos lapsu terruit, sed de reparatione roborauit.

24. Sic quippe semper, sic nos diuinae dispensationis misericordia et superbientes reprimit, et ne ad desperationem corruamus fulcit. Vnde etiam per Moysen admonet, dicens : *Non accipies loco pignoris superiorem, aut inferiorem* 5 *molam*[a]. Accipere namque aliquando dicimus auferre. Vnde

23. a. Si 5, 6 b. Si 5, 7
24. a. Dt 24, 6

par un sage : *Ne dis pas : « Les miséricordes du Seigneur sont grandes, il ne se souviendra pas de mes péchés*[a]. » Car aussitôt il fait suivre la bonté de la justice en disant : *Car il y a en lui miséricorde et colère*[b].

C'est pourquoi la divine clémence, en perçant la mâchoire de ce Béhémoth, se porte en tout lieu au secours du genre humain avec miséricorde et puissance, parce qu'elle ne prive ni celui qui est libre, de l'avertissement à la vigilance, ni celui qui est captif, du moyen de s'enfuir. Et, pour cela, les péchés d'hommes tels que David et Pierre sont rapportés dans l'Écriture sainte, afin que la chute des grands soit une mise en garde pour ceux qui sont moins importants. Et si la pénitence et le pardon de l'un et de l'autre y sont notifiés, c'est afin que le retour à la vie de ceux qui étaient perdus soit l'espoir de ceux qui périssent. En voyant David tomber de sa puissance, que personne ne s'enorgueillisse. En le voyant aussi se relever de sa chute, que personne ne désespère. Voyez de quelle manière admirable l'Écriture sainte par la même parole rabaisse les superbes et élève les humbles. Car elle a rapporté un seul fait et, sous un double mode, a rappelé les superbes à la crainte née de l'humilité, les humbles à la foi en l'espérance. O inestimable remède d'un nouveau genre ! Présenté sous une seule et même forme, en le comprimant, il dessèche ce qui est enflé et irrigue ce qui est aride en le soulevant. Il nous a épouvantés par la chute des grands, mais nous a réconfortés par leur rétablissement.

Espérance et crainte

24. C'est ainsi que la miséricorde de la providence divine ne cesse, et de nous rabaisser quand nous nous enorgueillissons, et de nous soutenir afin que nous ne tombions pas dans le désespoir. D'où cet avertissement qui nous est donné aussi par la voix de Moïse : *Tu ne prendras pas en gage ni la meule de dessus, ni la meule de dessous*[a]. Nous disons parfois « prendre » (*accipere*) pour « enlever ». C'est pourquoi nous appelons

et aues illae quae rapiendis sunt auibus auidae, accipitres uocantur. Vnde et Paulus apostolus dicit : *Sustinetis enim si quis deuorat, si quis accipit*[b]. Ac si diceret : Si quis rapit. Pignus uero debitoris est confessio peccatoris. A debitore
10 enim pignus accipitur, cum a peccatore iam peccati confessio tenetur. Superior autem et inferior mola est spes et timor. Spes quippe ad alta subuehit, timor autem cor inferius premit. Sed mola superior et inferior ita sibi necessario iungitur, ut una sine altera inutiliter habeatur. In peccatoris
15 itaque pectore incessanter debet spes et formido coniungi, quia incassum misericordiam sperat, si non etiam iustitiam timeat ; incassum iustitiam metuit, si non etiam de misericordia confidit. Loco igitur pignoris mola superior aut inferior tolli prohibetur, quia qui peccatori praedicat, tanta
20 dispensatione componere praedicationem debet ut nec derelicta spe timorem subtrahat, nec subtracta spe, in solo eum timore derelinquat. Mola enim superior aut inferior tollitur, si per praedicantis linguam in peccatoris pectore aut timor a spe, aut spes ab timore diuidatur.

25. Sed quia exigente causa, Dauid ad medium deducto, tanti facinoris memoriam fecimus, lectoris fortasse animus mouetur, cur omnipotens Deus eos, quos in perpetuum elegit, quos ad donorum quoque spiritalium culmen assump-
5 sit, illaesos a corporalibus uitiis non custodit. Vnde quia satisfieri citius credimus, breuiter respondemus.

Nonnulli enim per accepta dona uirtutum, per impensam gratiam bonorum operum in superbiae uitium cadunt,

24. b. 2 Co 11, 20

« rapaces » (*accipitres*) ces oiseaux de proie qui sont avides de ravir des oiseaux. Dans le même sens, l'apôtre Paul dit: *Vous supportez qu'on vous dévore et qu'on prenne vos biens*[b]. Comme s'il disait: qu'on vous enlève vos biens. Le gage donné par le débiteur, c'est l'aveu du pécheur. On reçoit un gage du débiteur, dès lors qu'on obtient du pécheur l'aveu de sa faute. La meule du dessus et celle du dessous figurent l'espérance et la crainte. L'espérance, en effet, élève le cœur, mais la crainte l'écrase. Cependant, la meule du dessus et celle du dessous sont unies de manière si nécessaire que l'une sans l'autre ne peut servir à rien. C'est pourquoi, dans le cœur du pécheur, espérance et crainte doivent être inséparablement unies, parce que c'est bien en vain qu'il espère la miséricorde s'il ne craint aussi la justice, en vain qu'il craint la justice s'il n'a pas foi aussi en la miséricorde. Il est donc interdit de prendre en gage soit la meule du dessous, soit celle du dessus, parce que celui qui exhorte le pécheur doit composer sa prédication avec une telle prudence qu'il ne lui enlève pas la crainte en lui laissant l'espérance, ni ne lui retire l'espérance en l'abandonnant à la seule crainte. En effet, ou la meule de dessus ou celle de dessous est enlevée si, par son discours, le prédicateur sépare, dans le cœur du pécheur, la crainte de l'espérance ou l'espérance de la crainte.

La blessure et le remède

25. Mais comme, pour les besoins de la cause, ayant pris l'exemple de David, nous avons rappelé un si grand crime, l'esprit du lecteur est peut-être troublé, se demandant pourquoi ceux que le Dieu tout-puissant a choisis de toute éternité, ceux que, de plus, il a élevés au sommet des biens spirituels, il ne les garde pas exempts des vices de la chair. Aussi, parce que nous croyons pouvoir lui donner satisfaction rapidement, nous répondons à cette question en quelques mots.

Plusieurs, en effet, du fait qu'ils ont reçu les dons des vertus et que leur a été dispensée la grâce de bien agir, tombent dans

sed tamen quo ceciderint, non agnoscunt. Proinde contra eos hostis antiquus, quia iam interius dominatur, etiam exterius saeuire permittitur ; ut qui in cogitatione elati sunt, per carnis luxuriam prosternantur. Scimus autem quia aliquando minus est in corporis corruptione cadere quam cogitatione tacita ex deliberata elatione peccare ; sed cum minus turpis superbia creditur, minus uitatur. Luxuriam uero eo magis erubescunt homines, quo simul omnes turpem nouerunt. Vnde fit plerumque ut nonnulli post superbiam in luxuriam corruentes, ex aperto casu malum culpae latentis erubescant ; et tunc etiam maiora corrigunt, cum prostrati in minimis grauius confunduntur. Reos enim se inter minora conspiciunt, qui se liberos inter grauiora crediderunt. Pia ergo Domini dispensatione laxatus nonnumquam Behemoth iste de culpa ad culpam trahit, et dum plus percutit, inde eum quem ceperat amittit, atque unde uicisse cernitur, inde superatur.

Considerare libet intra munitum gratiae sinum quanto Deus misericordiae fauore nos continet. Ecce qui de uirtute se extollit per uitium ad humilitatem redit. Qui uero acceptis uirtutibus extollitur, non gladio, sed ut ita dixerim, medicamento uulneratur. Quid est enim uirtus, nisi medicamentum ? Et quid est uitium, nisi uulnus ? Quia ergo nos de medicamento uulnus facimus, facit ille de uulnere medicamentum, ut qui uirtute percutimur, uitio curemur. Nos namque uirtutum dona retorquemus in usum uitiorum, ille uitiorum illecebras assumit in arte uirtutum ; et salutis

le vice de la superbe, mais sans se rendre compte pourtant qu'ils y sont tombés. Et donc, puisque l'antique ennemi les domine déjà au dedans, il lui est permis d'exercer aussi sa tyrannie sur eux au dehors, en sorte que ceux qui sont élevés dans leurs pensées soient mis à bas par la luxure de la chair. Or, nous le savons, il est parfois moins grave de tomber dans la corruption de la chair que de pécher délibérément par orgueil dans le secret de sa pensée. Mais, comme on croit la superbe moins honteuse, on l'évite moins. Car les hommes rougissent d'autant plus de la luxure que tous, en somme, la reconnaissent honteuse. De là vient le plus souvent que plusieurs, tombant de la superbe dans la luxure, émus de cette chute notoire, rougissent aussi du mal résultant de leur faute cachée. Et ils se mettent à corriger également ces péchés plus grands, dès lors qu'abattus, ils éprouvent plus de confusion à l'occasion des plus petits péchés. Ils se reconnaissent coupables au milieu de péchés plus petits, eux qui se sont crus exempts de tout péché au milieu des plus graves. Relâché selon une disposition miséricordieuse du Seigneur, il advient donc parfois que ce Béhémoth entraîne de faute en faute, et plus il frappe fort, plus lui échappe aussi celui qu'il avait pris, si bien que là où il semble avoir l'avantage, c'est là qu'il est vaincu.

Il nous plaît de considérer avec combien de tendresse et de miséricorde Dieu nous retient dans le sein protecteur de sa grâce. Voyez celui qui s'exalte au sujet de sa vertu ramené à l'humilité par le vice. Celui qui s'exalte pour les vertus dont il a été gratifié est blessé, non par une épée, mais pour ainsi dire par un remède. En effet, qu'est-ce que la vertu, sinon un remède ? Et qu'est-ce que le vice, sinon une blessure ? Donc, puisque du remède nous faisons une blessure, il fait donc, lui, de la blessure un remède, afin que nous qui sommes blessés par la vertu, soyons ainsi guéris par le vice. En effet, nous détournons les dons des vertus au service des vices, lui, au contraire, se sert de la séduction des vices au profit

statum percutit ut seruet, ut qui humilitatem currentes fugimus, ei saltim cadentes haereamus.

Sed inter haec sciendum quod plerique hominum, quo in multis corruunt, artius ligantur ; cumque eos Behemoth
40 iste ex uno uitio percutit ut concidant, ex alio quoque illigat ne resurgant. Consideret itaque homo cum quo aduersario bellum gerat ; et si iam se in aliquo deliquisse perpendit, saltim ad culpam pertrahi ex culpa pertimescat, ut studiose uitentur uulnera, quibus frequenter interficit, quia ualde
45 rarum est, quod hostis noster electorum saluti etiam uulneribus seruit.

26. Maxilla tamen Behemoth istius perforata intellegi et aliter potest, ut in ore tenere dicatur non quos iam perfecte peccato implicat, sed quos adhuc peccati persuasionibus temptat, quatenus ei quemlibet mandere sit de peccati eum
5 delectatione temptare. Mandendum quidem, sed non deglutiendum acceperat Paulum, quando illum post tot reuelationum sublimia stimulis carnis agitabat[a]. Tunc ergo cum contra illum licentiam temptationis accepit, in maxilla eum tenuit, sed perforata. Qui uero elatus perire poterat, temp-
10 tatus est ne periret. Temptatio ergo illa non uorago uitiorum, sed custodia meritorum fuit, quia Leuiathan iste fatigando eum in afflictione contriuit, sed non in culpa capiendo deuorauit. Elatos autem in sanctitate uiros non amitteret, nisi temptaret. Sancti quippe non essent, qui de sanctitatis

26. a. Cf. 2 Co 12, 7

de l'exercice des vertus. Il porte atteinte à notre salut pour le conserver, afin que nous qui nous enfuyons en courant devant l'humilité, nous consentions, du moins dans notre chute, à adhérer à elle.

Mais, à cette occasion, il faut savoir que, la plupart du temps, plus les hommes tombent en de nombreux vices, et plus ils sont étroitement enchaînés. Lorsque ce Béhémoth leur porte atteinte par un vice de manière à les faire trébucher, il les attache par un autre pour qu'ils ne puissent plus se relever. Que l'homme considère donc avec quel adversaire il est en guerre, et s'il prend conscience d'être déjà tombé dans un péché, que du moins il appréhende de se laisser entraîner de faute en faute, afin d'éviter avec grand soin des blessures par lesquelles il a coutume de donner la mort, car il est très rare que notre ennemi contribue par des blessures au salut des élus.

La séduction du péché

26. On peut aussi interpréter autrement la mâchoire percée de ce Béhémoth, en disant qu'il tient dans sa gueule non pas ceux qu'il enlace déjà complètement dans le péché, mais ceux qu'il est encore occupé à tenter en les persuadant de pécher, en sorte que, pour lui, mâcher quelqu'un serait le tenter par la séduction du péché. Il avait pris Paul pour le mâcher, mais sans l'avaler, lorsqu'après tant de sublimes révélations, il le tourmentait par les aiguillons de la chair [a]. Et ainsi, lorsqu'il reçut la permission d'exercer ses tentations contre lui, il le tint dans sa mâchoire, mais elle était percée. Celui donc qui, dans son orgueil, aurait pu périr, fut tenté afin de ne pas périr. Cette tentation ne fut donc pas un gouffre pour les vices, mais plutôt la sauvegarde des mérites, parce que ce Léviathan en s'acharnant contre lui le terrassa et le broya, mais ne put le dévorer en le prenant en faute. Ces hommes enorgueillis de leur sainteté ne pourraient pas lui échapper à moins d'être tentés. Non, ils ne pourraient être saints, ceux qui se feraient

15 gloria superbirent, et tanto sub eius iure caderent, quanto se in suis uirtutibus eleuarent. Sed miro dispensationis ordine dum temptantur humiliantur, dum humiliantur eius esse iam desinunt. Bene ergo maxilla Behemoth istius perforata dicitur, quia electos Dei unde conterit, inde amittit ; unde 20 temptat ut perdat, agit inde ne pereant. Antiquus itaque hostis, occultis Dei dispensationibus seruiens, sanctorum animas ad interitum temptat uolens, sed ad regnum temptando seruat inuitus. Maxilla ergo eius perforata est, quia eos quos temptando, id est mandendo conterit, quasi cum 25 deglutit amittit.

Quod quia non humana sed diuina prouidentia agitur, ut utilitati iustorum ipsa uetusti aduersarii astutia suffragetur, quatenus cum electos temptat, eos magis temptando custodiat, bene ad beatum Iob dicitur : *Aut armilla perforabis* 30 *maxillam eius*[b] *?* Subaudis ut ego, qui prouide cuncta disponens, electos meos inde robustius integritati custodio, unde eos per maxillam Leuiathan istius labefactari aliquo modo ab integritate permitto. Sequitur :

40,22 XIII, 27. ***Numquid multiplicabit ad te preces, aut loquetur tibi mollia ?*** Subaudis ut mihi. Si enim ad personam Filii haec uerba referantur, incarnato ei mollia loquebatur cum diceret : *Scio qui es sanctus Dei*[a]. Ad quem Leuiathan iste 5 multiplicauit preces, cum per subditam sibi legionem dixit : *Si eicis nos, mitte nos in gregem porcorum*[b]. Quamuis intel-

26. b. Jb 40, 21
27. a. Lc 4, 34 b. Mt 8, 31

un titre de gloire de leur sainteté, et ils tomberaient d'autant plus sous sa domination qu'ils s'enorgueilliraient de leurs propres vertus. Mais, selon une disposition admirable de la Providence, tandis qu'ils sont tentés, ils s'humilient, et dès lors qu'ils s'humilient, ils cessent de lui appartenir. On peut donc dire avec raison que la mâchoire de ce Béhémoth est percée, puisqu'il laisse échapper les élus de Dieu du fait même qu'il les tourmente. Alors qu'il les tente pour les perdre, il leur évite en réalité de périr. Aussi, servant les desseins secrets de Dieu, l'antique ennemi tente les âmes des saints pour causer leur perte, mais, par cette tentation, malgré lui, il les garde pour le Royaume. Sa mâchoire est donc percée : en effet, ceux qu'il broie en les mâchant, c'est-à-dire en les tentant, il les laisse échapper, si l'on peut dire, quand il cherche à les avaler.

Étant donné que, par une disposition non pas humaine, mais divine, il advient que l'astuce même de notre adversaire invétéré tourne à l'avantage des justes, dans la mesure où, lorsqu'il tente des élus, en les tentant, il les met plus en sûreté, c'est avec raison qu'il est dit ici au bienheureux Job : *Ou perceras-tu sa mâchoire avec une boucle*[b] *?* Sous-entendu : comme moi qui, disposant tout avec prévoyance, pour garder d'autant plus solidement l'intégrité de mes élus, leur permets d'une certaine façon de déchoir de leur intégrité par la mâchoire de ce Léviathan. Le texte poursuit :

Prières de Léviathan

XIII, 27. ***T'adressera-t-il de nombreuses prières ou te dira-t-il de douces paroles ?*** **40,22**

Sous-entendu : comme à moi. Si ces mots se rapportent à la personne du Fils, il lui parlait effectivement avec douceur lors de son Incarnation, lorsqu'il lui disait : *Je sais que tu es le saint de Dieu*[a]. C'est à lui que ce Léviathan a adressé de multiples prières lorsque, par cette légion qui était à ses ordres, il lui a dit : *Si tu nous chasses, envoie-nous dans ce troupeau de porcs*[b]. Mais cela peut également s'entendre,

legi aptius potest, quia ad Dominum preces multiplicat, cum extremi die iudicii iniqui qui eius corpus sunt sibi parci deprecantur ; cum membra eius, uidelicet reprobi, sero
10 clamantes dicunt : *Domine, Domine, aperi nobis*[c]. Quibus protinus respondetur : *Nescio uos unde estis*[d]. Tunc etiam Domino per membra sua mollia loquetur, quando multi ex eius corpore dixerint : *Domine, Domine, nonne in nomine tuo prophetauimus ; et in nomine tuo daemonia eiecimus ;*
15 *et in nomine tuo uirtutes multas fecimus*[e] *?* Mollia quidem deprecantes dicunt, cum eius nomine replicant quae fecerunt, sed duro corde illa cum facerent, in sua laude rapuerunt. Vnde mox audiunt : *Nescio qui estis*[f]. Sequitur :

40,23 XIV, **28.** ***Numquid feriet tecum pactum ?*** – Subaudis ut
40,23 mecum. – ***Et accipies eum seruum sempiternum ?*** Subaudis ut ego. Sed ualde sollerter intuendum est quod pactum cum Domino Leuiathan iste feriat, ut sempiternus ab eo seruus
5 habeatur. In pacto namque discordantium partium uoluntas impletur, ut ad uotum suum quaeque perueniat et iurgia desiderato fine concludat. Antiquus itaque hostis a sinceritate diuinae innocentiae malitiae suae succensus face discordat, sed ab eius iudicio etiam discordando non discrepat ;
10 nam uiros iustos semper maleuole temptare appetit, sed tamen hoc Dominus uel misericorditer fieri, uel iuste permittit. Haec ipsa ergo temptationis licentia pactum uocatur, in qua et desiderium temptatoris agitur, et tamen per eam miro modo uoluntas iusti dispensatoris impletur. Erudien-

27. c. Lc 13, 25 d. Lc 13, 25.27 e. Mt 7, 22 f. Mt 7, 23

et plus à propos, des multiples prières qu'il adresse au Seigneur lorsqu'au jour du Jugement dernier, les méchants qui constituent son corps supplient qu'on les épargne ; lorsque ses membres – c'est-à-dire les réprouvés – crient, un peu tard : *Seigneur, Seigneur, ouvre-nous*[c]. On leur répond sans attendre : *Je ne sais d'où vous êtes*[d]. C'est alors aussi qu'il dira par ses membres de douces paroles au Seigneur, quand beaucoup de ceux qui font partie de son corps auront dit : *Seigneur, Seigneur, n'avons-nous pas prophétisé en ton nom, et n'avons-nous pas chassé les démons en ton nom, et n'avons-nous pas fait beaucoup de miracles en ton nom*[e] *?* Ils disent en suppliant de douces paroles lorsqu'ils énumèrent ainsi ce qu'ils ont fait en son nom, mais comme ils le faisaient avec un cœur dur, ils l'ont détourné au profit de leur propre louange. C'est pourquoi ils entendent aussitôt : *Je ne sais qui vous êtes*[f]. Le texte poursuit :

Dieu se sert de la tentation

XIV, **28.** ***Fera-t-il avec toi un pacte ?*** Sous-entendu : comme avec moi. ***Et le prendras-tu pour toujours comme serviteur ?*** Sous-entendu : comme moi. Mais il faut examiner avec le plus grand soin quel est ce pacte conclu par ce Léviathan avec le Seigneur de telle sorte qu'il soit à jamais traité par lui comme son serviteur. Car, dans un pacte est exécutée la volonté de parties qui sont en différend, afin que chacune parvienne à ce qu'elle désire et termine les débats par la conclusion souhaitée. Ainsi, l'antique ennemi, enflammé par le tison de sa malice, se trouve en désaccord avec l'intégrité de l'innocence divine, mais, malgré ce désaccord, il n'est pas en contradiction avec ses décisions : il cherche continuellement, en effet, dans sa volonté maligne, à tenter les hommes justes, mais le Seigneur permet cela, soit par miséricorde, soit par justice. Et c'est cette permission même de tenter qui est appelée ici un pacte : par elle, en effet, le désir du tentateur s'exerce, et cependant, grâce à elle, d'une manière admirable, la volonté du sage dis-

40,23

40,23

15 dos enim, sicut et nuper diximus, electos suos Dominus saepe temptatori subicit, sicut post paradisi claustra, post tertii caeli secreta, ne reuelationum magnitudine Paulus extolli potuisset, ei *Satanae angelus*[a] datus est. Sed, ut praefati sumus, ipsa hac temptatione disponitur, ut qui elati perire 20 poterant, humiliati a perditione seruentur. Secreto ergo dispensationis ordine, unde saeuire permittitur iniquitas diaboli, inde pie perficitur benignitas Dei. Et bene ex hoc pacto quod cum Domino ferire dicitur, seruus accipi perhibetur ; quia inde obtemperat nutibus supernae gratiae, 25 unde exercet iram nequissimae uoluntatis suae. Seruus ergo ex pacto est, qui dum uoluntatem suam implere permittitur, a superni consilii uoluntate ligatur, ut electos Dei, sicut dictum est, uolens temptet, et temptando nesciens probet.

29. Sed quia tamdiu in hac uita electorum usibus seruit, quamdiu malitiae suae nequitiam temptationibus exercere potuerit ; hoc autem in loco a Domino non solum ex pacto seruus, sed sempiternus seruus accipi dicitur, inuestigare 5 compellimur quomodo et post praesentis uitae terminum seruire eum Domino in perpetuum demonstremus. Neque enim tunc iustos caelesti felicitate pollentes adhuc temptare permittitur, cum ante eorum oculos aeternis gehennae ignibus mancipatur ; quia nequaquam in illa superna patria 10 temptationibus erudiendi sunt, in qua iam pro temptationum laboribus remunerantur. Sed tunc Leuiathan iste cum suo corpore, reprobis uidelicet omnibus, flammis

28. a. Cf. 2 Co 12, 7

pensateur s'accomplit. En effet, afin de les former, comme nous venons de le dire, le Seigneur soumet souvent ses élus au tentateur ; ainsi, après les portes du paradis, après les mystères du troisième ciel, afin que Paul ne puisse s'enorgueillir de ces révélations sublimes, il lui a été donné *un ange de Satan* [a]. Mais, comme nous l'avons dit plus haut, cette tentation elle-même a été permise, car, ainsi, ceux qui pouvaient périr par orgueil seraient, une fois revenus à l'humilité, préservés de la perdition. Et donc, grâce à une secrète disposition de la Providence, c'est par la permission donnée au diable de perpétrer son iniquité que s'exerce miséricordieusement la bonté de Dieu. Et il est dit avec raison que, par ce pacte conclu avec le Seigneur, il a été pris comme serviteur. Il obéit, en effet, aux ordres de la bienveillance divine, lorsqu'il exerce la rage de sa volonté très pernicieuse. Il est donc serviteur en vertu d'un pacte, lui qui, tandis qu'il reçoit la permission d'accomplir sa propre volonté, est enchaîné par la volonté du conseil céleste : ainsi c'est de son plein gré, comme on l'a dit, qu'il tente les élus de Dieu, mais, par cette tentation, il sert, sans s'en rendre compte, à les éprouver.

Damnation de Léviathan

29. Mais parce qu'il a été utile aux élus en cette vie aussi longtemps qu'il aura pu exercer la perversité de sa malice par ses tentations – dans ce passage, Dieu non seulement l'appelle son serviteur à cause du pacte, mais, de plus, le considère comme son serviteur à jamais –, nous sommes invités à chercher comment démontrer que, même après la fin de la vie présente, il reste pour toujours le serviteur de Dieu. Certes, il ne lui est plus permis dorénavant de tenter les justes en possession du bonheur céleste, alors que, sous leurs yeux, il est livré pour l'éternité au feu de la géhenne. Car ils n'ont nul besoin d'être instruits par les tentations en cette céleste patrie où il reçoivent désormais la récompense des épreuves de leurs tentations. Mais alors ce Léviathan, avec son corps – c'est-à-

ultricibus traditur, quibus sine fine crucietur. Quos scilicet cruciatus dum iusti conspiciunt, in Dei laudibus crescunt,
15 quia et in se cernunt bonum quo remunerati sunt, et in illis inspiciunt supplicium quod euaserunt. Ita enim tunc pulchra erit uniuersitas, dum et gehenna iuste cruciat impios, et aeterna felicitas iuste remunerat pios. Sicut enim niger color in pictura substernitur, ut superiectus albus uel
20 rubeus pulchrior ostendatur, ita tunc etiam malos bene ordinans Deus, feliciora exhibet gaudia beatorum, ostensis ante eorum oculos suppliciis reproborum. Et quamuis illud ex uisione dominica eorum gaudium non sit quo crescat, magis tamen auctori suo esse se debitores sentiunt, quando et
25 bonum cernunt quod iuste remunerati percipiunt, et malum quod misericorditer adiuti uicerunt.

Igitur si utilitati iustorum et hic temptatio Leuiathan istius, et illic damnatio proficit, sempiternus seruus est dum Dei laudibus nesciens seruit, et illic eius poena iusta, et hic
30 uoluntas iniusta. Sequitur :

40,24 XV, **30.** ***Numquid illudes ei quasi aui ?*** Quid est quod aduersarius noster prius Behemoth, postmodum Leuiathan dicitur, nunc uero aui in perditionis suae illusione comparatur ? Behemoth quippe, ut diximus, belua inter-
5 pretatur, quae quadrupes ostenditur, dum sicut bos fenum comedere perhibetur[a]. Leuiathan uero, quia hamo capitur, procul dubio serpens in aquis innotescitur. Nunc uero ad auis similitudinem ducitur, cum dicitur : *Numquid illudes ei quasi aui ?*

30. a. Cf. Jb 40, 10

1. Béhémoth signifie « bête » (*belua*) : voir *Mor.* 32, 16 (Jb 40, 18), où le mot latin est différent (*animal*). Quant à Léviathan (Jb 40, 20), Grégoire ne rappelle pas ici le sens de ce nom (voir *Mor.* 33, 17), mais spécule seulement sur l'extraction de Léviathan avec le hameçon, qui évoque un animal aquatique.

dire tous les réprouvés –, est livré aux flammes vengeresses qui le tourmenteront sans fin. Et, voyant ces tourments, les justes redoublent de louanges envers Dieu, considérant d'une part, en eux-mêmes, le bonheur qui les récompense et, dans les autres, le supplice qu'ils ont, pour leur part, évité. Ainsi donc la beauté sera alors totale, tandis que la géhenne tourmente avec justice les impies et que l'éternelle félicité récompense avec justice les hommes pieux. Comme le noir fait le fond d'un tableau pour que le blanc ou le rouge que l'on y pose ensuite paraissent plus beaux, ainsi Dieu, en donnant alors aussi aux méchants la place qui leur convient, rend plus éclatantes les joies des bienheureux en présentant à leurs regards les supplices des réprouvés. Et bien que cette joie, qui leur vient de la vision du Seigneur, ne soit pas de celles qui peuvent grandir, cependant, ils se sentent plus obligés à leur Créateur quand ils prennent conscience, et du bien dont ils sont récompensés avec justice, et du mal dont ils ont triomphé grâce à sa miséricorde.

Si donc c'est à l'avantage des justes que profitent ici-bas les tentations de ce Léviathan, et, dans l'autre monde, sa damnation, il est bien serviteur à jamais, lui dont, là, le juste châtiment et, ici, la volonté injuste contribuent, à son insu, à la louange de Dieu. Le texte poursuit :

Ruses de l'adversaire

XV, **30.** ***Te joueras-tu de lui comme d'un oiseau ?*** Pourquoi notre adversaire, appelé d'abord Béhémoth, puis Léviathan, est-il maintenant comparé à un oiseau dont on se joue pour sa perte ? De fait, Béhémoth, nous l'avons dit, signifie animal monstrueux[1] ; on nous le montre tel un quadrupède, puisqu'il est représenté mangeant du foin comme un bœuf[a]. Mais Léviathan, lui, se prenant à l'hameçon, doit être assurément identifié avec un serpent de mer. Et maintenant le voici présenté comme un oiseau, quand il est dit : *Te joueras-tu de lui comme d'un oiseau ?*

40,24

10 Cur ergo belua, uel iumentum, cur draco, cur auis appelletur, indagemus. Citius enim nomina eius agnoscimus, si tergiuersationis illius astutiam subtiliter exploremus. De caelo quippe ad terram uenit, et ad spem caelestium nulla iam respiratione se erigit. Irrationale ergo et quadrupes 15 animal est per actionis immundae fatuitatem, draco per nocendi malitiam, auis per subtilis naturae leuitatem. Quia enim hoc quod contra se agit ignorat, bruto sensu belua est ; quia malitiose nobis nocere appetit, draco est ; quia uero de naturae suae subtilitate superbe extollitur, auis 20 est. Rursum, quia in hoc quod inique agit ad utilitatem nostram diuina uirtute possidetur, iumentum est ; quia uero latenter mordet, serpens est ; quia autem nonnumquam per indomitam superbiam se etiam lucis angelum simulat[b], auis est. Humanum etenim genus quamuis inexplicabili 25 iniquitatis arte lacessat, tribus tamen uitiis ualde temptat, ut uidelicet alios sibi per luxuriam, alios per malitiam, alios per superbiam subdat.

31. Non ergo immerito in eo quod agere nititur ex ipso actionum suarum nomine uocatur, cum iumentum, draco uel auis dicitur. In eis quippe quos ad stultitiam luxuriae excitat, iumentum est ; in eis quos ad nocendi malitiam 5 inflammat, draco est ; in eis autem quos in fastu superbiae quasi alta sapientes eleuat, auis est ; in illis uero quos pariter in luxuriam malitiam et superbiam polluit, iumentum, draco simul et auis exsistit. Per tot namque ad eorum cor se species intulit, in quot eos nequitias implicauit. Multarum igitur

30. b. Cf. 2 Co 11, 14

Examinons donc pourquoi il est appelé animal monstrueux, bête de somme, dragon, ou oiseau. Nous saisissons vite, en effet, le pourquoi de ses noms si nous examinons avec soin l'astuce de ses détours. Il est, certes, venu du ciel sur la terre et n'aspire plus aucunement désormais à s'élever vers l'espérance des réalités célestes. Il est donc un animal sans raison, un quadrupède, par le caractère insensé de sa conduite impure, un dragon par sa malice perverse, un oiseau par la légèreté de sa nature subtile. Et parce que, sans en prendre conscience, il agit contre ses intérêts, c'est un animal monstrueux dénué d'intelligence. Parce qu'il cherche avec malice à nous nuire, c'est un dragon ; parce qu'il s'élève avec orgueil à cause de sa nature subtile, c'est un oiseau. Et encore, parce que, même en agissant mal, il demeure pour notre utilité soumis à la puissance divine, c'est une bête de somme. Parce qu'il mord en cachette, c'est un serpent ; parce que parfois, dans son orgueil effréné, il se déguise même en ange de lumière [b], c'est un oiseau. En effet, bien qu'il harcèle la race des hommes par les inextricables artifices de sa méchanceté, c'est cependant par trois vices qu'il les tente surtout, afin apparemment d'assujettir certains par la luxure, d'autres par la malice, d'autres enfin par l'orgueil.

Les ailes de la superbe

31. Ce n'est donc pas sans raison si, en ce qu'il s'efforce de réaliser, on l'appelle du nom même de ses agissements, lorsqu'il est dit bête de somme, serpent ou oiseau. Oui, pour ceux qu'il entraîne à la folie de la luxure, il est un animal monstrueux ; pour ceux en qui il allume une malice perverse, il est un serpent ; pour ceux qu'il soulève dans un orgueil dédaigneux par l'amour des fausses grandeurs, il est comme un oiseau. Mais pour ceux-là qu'il corrompt à la fois par la luxure, la malice et l'orgueil, il est en même temps bête de somme, serpent et oiseau. Car il s'est présenté à leur cœur sous autant d'aspects qu'il y a de péchés par lesquels il les a enlacés. On lui donne

10 rerum nomine uocatur, quia ante deceptorum mentes in uarias formarum species uertitur. Cum enim hunc per carnis luxuriam temptat, sed tamen minime superat, mutata suggestione cor illius in malitia inflammat. Quia ergo ad eum belua uenire non ualuit, draco uenit. Illum ueneno malitiae 15 corrumpere non ualet, sed tamen bona sua eius oculis opponit, et cor illius in superbiam extollit. Huic ergo ut draco subripere non ualuit, sed tamen adducto phantasmate inanis gloriae, coram cogitationis eius obtutibus quasi auis uolauit. Quae nimirum auis tanto contra nos immanius extollitur, 20 quanto nulla naturae suae infirmitate praepeditur. Quia enim carnis morte non premitur, et Redemptorem nostrum carne mortalem uidit, altiore fastu elationis intumuit ; sed ubi contra auctorem suum penna se superbiae extulit, ibi laqueum suae mortis inuenit. Nam ea eius carnis morte pro- 25 stratus est, quam expetiit elatus ; et inde laqueum pertulit, unde quasi escam suae malitiae mortem iusti concupiuit.

Dicatur ergo : *Numquid illudes ei quasi aui ?* Quasi aui quippe Dominus illusit, dum ei in passione unigeniti Filii ostendit escam, sed laqueum abscondit. Vidit enim quod ore 30 perciperet, sed non uidit quod gutture teneret. Nam quamuis eum Filium Dei fuerat ipse confessus[a], uelut purum tamen illum hominem mori credidit, ad cuius mortem Iudaeorum persequentium animos concitauit. Sed in ipso traditionis eius tempore tarde iam cognouisse intellegitur, 35 quod illa eius morte puniretur. Vnde et Pilati coniugem somniis terruit[b], ut uir illius a iusti persecutione cessaret. Sed res interna dispensatione disposita nulla ualuit machinatione refragari. Expediebat quippe ut peccatorum mortem

31. a. Cf. Mt 8, 29 ; Mc 3, 11 ; 5, 7 ; Lc 4, 41 ; 8, 28 b. Cf. Mt 27, 19

donc le nom de multiples objets puisque, sous les yeux des âmes qu'il séduit, il adopte des formes d'aspect varié. S'il tente celui-ci de luxure sans parvenir à le vaincre, il change sa tactique et allume en son cœur les flammes de la malice. Parce que donc l'animal monstrueux n'a pu l'atteindre, c'est le serpent qui se présente. Il ne peut le corrompre par le venin de la malice, mais place cependant sous ses yeux sa propre bonté et élève ainsi son cœur dans la superbe. Pour celui qu'il n'a pu réussir à surprendre sous la forme d'un serpent, c'est finalement un oiseau qui, volant devant le regard de sa pensée, a agité les fantasmes de la vaine gloire. Et cet oiseau, évidemment, s'élève contre nous avec d'autant plus de malfaisance qu'il n'est entravé par aucune faiblesse naturelle. N'étant pas soumis à la mort de la chair, et ayant vu notre Rédempteur mortel en sa chair, il est monté plus haut, tout gonflé d'orgueil méprisant. Mais, en s'élevant ainsi contre son Créateur sur les ailes de la superbe, il a trouvé un piège mortel pour lui. Car c'est bien par la mort de cette chair qu'il a été mis à bas, après l'avoir ardemment poursuivie du haut de sa grandeur. Et il a été pris au piège par son désir même de la mort du juste, tel un appât pour sa malice.

C'est pourquoi il est dit : *Te joueras-tu de lui comme d'un oiseau ?* Le Seigneur s'est joué de lui comme d'un oiseau, lorsque, dans la passion de son Fils unique, il lui a montré l'appât, mais caché le piège. Il vit bien ce que sa gueule pourrait saisir, mais ne vit pas ce qui le prendrait lui-même à la gorge. Bien qu'il ait, en effet, confessé que celui-ci était le Fils de Dieu [a], il s'imagina pourtant qu'il mourrait comme un homme ordinaire et il excita les esprits des juifs qui le poursuivaient à demander sa mort. Mais nous voyons qu'il a reconnu trop tard, au moment de la trahison, qu'il serait lui-même puni par cette mort. Et c'est alors qu'il effraya en songe l'épouse de Pilate [b], afin que son mari cessât de persécuter le juste. Mais l'événement, réglé par une disposition interne ne put être contrecarré par aucun expédient. Il convenait, en

iuste morientium solueret mors iusti iniuste morientis.
40 Quod quia Leuiathan iste usque ad tempus passionis illius ignorauit, quasi more auis illusus, diuinitatis eius laqueum pertulit, dum humanitatis eius escam momordit. Sequitur :

40,24 XVI, **32.** ***Aut ligabis eum ancillis tuis ?*** Subaudis ut ego. In seruis etsi despecta est conditio, uirilitas uiget ; in ancillis autem cum conditione pariter sexus iacet. Bene autem Dominus Leuiathan istum non seruis, sed ancillis suis ligare
5 se asserit, quia ad nostram redemptionem ueniens, et suos contra mundi superbiam praedicatores mittens, relictis sapientibus insipientes, relictis fortibus debiles, relictis diuitibus pauperes elegit.

Ancillis ergo suis Leuiathan huius fortitudinem Domi-
10 nus ligauit, quia attestante Paulo : *Infirma mundi elegit Deus, ut confundat fortia*[a]. Vnde bene per Salomonem dicitur : *Sapientia aedificauit sibi domum, excidit columnas septem, immolauit uictimas, miscuit uinum, proposuit mensam, misit ancillas suas ut uocarent ad arcem et moenia ciuitatis*[b].
15 Sapientia quippe domum sibi condidit, cum unigenitus Dei Filius in seipso intra uterum uirginis mediante anima, humanum sibi corpus creauit. Sic quippe corpus Vnigeniti domus Dei dicitur, sicut etiam templum uocatur ; ita uero, ut unus idemque Dei atque hominis filius ipse sit qui in-
20 habitat, ipse qui inhabitatur. Quod tamen recte et aliter accipitur, si domus Sapientiae Ecclesia uocatur. Quae septem etiam sibi columnas excidit, quia ab amore praesentis saeculi

32. a. 1 Co 1, 27 b. Pr 9, 1-3

effet, que la mort des pécheurs subie avec justice soit détruite par la mort du juste mourant injustement. Cela, le Léviathan l'a ignoré jusqu'au moment de la Passion, et c'est ainsi que, trompé à la manière d'un oiseau, il est tombé dans le piège de sa divinité en mordant l'appât de son humanité. Le texte poursuit :

Envoi des prédicateurs

XVI, **32.** ***Ou le lieras-tu par tes servantes ?*** **40,24** Sous-entendu : comme je le fais. Bien que la condition des serviteurs soit humiliante, ils ont, du moins, la force virile ; mais, pour les servantes, la bassesse de la condition se joint à celle du sexe. C'est donc avec raison que le Seigneur affirme avoir lié ce Léviathan non par ses serviteurs, mais par ses servantes : venant pour notre rédemption et envoyant, à l'encontre de l'orgueil du monde, ses prédicateurs, il a choisi des gens simples de préférence aux sages, des faibles de préférence aux forts, des pauvres de préférence aux riches.

Donc, par ses servantes, le Seigneur a lié la force de ce Léviathan, comme l'atteste Paul : *Dieu a choisi les faibles de ce monde pour confondre les forts*[a]. C'est ainsi que Salomon dit à juste titre : *La Sagesse s'est bâti une maison ; elle a taillé sept colonnes ; elle a immolé des victimes, mêlé le vin et dressé la table ; elle a envoyé ses servantes appeler à la citadelle et au pied des remparts de la ville*[b]. En effet, la Sagesse s'est bâti une maison, quand le Fils unique de Dieu s'est façonné en lui-même, dans le sein de la Vierge, un corps humain informé par une âme. C'est ainsi que le corps du Fils unique est appelé « maison de Dieu », comme on le nomme aussi « temple » ; de sorte que lui qui est à la fois fils de Dieu et fils de l'homme est, en même temps, celui qui habite et celui qui est habité. Mais cependant ce texte peut également être compris correctement d'une autre manière, si c'est l'Église qui est appelée demeure de la Sagesse. Celle-ci aussi s'est taillé sept colonnes, car, pour soutenir l'édifice de cette même

disiunctas ad portandam eiusdem Ecclesiae fabricam mentes praedicantium erexit. Quae pro eo quod perfectionis uir-25 tute subnixae sunt, septenario numero signantur. Immolauit uictimas, quia uitam praedicantium mactari in persecutione permisit. Vinum miscuit, quia diuinitatis et humanitatis suae pariter nobis arcana praedicauit. Mensam quoque proposuit, quia scripturae sacrae nobis pabula aperiendo praeparauit. 30 Ancillas etiam suas misit, quae ad arcem nos atque ad ciuitatis moenia uocarent, quia praedicatores infirmos abiectosque habere studuit, qui fideles populos ad spiritalis patriae aedificia superna colligerent.

Vnde in euangelio Dominus Nathanaelem laudat, nec 35 tamen in sorte praedicantium numerat[c]; quia ad praedicandum eum tales uenire debuerant, qui de laude propria nihil habebant; ut tanto solius ueritatis cognosceretur esse quod agerent, quanto et aperte cerneretur quia ad hoc agendum per se idonei non fuissent. Vt ergo mira potentia per praedi-40 catorum linguas claresceret, prius mirabilius actum est ut eorumdem praedicantium meritum nullum esset. Ancillas ergo Dominus misit, et Leuiathan huius fortitudinem ligauit, quia infirmos praedicatores mundo exhibuit; et potentes quosque, qui eius corpus fuerant, sub terroris sui uinculo re-45 strinxit. Et in semetipso Leuiathan iste ancillis ligatur, cum infirmis praedicantibus, ueritatis clarescente lumine, contra electorum mentes antiquus hostis non quantum uult saeuire permittitur; sed ne sub infidelitatis captiuitate cunctos quos appetit teneat, signis et uirtutibus coartatur. Ipse ergo per se 50 hoc fortiter facit, qui contra illum uires non fortibus tribuit.

32. c. Cf. Jn 1, 47

Église, elle a érigé les âmes des prédicateurs en les détachant de l'amour du siècle présent. Pour signifier qu'elles ont été établies sur la vertu de perfection, elles sont désignées par le nombre sept. Elle a immolé des victimes en permettant que la vie des prédicateurs soit sacrifiée dans la persécution. Elle a mêlé le vin, puisqu'elle nous a enseigné tout ensemble les mystères de sa divinité et de son humanité. Elle a dressé la table, puisqu'en nous la dévoilant, elle a apprêté pour nous la nourriture de l'Écriture sainte. Elle a aussi envoyé ses servantes nous appeler à la citadelle et au pied des remparts de la ville, car elle n'a voulu avoir que des prédicateurs faibles et méprisés pour rassembler les peuples fidèles dans les célestes demeures de la patrie spirituelle.

Voilà pourquoi, dans l'Évangile, le Seigneur loue Nathanaël sans pourtant le compter au nombre des prédicateurs [c]. Pour l'annoncer, en effet, devaient se présenter des hommes qui n'avaient rien en eux qui leur valût une louange personnelle ; de la sorte, on reconnaîtrait d'autant mieux leur action comme l'œuvre de la seule vérité que l'on les constaterait ouvertement incapables de l'accomplir par eux-mêmes. Ainsi, une admirable puissance resplendirait par la bouche des prédicateurs, d'autant plus admirable que ces prédicateurs se trouveraient par eux-mêmes dépourvus de tout mérite. Le Seigneur a donc envoyé ses servantes, et il a lié la force de ce Léviathan en présentant au monde des faibles pour prédicateurs, et il a enserré dans les liens de la crainte tous les puissants qui étaient ses membres. En lui-même aussi, ce Léviathan est lié par les servantes, lorsque, la lumière de la vérité répandant sa clarté par ces faibles qui prêchent, il n'est plus permis à l'antique ennemi de sévir autant qu'il le voudrait contre les âmes des élus. De plus, pour éviter qu'il ne retienne dans l'esclavage de l'infidélité tous ceux qu'il convoite, il est contraint par les signes et les miracles. Celui donc qui réalise cela par sa propre force est bien le même qui accorde à ceux qui étaient sans force la vigueur contre

Sed quia quos contra eum Dominus mittat insinuat, nunc etiam quid ipsi agant qui mittuntur, adiungit. Sequitur :

XVII, **33.** ***Concident eum amici, diuident illum negotiatores.*** Leuiathan iste totiens conciditur, quotiens diuini uerbi gladio sua ab illo membra separantur. Iniqui enim cum uerbum ueritatis audiunt et, sancto timore perculsi, ab antiqui hostis se imitatione suspendunt, ipse in corpore suo diuiditur, cui hi qui praue inhaeserant subtrahuntur. Ipsos uero amicos nominat, quos superius ancillas uocat ; ipsos etiam negotiatores appellat, quos amicos dixerat. Sancti etenim praedicatores prius ancillae sunt per formidinem, post amici per fidem, ad extremum quoque negotiatores per actionem. Ipsis quippe infirmantibus dicitur : *Nolite timere, pusille grex, quia complacuit Patri uestro dare uobis regnum* [a]. Ipsis rursum conualescentibus dicitur : *Vos autem dixi amicos, quia omnia quae audiui a Patre meo nota feci uobis* [b]. Ipsis ad extremum in negotii operatione pergentibus iubetur : *Euntes in mundum uniuersum, praedicate euangelium omni creaturae* [c].

In praedicatione quippe fidei quasi quoddam negotium geritur, dum uerbum datur, et fides ab auditoribus sumitur. Quasi quoddam negotium faciunt, qui praedicationem praerogant, et a populis fidem reportant. Fidem impartiunt et eorum sanctam protinus uitam sumunt. Si enim iustorum praedicatio negotium non fuisset, profecto psalmista non diceret : *Sumite psalmum et date tympanum* [d]. In tympano etenim corium siccatur ut sonet. Quid est ergo dicere : *Sumite psalmum et date tympanum* [e], nisi accipite spiritale canticum

33. a. Lc 12, 32 b. Jn 15, 15 c. Mc 16, 15 d. Ps 80, 3 e. Ps 80, 3

l'ennemi. Mais, après avoir révélé qui le Seigneur envoie contre Léviathan, il ajoute maintenant ce que font ceux-là mêmes qui sont envoyés. Le texte poursuit :

Le négoce de la foi

XVII, **33.** ***Tes amis le découperont-ils, des marchands le partageront-ils ?*** Ce Léviathan est découpé chaque fois que, par le glaive de la parole divine, ses membres se séparent de lui. En effet, lorsque les pécheurs entendent la parole de vérité et, frappés d'une sainte crainte, cessent d'imiter l'antique ennemi, celui-ci est comme divisé en son corps par l'ablation de ceux qui avaient adhéré à sa perversité. On désigne ici sous le nom d'amis ceux qu'on appelait plus haut des servantes. On dénomme aussi marchands ceux-là même qu'on avait dits amis. Car les saints prédicateurs sont d'abord des servantes à cause de leur crainte, ensuite des amis par leur foi, enfin des marchands par leur conduite. C'est à eux qu'il est dit quand ils sont faibles : *Ne craignez pas, petit troupeau, parce qu'il a plu à votre Père de vous donner le royaume* [a]. A eux encore, devenus plus forts, il est dit : *Je vous ai appelés mes amis, parce que tout ce que j'ai appris de mon Père je vous l'ai fait connaître* [b]. A eux, enfin, quand ils vont travailler sans relâche à une activité semblable à un négoce, il est donné cet ordre : *Allez dans le monde entier, prêchez l'évangile à toute créature* [c].

40,25

Oui, dans la prédication de la foi, c'est une sorte de négoce auquel s'adonnent ceux qui dispensent la parole et reçoivent la foi de leurs auditeurs. C'est une sorte de négoce que faire l'avance de la prédication aux peuples pour récolter leur foi en retour. Ils leur font partager la foi, et bientôt ils reçoivent d'eux en retour une vie sainte. Et si la prédication des justes n'avait pas été un négoce, assurément le psalmiste n'aurait pas dit : *Prenez le psaltérion et jouez du tambour* [d]. Dans le tambour, en effet, la peau est séchée afin de résonner. Que signifie donc de dire : *Prenez le psaltérion et jouez du tambour* [e], sinon : Recevez le cantique spirituel du cœur et

cordis et reddite temporalem macerationem corporis ? Si superna praedicatio negotium non fuisset, nequaquam sub typo fortis mulieris Salomon de sancta Ecclesia diceret :
30 *Sindonem fecit et uendidit, et cingulum tradidit Chananaeo*[f]. Quid enim signatur linteo sindonis, nisi subtilis intextio sanctae praedicationis ? In qua molliter quiescitur, quia mens in illa fidelium spe superna refouetur. Vnde et Petro animalia in linteo demonstrantur[g], quia peccatorum animae miseri-
35 corditer aggregatae, in blanda fidei quiete continentur. Hanc ergo sindonem Ecclesia fecit et uendidit, quia fidem quam credendo texuerat loquendo dedit, et ab infidelibus uitam rectae conuersationis accepit. Quae et Chananaeo cingulum tradidit, quia per uigorem demonstratae iustitiae, fluxa opera
40 gentilitatis astrinxit, ut hoc quod praecipitur uiuendo teneatur : *Sint lumbi uestri praecincti*[h].

Praedicatores ergo suos Dominus quaerendo ancillas inuenit, permutando amicos facit, ditando negotiatores exhibet. Qui enim prius mundi minas infirmi timuerunt, post ad
45 cognoscenda diuina consilia ascendunt. Ditati autem uirtutibus, usque ad exercendum fidei negotium perducuntur, ut Leuiathan istius membra increpando atque suadendo tanto seuerius incidant, quanto et amici facti, amori ueritatis semetipsos uerius copulant, atque ab eo peccantium animas
50 tanto celerius subtrahant, quanto negotiatores idonei effecti in semetipsis amplissimas apothecas uirtutum monstrant. Quia enim per praedicatores Dei ualde laudabiliter a Leuiathan isto res possessa diuiditur, ueritatis uox per prophetam pollicetur, dicens : *Et si separaueris pretiosum a uili, quasi os*

33. f. Pr 31, 24 g. Cf. Ac 10, 11-12 h. Lc 12, 35

donnez en échange la mortification temporelle du corps ? Si la prédication surnaturelle n'avait pas été un négoce, jamais Salomon n'aurait dit de la sainte Église, sous la figure de la femme forte : *Elle a fait un fin tissu de lin et l'a vendu, et elle a livré la ceinture au Chananéen* [f]. Que désigne, en effet, ce fin tissu de lin, sinon le délicat tissage de la prédication ? On s'y repose avec abandon, car, en elle, l'âme des fidèles est réconfortée par l'espérance céleste. C'est pourquoi furent montrés à Pierre des animaux dans une nappe [g], parce que les âmes des pécheurs rassemblées avec miséricorde sont maintenues dans le doux repos de la foi. L'Église a donc confectionné ce fin tissu de lin et l'a vendu, parce que la foi qu'elle avait tissée en croyant, elle l'a donnée en prêchant, et, en échange, elle a reçu des infidèles la rectitude de leur vie. Et si elle a livré une ceinture au Chananéen, c'est qu'en exposant la rigueur de la justice, elle a réprimé les mœurs relâchées de la Gentilité, si bien que, dans leur vie, ils observent ce précepte : *Que vos reins soient ceints* [h].

Ainsi, le Seigneur, cherchant ses prédicateurs, trouve des servantes ; les transformant, il en fait des amis et, les enrichissant, il les présente comme des marchands. Ceux, en effet, qui, dans leur faiblesse, ont d'abord craint les menaces du monde, s'élèvent ensuite à la connaissance des desseins de Dieu. Or, enrichis de vertus, ils sont amenés à exercer le négoce de la foi, afin que, par leurs reproches et leurs exhortations, ils retranchent les membres de ce Léviathan avec d'autant plus de rigueur que, devenus des amis, ils sont eux-mêmes plus véritablement attachés à l'amour de la vérité, et qu'ils lui enlèvent d'autant plus rapidement les âmes des pécheurs que, devenus des marchands compétents, ils peuvent montrer en eux-mêmes un plein magasin de vertus. C'est en effet parce que les richesses de ce Léviathan lui sont arrachées en toute justice par les prédicateurs de Dieu que la voix de la vérité fait cette promesse par le prophète : *Et si tu sépares ce qui est précieux de ce qui est vil, tu seras comme*

55 *meum eris*[i]. Pretiosum quippe a uili separat, qui humanas mentes a reproba antiqui hostis imitatione disiungit. Recte os Dei dicitur, quia per eum procul dubio eloquia diuina formantur. Sequitur :

XVIII, **34.** ***Numquid implebis sagenas pelle eius, aut***
40,26 ***gurgustium piscium capite illius ?*** Quid per sagenas uel gurgustium piscium nisi ecclesiae fidelium, quae unam catholicam faciunt, designantur ? Vnde in euangelio scriptum
5 est : *Simile est regnum caelorum sagenae missae in mari ; et ex omni genere piscium congreganti*[a]. Regnum caelorum scilicet uocatur Ecclesia, cuius dum mores Dominus ad superna subleuat, iam haec ipsa in Domino per caelestem conuersationem regnat. Quae recte etiam sagenae in mari
10 missae comparatur, ex omni genere piscium congreganti, quia missa in hoc gentilitatis saeculum, nullum respuit ; sed malos cum bonis, superbos cum humilibus, iracundos cum mitibus, et fatuos cum sapientibus cepit. In pelle uero Leuiathan istius, stultos eius corporis, in capite autem prudentes
15 accipimus. Vel certe pelle, quae est exterius, subditi ad haec extrema seruientes, capite autem praepositi, designantur. Et bene Dominus, seruato ordine, has sagenas uel gurgustium piscium, id est Ecclesiam suam, et uota fidelium prius se pelle eius et postmodum capite asserit impleturum, quia,
20 sicut superius diximus, prius elegit infirma, ut post confunderet fortia[b]. Elegit quippe stulta mundi, ut confunderet sapientes. Prius namque collegit indoctos, et postmodum philosophos ; et non per oratores docuit piscatores, sed mira potentia per piscatores subegit oratores. Dicat ergo :

33. i. Jr 15, 19
34. a. Mt 13, 47 b. Cf. 1 Co 1, 27

ma bouche[i]. Il sépare le précieux du vil celui qui détache les âmes des hommes de l'imitation condamnable de l'antique ennemi. Il est donc appelé à juste titre « bouche de Dieu », car indubitablement, c'est grâce à lui que la parole divine prend forme. Le texte poursuit :

"Toute sorte de poissons"

XVIII, **34.** ***Rempliras-tu de sa peau les filets ou de sa tête le réservoir à poissons ?*** **40,26** Que faut-il entendre par ces filets ou ce réservoir à poissons, sinon les églises des fidèles qui n'en font qu'une seule, l'Église catholique ? C'est pourquoi il est écrit dans l'Évangile : *Le royaume des cieux est semblable à un filet jeté dans la mer et qui prend toute sorte de poissons*[a]. On appelle bien entendu royaume des cieux l'Église, elle dont le Seigneur oriente toutes les activités vers les hauteurs, et qui, dès maintenant, règne dans le Seigneur par sa vie céleste. Elle est de plus à bon droit comparée à un filet jeté dans la mer et qui rassemble toute sorte de poissons, parce que, jetée dans ce monde de la Gentilité, elle n'a repoussé personne, mais elle a pris les mauvais avec les bons, les orgueilleux avec les humbles, les coléreux avec les doux et les fous avec les sages. Dans la peau de ce Léviathan, nous pouvons voir les insensés qui constituent son corps, mais dans sa tête, les habiles. Ou encore, certainement, sont désignés par la peau, qui est à l'extérieur, les inférieurs qui accomplissent les tâches les plus extérieures, par la tête, ceux qui commandent. Et le Seigneur fait bien d'affirmer qu'il remplira, respectant l'ordre, ces filets et ce réservoir à poissons, c'est-à-dire son Église, et les vœux des fidèles, d'abord, de sa peau, et ensuite de sa tête, parce que, comme nous l'avons dit plus haut, il a d'abord choisi la faiblesse pour ensuite confondre la force[b]. Oui, il a choisi la folie du monde pour confondre les sages. Il a d'abord rassemblé les ignorants et ensuite les philosophes : et ce n'est pas par des orateurs qu'il a instruit les pêcheurs, mais, avec une puissance admirable, c'est grâce à des pêcheurs qu'il

25 *Numquid implebis sagenas pelle eius, aut gurgustium piscium capite illius.* Subaudis, ut ego, qui intra Ecclesiam fidelium prius quasi pellem diaboli extremos atque infimos colligo ; et postmodum caput illius, id est prudentes mihi aduersarios, subdo. Sequitur :

40,27 30 ***Pones super eum manum tuam ?*** Id est ut ego, qui forti illum potentia reprimens, non plus quam expediat saeuire permitto, eiusque saeuitiam quantum permisero in electorum meorum utilitate retorqueo. Vel certe manum super eum ponere est uirtutis potestate superare. Beato ergo Iob 35 per interrogationem dicitur : *Pones super eum manum tuam ?* Ac si aperte diceretur : Numquid uirtute illum propria reprimis ? Vnde et apte mox subditur :

40,27 XIX, **35.** ***Memento belli nec ultra addas loqui.*** Alta dispensatio iudiciorum Dei idcirco saepe bene merentes famulos uel minis impetit, uel flagellis premit, uel quibusdam superimpositis oneribus grauat, uel laboriosis occupa- 5 tionibus implicat, quia mira potentia praeuidet quod si quieti ac liberi in tranquillitate persisterent, temptationes ferre aduersarii non ualentes, mentis prostrati uulneribus iacerent. Dum ergo eos foras tolerandis flagellis uel oneribus occupat, a suscipiendis intus temptationum iaculis occultat. 10 Moris quippe medicinalis est, ut saepe feruorem uiscerum in pruriginem cutis trahat ; et plerumque inde interius curat, unde exterius sauciat. Ita nonnumquam diuinae dispensationis medicamine agitur ut exterioribus doloribus internum uulnus adimatur ; et flagellorum sectionibus repel- 15 latur ea quae occupare mentem poterat interior putredo

s'est soumis les orateurs. Aussi peut-il dire : *Rempliras-tu de sa peau les filets ou de sa tête le réservoir à poissons ?* Sous-entendu : comme moi, qui rassemble à l'intérieur de l'Église des fidèles, tels la peau du diable, d'abord les derniers et les moindres des hommes, et qui ensuite seulement soumets sa tête, c'est-à-dire les sages qui s'opposent à moi. Il poursuit :

Mettras-tu ta main sur lui ? C'est-à-dire : comme moi qui, le réprimant par mon pouvoir souverain, ne lui permets pas de sévir plus qu'il ne convient et qui fais tourner à l'avantage de mes élus toute la violence que j'aurai tolérée de sa part. Ou peut-être mettre la main sur lui est-ce le dominer par la force de ma puissance ? Au bienheureux Job, il est donc demandé : *Mettras-tu la main sur lui ?*, comme s'il était dit en clair : Le réprimes-tu par ta propre force ? C'est pourquoi il est aussitôt ajouté avec à propos : **40,27**

Utilité des épreuves

XIX, **35.** ***Souviens-toi de la lutte et ne continue pas à parler.*** Par une profonde disposition de la Providence divine, souvent Dieu lance des menaces à ses serviteurs bien méritants, ou les accable de fléaux, ou les écrase sous le poids des fardeaux dont il les charge, ou encore les engage dans des occupations pleines de soucis, car dans sa puisssance admirable, il prévoit que s'ils demeuraient paisiblement libres et tranquilles, ils perdraient la force de lutter contre les tentations de l'adversaire et tomberaient terrassés par les blessures de leur âme. Or, tandis qu'il les tient ainsi occupés au dehors à supporter fléaux et fardeaux, au dedans il les soustrait à l'atteinte des flèches de la tentation. Il est, en effet, d'usage courant en médecine de transférer l'inflammation des entrailles vers l'irritation de la peau et, bien souvent, on guérit ainsi l'intérieur en blessant l'extérieur. De même, il arrive parfois que, grâce au remède d'une disposition divine, c'est par des souffrances extérieures qu'est supprimée la plaie intérieure. Et, par les incisions des fouets, on chasse la pourriture intérieure des vices qui pou- **40,27**

uitiorum ; et tamen saepe dum patentis culpae sibi conscii homines non sunt, et aut doloribus cruciantur, aut laboribus deprimuntur, contra iustum atque omnipotentem iudicem in querelam prosiliunt, scilicet minus intuentes contra quam 20 fortem aduersarium bellum gerunt. Cuius si intolerabiles uires sollicite attenderent, nequaquam de his quae exterius tolerant murmurarent.

36. Sed ideo uidentur nobis haec grauia, quia bella occulti aduersarii nolumus pensare grauiora. A quibus plerumque bellis, ut diximus, dum flagellamur, defendimur ; dum affligimur, occultamur. Caro enim nostra prius quam re- 5 surrectionis incorruptione solidetur, si nullo maerore afficitur, in temptationibus effrenatur. Quis autem nesciat quod multo sit melius ardere flamma febrium quam igne uitiorum ? Et tamen cum febre corripimur, quia uitiorum aestum qui occupare nos poterat considerare neglegimus, 10 de percussione murmuramus. Quis nesciat quod multo sit melius duris in seruitio hominibus subici, quam blandientibus daemoniacis spiritibus subdi ? Et tamen cum alto Dei iudicio iugo humanae conditionis atterimur, in querela prosilimus, nimirum quia minus attendimus quod si nos 15 nulla conditio seruitutis opprimeret, fortasse mens nostra multis iniquitatibus peius libera deseruiret. Ideo ergo haec quae toleramus, grauia credimus, quia bella hostis callidi, quam sint contra nos dura atque intolerabilia non uidemus.

vait gagner l'âme. Et cependant lorsque les hommes, sans être conscients d'aucun péché évident, sont tourmentés de douleurs ou accablés de labeurs, ils se répandent en reproches contre le Juge équitable et tout-puissant, sans considérer suffisamment contre quel puissant adversaire ils combattent. Car, s'ils considéraient bien ses forces, auxquelles on ne peut résister, ils ne murmureraient nullement contre les épreuves qu'ils ont à supporter au dehors.

Lutter contre la tentation

36. Si celles-ci nous paraissent dures à supporter, c'est parce que nous refusons de juger plus dures encore les guerres de notre adversaire caché. De ces guerres, ainsi que nous l'avons dit, nous sommes la plupart du temps protégés tant que nous souffrons et, tant que nous sommes affligés, nous sommes à l'abri. En effet, si, avant d'être affermie par l'incorruptibilité de la résurrection, notre chair n'est accablée d'aucune affliction, elle n'a plus de frein dans les tentations. Qui ne sait qu'il vaut beaucoup mieux sentir la brûlure de la fièvre que le feu des vices ? Et pourtant, lorsque nous sommes saisis de fièvre, nous protestons contre ce mal qui nous frappe, parce que nous négligeons de considérer l'embrasement des vices qui aurait pu nous gagner. Qui ne sait qu'il vaut beaucoup mieux être assujetti au service d'hommes exigeants que d'être soumis aux esprits démoniaques et à leurs cajoleries ? Et néanmoins, lorsque, par un jugement profond de Dieu, nous sommes écrasés sous le joug de l'humaine condition, nous faisons jaillir des plaintes, car assurément nous ne considérons pas avec assez d'attention que, si nul état de servitude ne nous retenait, notre âme, peut-être, dans sa liberté, se trouverait asservie de manière bien pire à de nombreux vices. En somme, si nous trouvons dures les épreuves que nous avons à supporter, c'est parce que nous ne voyons pas combien sont dures et difficiles à supporter les guerres que mène contre nous notre ennemi rusé. Tout poids semblerait

Menti enim nostrae omne pondus uilesceret, si ea quae se
20 opprimere poterant, occulti aduersarii bella pensaret. Quid
enim si omnipotens Deus onera quae patimur subleuet, sed
tamen sua nobis adiutoria subtrahat, et inter Leuiathan istius
nos temptamenta derelinquat ? Saeuiente tanto hoste quo
ibimus, si nullis auctoris nostri protectionibus defendamur ?
25 Quia ergo beatus Iob culpae sibi conscius non erat, et dura
tamen flagella tolerabat, ne fortasse in uitio murmurationis
excedat, memoretur quod timeat, et dicatur ei : *Memento
belli nec ultra addas loqui*. Ac si aperte diceretur : Si occulti
hostis contra te bellum consideras, quicquid a me pateris,
30 non accusas. Si impetentem te aduersarii gladium prospicis,
flagellum patris nullatenus perhorrescis. Vides enim quali
flagello te ferio, sed intueri neglegis a quanto te hoste fla-
gellando liberum seruo. *Memento ergo belli nec ultra addas
loqui* ; id est, tanto te ad disciplinam patris exhibe tacitum,
35 quanto te prospicis ad bella hostis infirmum. Dum ergo me
corripiente percuteris, ut aequanimiter feras, hostem tuum
ad memoriam reuoca ; et durum non aestimes omne quod pateris, dum externis cruciatibus ab interna passione liberaris.
Quia autem Leuiathan iste de diuina misericordia falsa
40 sibi promissione blanditur, postquam terrorem fortitudinis
eius intulit, et beati Iob animum in eius circumspectione
commouit, dicens : *Memento belli nec ultra addas loqui*. Vt
irremissibilem reatum eius ostenderet, ilico adiunxit :

léger à notre esprit s'il envisageait les épreuves qui pouvaient l'accabler comme des guerres que mène l'adversaire caché. Que deviendrions-nous si le Dieu tout-puissant allégeait le fardeau de nos souffrances, mais néanmoins nous privait de son secours et nous abandonnait aux tentations de ce Léviathan ? Où fuir la cruauté d'un si grand ennemi, en étant dépourvus de la protection de notre Créateur ?

Parce que le bienheureux Job, sans être conscient d'aucun péché, souffrait cependant de rudes tourments, afin peut-être de ne pas tomber dans le vice de murmurer contre Dieu, il lui est rappelé ici ce qu'il doit craindre et il lui est dit : *Souviens-toi de la lutte et ne continue pas à parler*. Comme si on lui disait clairement : Si tu considères attentivement la guerre que mène contre toi cet ennemi occulte, tu ne me feras pas de reproches, quelles que soient les peines que je te fais endurer. Si tu regardes le glaive dont te menace cet adversaire, tu ne peux avoir en horreur le fouet de ton père. Tu vois, en effet, de quel fouet je te frappe, mais tu négliges de voir de quel redoutable ennemi je te garde libre par mes coups de fouet. *Souviens-toi donc de la lutte et ne continue pas à parler*, c'est-à-dire : Montre-toi d'autant plus silencieux devant la discipline de ton père, que tu constates ta faiblesse devant les guerres de l'ennemi. Tandis que tu es atteint par mes corrections, si tu veux les supporter avec patience, remets-toi en mémoire celui qui est ton ennemi. Et ne regarde pas comme dur tout ce que tu souffres, car, grâce à ces épreuves extérieures, tu es libéré de la passion intérieure.

Cependant, comme ce Léviathan se flatte, à tort, de l'espoir de la miséricorde divine, après lui avoir inculqué la terreur de sa puissance, le Seigneur dit au bienheureux Job pour inciter son esprit à la méfiance : *Souviens-toi de la lutte et ne continue pas à parler*. Et pour montrer que la faute de Léviathan est irrémissible, il ajoute aussitôt :

40,28 XX, **37.** ***Ecce spes eius frustrabitur eum.*** Quod sic de eo debet intellegi, ut referri etiam ad corpus illius possit, quia iniqui omnes qui districtionem iustitiae diuinae non metuunt, incassum sibi de misericordia blandiuntur. Moxque 5 ad consolationem nostram rediens, extremi iudicii futurum eius interitum praenuntiat, dicens :

40,28 ***Et uidentibus cunctis praecipitabitur.*** Cunctis enim uidentibus praecipitabitur, quia aeterno tunc iudice terribiliter apparente, astantibus legionibus angelorum, assistente 10 cuncto ministerio caelestium potestatum ; atque electis omnibus ad hoc spectaculum deductis, ista belua crudelis et fortis in medium captiua deducitur ; et cum suo corpore, id est cum reprobis omnibus, aeternis gehennae incendiis mancipatur, cum dicitur : *Discedite a me, maledicti, in* 15 *ignem aeternum, qui praeparatus est diabolo et angelis eius*[a]. O quale erit illud spectaculum, quando haec immanissima bestia electorum oculis ostendetur, quae hoc belli tempore nimis illos terrere potuerat, si uideretur ! Sed occulto ac miro Dei consilio agitur, ut et nunc per eius gratiam a 20 pugnantibus non uisa uincatur, et tunc a laetis uictoribus iam captiua uideatur. Tunc autem iusti diuino adiutorio quantum debitores sunt plenius recognoscunt, quando tam fortem bestiam uiderint quam nunc infirmi uicerunt, et in hostis sui immanitate conspiciunt quantum debeant gratiae 25 defensoris sui. Redeunt enim de hoc proelio tunc milites nostri uirtutum trophaea referentes ; et receptis corporibus, cum iam in illo iudicio caelestis regni introitum sortiuntur, prius immanissimas uires huius antiqui serpentis aspiciunt, ne uile aestiment quod euaserunt. Bene ergo dicitur : *Et*

37. a. Mt 25, 41

Le Jugement dernier

XX, 37. ***Voici qu'il sera frustré de son espérance.*** Et ceci doit être compris de manière à pouvoir être entendu également du corps de Léviathan, car c'est bien en vain que tous ces méchants qui ne craignent pas la rigueur de la justice divine se flattent de sa miséricorde. Or, bientôt, cherchant de nouveau à nous consoler, le Seigneur annonce ainsi la ruine future de Léviathan, lors du Jugement dernier : **40,28**

Et, sous les yeux de tous, il sera précipité. Oui, sous les yeux de tous, il sera précipité, car, lorsque le Juge éternel se manifeste de façon terrifiante, entouré de ses légions d'anges, en présence de toutes les puissances célestes qui le servent et devant tous les élus amenés à ce spectacle, cette bête cruelle et violente est amenée devant tous captive ; et, avec son corps, c'est-à-dire avec tous les réprouvés, elle est livrée aux flammes éternelles de la géhenne, quand il est dit : *Éloignez-vous de moi, maudits, et allez au feu éternel qui est préparé pour le diable et ses anges*[a]. Oh, quel spectacle ce sera, lorsqu'apparaîtra aux yeux des élus ce monstre affreusement cruel ! S'ils l'avaient vu durant le temps où il leur faisait la guerre, il aurait pu les épouvanter terriblement. Mais, par une secrète et admirable décision de Dieu, il advient qu'ici-bas, il est vaincu par sa grâce, invisible aux yeux des combattants, tandis que, là-haut, les vainqueurs, joyeux, peuvent désormais le voir captif. C'est alors que les justes reconnaissent mieux combien ils sont redevables à l'assistance divine, en voyant la force de ce monstre, que, malgré leur faiblesse, ils ont pu vaincre ici-bas ; et devant la cruauté de leur ennemi, ils mesurent ce qu'ils doivent à la grâce de leur défenseur. Nos soldats reviennent alors de ce combat rapportant les trophées que leur ont valu leurs mérites. Et quand, ayant retrouvé leurs corps, ils obtiennent en ce jour du Jugement d'entrer dans le royaume céleste, ils aperçoivent dès l'abord la puissance prodigieuse de cet antique serpent, afin qu'ils n'estiment pas négligeable ce à quoi ils ont échappé. Il est donc bien dit : *Et sous les yeux* **40,28**

30 *uidentibus cunctis praecipitabitur*, quia uisa mors eius tunc gaudium exhibet, cuius tolerata uita nunc iustis cotidie in cruciatibus bellum mouet.

Sed audientes ista, ac si protinus quereremur, Domino dicentes : « Domine, qui Leuiathan istum tantae esse forti-35 tudinis non ignoras, eum in certamine infirmitatis nostrae cur suscitas ? » Ilico adiunxit :

41,1 ***Non quasi crudelis suscitabo eum.*** Et uelut si mox a nobis rationis causa quaereretur, quomodo non eum quasi crudelis suscitas, quem scimus quia tantos inuadere et deuorare 40 permittis ? Statim subdidit, dicens :

41,1 XXI, **38.** ***Quis enim resistere potest uultui meo ? Et quis*** 41,2 ***ante dedit mihi, ut reddam ei ?*** Quibus duobus uersibus et uirtutem suae potentiae, et omne pondus rationis expleuit. Nam propter potentiam dixit : *Quis enim resistere potest* 5 *uultui meo ?* Et propter rationem subdidit : *Quis ante dedit mihi, ut reddam ei ?* Ac si diceret : Non eum quasi crudelis suscito, quia de eius fortitudine et electos meos potenter eripio, et rursum reprobos non iniuste, sed rationabiliter damno ; id est, et eos quos benigne eligo eripere mirabiliter 10 possum, et eos quos respuo non iniuste derelinquo.

Nemo quippe ut diuina illum gratia subsequatur prius aliquid contulit Deo. Nam si nos Deum bene operando praeuenimus, ubi est quod propheta ait : *Misericordia eius praeueniet me*[a]. Si quid nos bonae operationis dedimus, 15 ut eius gratiam mereremur, ubi est quod Paulus apostolus dicit : *Gratia salui facti estis per fidem ; et hoc non ex uobis :*

38. a. Ps 58, 11

de tous, il sera précipité, parce que la vue de sa mort cause alors une grande joie, lui dont la vie, tant qu'ils ont à la supporter, livre contre les justes une guerre quotidienne dans les tourments.

Mais, en entendant cela, nous adressons comme une plainte au Seigneur en disant : « Seigneur, toi qui n'ignores pas la si grande puissance de ce Léviathan, pourquoi le suscites-tu pour combattre notre faiblesse ? » Sans attendre, le Seigneur ajoute :

Ce n'est pas par cruauté que je le susciterai. Et comme si, dès lors, nous cherchions la raison de cette manière d'agir, nous interrogeons : Comment n'est-ce pas par cruauté que tu le suscites, alors que tu le laisses, nous le savons, attaquer et dévorer tant de monde ? Aussitôt, il ajoute : **41,1**

Justice de l'élection

XXI, **38.** ***Car qui peut me résister en face ? Et qui m'a donné le premier afin que je lui rende ?*** En ces deux versets, il a parfaitement exprimé et la grandeur de sa puissance et tout le poids de la raison. Selon la puissance, il a dit en effet : *Car qui peut me résister en face ?* Et, selon la raison, il a ajouté : *Qui m'a donné le premier afin que je lui rende ?* Comme s'il disait : Ce n'est pas par cruauté que je le suscite, puisque, d'une part, j'arrache par ma puissance mes élus à sa force, et que, d'autre part, si je condamne les réprouvés, ce n'est pas injustement, mais selon la raison ; c'est-à-dire : je puis sauver d'une manière admirable ceux que je choisis dans ma bonté, et je ne délaisse pas injustement ceux que je rejette. **41,1** **41,2**

Personne, en effet, n'a d'abord donné quelque chose à Dieu pour que s'ensuive la grâce divine à son égard. Car, si nous devancions Dieu par nos bonnes œuvres, pourquoi le prophète aurait-il dit : *Sa miséricorde me préviendra* [a] ? Si nous avons donné quelque bonne action en vue de mériter sa grâce, qu'en est-il de cette parole de l'apôtre Paul : *C'est la grâce qui vous a sauvés par la foi et cela ne vient pas de vous. C'est un don*

Dei donum est, non ex operibus[b] ? Si nostra dilectio Deum praeuenit, ubi est quod Ioannes apostolus dicit : *Non quia nos dilexerimus Deum, sed quoniam ipse prior dilexit nos*[c] ?
20 Vbi est quod per Osee Dominus dicit : *Diligam eos spontanee*[d] ? Si sine eius munere nostra uirtute Deum sequimur, ubi est quod per euangelium Veritas protestatur, dicens : *Sine me nihil potestis facere*[e] ? Vbi est quod ait : *Nemo potest uenire ad me, nisi Pater qui misit me, traxerit eum*[f] ? Vbi est
25 quod iterum dicit : *Non uos me elegistis, sed ego elegi uos*[g] ? Si saltim dona bonorum operum uirtute nostra bene cogitando praeuenimus, ubi est quod rursum per Paulum tam subtiliter dicitur, ut omnis de se humanae mentis fiducia ab ipsa cordis radice succidatur, cum ait : *Non quia sufficientes*
30 *simus cogitare aliquid a nobis quasi ex nobis, sed sufficientia nostra ex Deo est*[h] ? Nemo ergo Deum meritis praeuenit, ut tenere eum quasi debitorem possit ; sed miro modo aequus omnibus conditor, et quosdam praeelegit, et quosdam in suis reprobis moribus iuste derelinquit.

39. Nec tamen electis suis pietatem sine iustitia exhibet, quia hic eos duris afflictionibus premit ; nec rursum reprobis iustitiam sine misericordia exercet, quia hic aequanimiter tolerat quos quandoque in perpetuum damnat. Si ergo et
5 electi praeuenientem se gratiam sequuntur ; et reprobi iuxta quod merentur accipiunt ; et de misericordia inueniunt electi quod laudent ; et de iustitia non habent reprobi quod accusent. Bene itaque dicitur : *Quis ante dedit mihi, ut reddam ei ?* Ac si aperte diceretur : Ad parcendum reprobis
10 nulla ratione compellor, quia eis debitor ex sua actione non

38. b. Ep 2, 8-9 c. 1 Jn 4, 10 d. Os 14, 5 e. Jn 15, 5 f. Jn 6, 44 g. Jn 15, 16 h. 2 Co 3, 5

de Dieu, cela ne vient pas de vos œuvres[b] ? Si c'est notre amour qui devance Dieu, qu'en est-il de la parole de l'apôtre Jean : *Ce n'est pas nous qui avons aimé Dieu, mais c'est lui qui nous a aimés le premier*[c] ? Qu'en est-il de la parole du Seigneur par la bouche d'Osée : *Je les aimerai de mon propre mouvement*[d] ? Si, indépendamment de sa grâce, nous sommes fidèles à Dieu par nos propres forces, qu'en est-il du témoignage de la Vérité dans l'Évangile, qui dit : *Sans moi, vous ne pouvez rien faire*[e] ? Qu'en est-il de cette parole : *Personne ne peut venir à moi si mon Père qui m'a envoyé ne l'attire*[f] ? Et de nouveau : *Ce n'est pas vous qui m'avez choisi, mais moi qui vous ai choisis*[g] ? Si du moins nous devançons, par nos propres forces, en ayant de bonnes intentions, la grâce des bonnes œuvres, qu'advient-il encore de cette parole si précise de Paul pour retrancher à la racine même du cœur toute confiance de l'âme humaine en soi : *Non que nous soyons capables de former quelque bonne pensée comme de nous-mêmes, mais c'est Dieu qui nous en rend capables*[h] ? Personne ne devance donc Dieu par ses mérites en sorte de pouvoir le considérer comme un débiteur ; mais, d'une manière admirable, ce Créateur équitable pour tous en a élu certains, et, avec justice, en a abandonné d'autres à leurs mœurs dépravées.

Justice et miséricorde

39. Cependant, ce n'est pas une bonté sans équité qu'il montre à ses élus, car il les accable ici-bas de dures afflictions ; de même, ce n'est pas une justice sans miséricorde qu'il exerce envers les réprouvés, car il supporte ici-bas avec patience ceux qu'il doit parfois condamner pour l'éternité. Si donc les élus suivent la grâce qui les prévient, et que les réprouvés reçoivent ce qu'ils méritent, les élus ont sujet de louer la miséricorde, et les réprouvés n'ont pas lieu d'accuser la justice. Il est donc bien dit : *Qui m'a donné le premier afin que je lui rende ?* Comme s'il disait en termes clairs : Aucune raison ne me contraint à pardonner aux réprouvés, car je n'ai

teneor. Idcirco enim nequaquam caelestis patriae praemia aeterna percipiunt, quia ea nunc dum promereri poterant, ex libero arbitrio contempserunt. Quod uidelicet liberum arbitrium in bono formatur electis, cum eorum mens a
15 terrenis desideriis gratia aspirante suspenditur.

40. Bonum quippe quod agimus, et Dei est et nostrum ; Dei per praeuenientem gratiam, nostrum per obsequentem liberam uoluntatem. Si enim Dei non est, unde ei in aeternum gratias agimus ? Rursum si nostrum non est, unde nobis
5 retribui praemia speramus ? Quia ergo non immerito gratias agimus, scimus quod eius munere praeuenimur, et rursum, quia non immerito retributionem quaerimus, scimus quod subsequente libero arbitrio bona elegimus quae ageremus. Sequitur :

41,2 XXII, **41.*Omnia quae sub caelo sunt mea sunt.*** Omnibus liquet quod non solum ea quae sub caelo sunt, sed ipsa quoque quae super caelos condita caelestia uocantur eius uoluntati seruiunt a quo se creata esse meminerunt. Cur ergo
5 tantummodo de inferioribus loquens ait : *Omnia quae sub caelo sunt mea sunt ?* Sed quia de Leuiathan loquitur, qui iam non in aetherei caeli sede continetur, cuncta quae sub caelo sunt asserit sua esse ; ut eum quoque qui de caelo cecidit, suae doceat potestati seruire ; ac si diceret : Leuiathan iste beati-
10 tudinem quidem meam perdidit, sed dominium non euasit,

aucune dette envers eux du fait de leur comportement. En effet, s'ils ne reçoivent aucune des récompenses éternelles de la patrie céleste, c'est que, alors qu'ici-bas ils auraient pu les mériter, ils les ont méprisées selon leur libre arbitre. Ce libre arbitre, au contraire, est disposé au bien chez les élus, car, sous le souffle de la grâce, leur âme s'élève au-dessus des désirs terrestres.

Grâce et libre arbitre

40. Le bien que nous faisons vient donc et de Dieu et de nous ; de Dieu, par sa grâce prévenante, de nous, par notre volonté qui la suit librement. Si, en effet, il ne vient pas de Dieu, de quoi lui rendons-nous grâce éternellement ? Inversement, s'il ne vient pas de nous, comment pouvons-nous en espérer une récompense ? Mais parce que ce n'est pas sans raison que nous rendons grâce, nous reconnaissons qu'il nous devance de sa grâce, et inversement, parce que ce n'est pas sans raison que nous attendons une récompense, nous savons que si nous avons choisi de faire le bien, c'est que notre libre arbitre a suivi la motion de la grâce. Le texte poursuit :

Chute de Léviathan

XXII, **41.** ***Tout ce qui est sous le ciel est à moi.*** Il est clair pour tous que, non seulement ce qui est sous le ciel, mais aussi les créatures qui, placées au-dessus du ciel, sont appelées célestes, sont soumises à la volonté de celui par qui elles se souviennent qu'elles ont été créées. Pourquoi, dès lors, parle-t-il seulement des êtres inférieurs, en disant : *Tout ce qui est sous le ciel est à moi ?* Comme il parle ici de Léviathan, qui désormais ne siège plus dans les hauteurs du ciel, il affirme que tout ce qui est sous le ciel est à lui, afin de nous apprendre que Léviathan qui est tombé du ciel est aussi au service de sa puissance. Comme s'il disait : Certes, ce Léviathan a perdu la béatitude que je lui avais donnée, mais il n'a pas échappé à ma domination,

41,2

quia et ipsae mihi potestates inseruiunt quae mihi prauis actionibus aduersantur. Sequitur :

XXIII, **42.** ***Non parcam ei et uerbis potentibus ad*** 41,3 ***deprecandum compositis.*** Quis hoc, quod legisse se nequaquam nouit, existimet ; quia culparum suarum diabolus sit ueniam petiturus ? Sed ille fortasse homo, quem Leuiathan 5 iste in mundi termino uas sibi proprium facit ; *quem*, attestante Paulo, *Dominus Iesus interficiet spiritu oris sui, et destruet illustratione aduentus sui*[a], territus tantae maiestatis praesentia, quia exercere uires suas non ualet, ad preces inclinatur. Quod tamen de eius corpore, id est iniquis omnibus 10 intellegi aptius potest, qui sero ad petitionum uerba ueniunt, quia nunc exsequi facta contemnunt. Vnde per euangelium Veritas dicit : *Nouissime ueniunt reliquae uirgines, dicentes : Domine, Domine, aperi nobis*[b]. Quibus ilico respondetur : *Amen dico uobis, nescio uos*[c]. Sed cum uerba potentia ad de- 15 precandum componere dicitur, urget magis ut quod de eius corpore in futuro diximus in hoc tempore sentiamus.

43. Sunt namque nonnulli intra sanctam Ecclesiam, qui prolixas ad Dominum preces habent, sed uitam deprecantium non habent ; nam promissa caelestia petitionibus sequuntur, operibus fugiunt. Hi nonnumquam etiam lacri- 5 mas in oratione percipiunt ; sed cum post orationis tempora eorum mentem superbia pulsauerit, ilico in fastu elationis intumescunt ; cum auaritia instigat, mox per incendia auidae cogitationis exaestuant ; cum luxuria temptauerit, in illicitis

42. a. 2 Th 2, 8 b. Mt 25, 11 c. Mt 25, 12

car même les puissances qui par leurs actions perverses s'opposent à moi sont à mon service. Le texte poursuit :

Supplications des pécheurs

XXIII, **42.** ***Je ne l'épargnerai pas, aussi puissantes et suppliantes que soient ses paroles.*** Peut-on croire une chose que l'on reconnaît n'avoir jamais lue, à savoir que le diable en viendrait un jour à demander pardon de ses fautes ? Mais peut-être cet homme-là, dont le Léviathan fait son réceptacle à la fin du monde, *celui que le Seigneur Jésus tuera par le souffle de sa bouche et détruira par l'éclat de sa venue*[a], comme l'affirme Paul, celui-là, terrifié par la présence d'une si grande majesté, incapable de se servir de ses propres forces, en est-il réduit à supplier. Cependant, il est plus à propos de l'entendre du corps de Léviathan, c'est-à-dire de tous les pécheurs qui en viennent sur le tard aux paroles de supplication, parce qu'ils négligent à présent d'accomplir de bonnes actions. C'est pourquoi la Vérité dit dans l'Évangile : *Enfin, viennent les autres vierges disant : « Seigneur, Seigneur, ouvre-nous »*[b]. A quoi il répond sur le champ : *En vérité, je vous le dis : je ne vous connais pas*[c]. Mais, lorsqu'on le décrit comme adressant à Dieu d'instantes prières présentées avec art, ce que nous avons dit au sujet de son corps dans l'avenir, nous sommes poussés à le comprendre plutôt pour le temps présent.

41,3

Supériorité des œuvres

43. Il y en a, en effet, qui, à l'intérieur de la sainte Église, adressent à Dieu des prières prolongées, mais dont la vie n'est pas celle d'hommes de prière : par leurs demandes, ils recherchent les promesses célestes, mais ils s'en écartent par leurs œuvres. Ils sont même parfois émus jusqu'aux larmes dans l'oraison, mais quand, passé le temps de l'oraison, la superbe a frappé à la porte de leur âme, aussitôt ils se gonflent d'un orgueil méprisant ; quand l'avarice les excite, ils ont tôt fait de brûler, en esprit, du feu de l'avidité ; quand la luxure les a tentés,

protinus desideriis anhelant ; cum ira suaserit, mox man-
10 suetudinem mentis flamma insaniae concremat. Vt ergo
diximus, et fletus in prece percipiunt ; et tamen, expletis
precibus, cum uitiorum suggestione pulsantur, nequaquam
pro aeterni regni desiderio se fleuisse meminerunt.

Quod aperte de se Balaam innotuit, qui iustorum taber-
15 nacula conspiciens, ait : *Moriatur anima mea morte iustorum, et fiant nouissima mea horum similia*[a]. Sed cum compunctionis tempus abscessit, contra eorum uitam quibus
se similem fieri etiam moriendo poposcerat, consilium
praebuit ; et cum occasionem de auaritia repperit, ilico
20 oblitus est quicquid sibi de innocentia optauit[b]. Virtutis
igitur pondus oratio non habet, quam nequaquam perseuerantia continui amoris tenet. Quo contra bene de Anna
flente perhibetur : *Vultusque eius non sunt amplius in diuersa mutati*[c], quia uidelicet mens eius nequaquam post preces
25 inepta laetitia lasciuiendo perdidit, quod orationis suae
tempore gemituum rigor exquisiuit. Nonnullis uero in usum
negotiationis uertitur labor orationis. De quibus in euangelio Veritas dicit : *Deuorant domos uiduarum sub obtentu prolixae orationis. Hi accipient prolixius iudicium*[d].

30 Quia ergo iniquorum petitionibus qui Leuiathan istius
corpus sunt nullo modo parcitur, cum eorum preces opere
destruuntur, recte nunc dicitur : *Non parcam ei et uerbis potentibus ad deprecandum compositis*. Quamuis et per hoc
quod uerba potentia ad deprecandum composita referun-
35 tur, aperte inanitas orationis ostenditur. Veraciter namque
orare, est amaros in compunctione gemitus, et non compo-

43. a. Nb 23, 10 b. Cf. Nb 24, 14 c. 1 S 1, 18 d. Mc 12, 40

sans attendre, ils s'essoufflent en désirs illicites ; quand la colère les a persuadés, bientôt la flamme de la fureur consume la douceur de leur âme. Ainsi, comme nous l'avons dit, ils sont émus jusqu'aux larmes dans la prière, mais les prières terminées, lorsqu'ils sont ébranlés par la tentation des vices, ils oublient complètement d'avoir pleuré en désirant le royaume éternel.

C'est ce que Balaam a fait connaître clairement à son sujet, lui qui, considérant les tentes des justes, dit : *Que mon âme meure de la mort des justes et que mes derniers jours soient semblables aux leurs* [a]. Mais, passé le temps de la componction, il donna des conseils pour attenter à la vie de ceux auxquels il avait réclamé de ressembler jusque dans la mort. Dès que se présenta l'occasion de satisfaire son avarice, aussitôt il oublia tout de cette intégrité qu'il avait désirée pour lui-même [b]. L'oraison, par conséquent, n'a pas le poids de la vertu, si elle n'est étayée par la persévérance d'un amour sans faille. A l'opposé, il est bien dit au sujet d'Anne en pleurs : *Désormais son visage ne changea pas* [c], parce qu'après ses prières, son âme ne laissa en aucune manière dissiper, en s'abandonnant à une joie hors de propos, ce que, pendant son oraison, elle avait recherché dans la rigueur des gémissements. Pour certains, cependant, le labeur de la prière devient une sorte de négoce. C'est de ceux-ci que parle la Vérité dans l'Évangile : *Ils dévorent la maison des veuves sous prétexte qu'ils font de longues prières. Ils en recevront un jugement plus rigoureux* [d].

Comme les prières des méchants, qui sont le corps de ce Léviathan, ne peuvent en aucune manière obtenir le pardon, puisque leurs prières sont annulées par leurs actions, il est bien dit ici : *Je ne l'épargnerai pas, aussi puissantes et suppliantes que soient ses prières.* Malgré ces paroles puissantes et suppliantes auxquelles il est fait ici allusion, la vacuité d'une telle prière est montrée sans ambiguïté. Car prier en vérité, c'est faire retentir des gémissements amers dans la componction, et

sita uerba resonare. Sed quia antiquus hostis quo districtius frangitur, eo nequius per multiplicia argumenta dilatatur, cuius tamen insidias Dominus quanto subtilius occultari
40 considerat, tanto nobis misericordius manifestat, recte subiungitur :

41,4 XXIV, **44.** ***Quis reuelabit faciem indumenti eius ?*** Leuiathan iste aliter religiosas hominum mentes, aliter uero huic mundo deditas temptat ; nam prauis mala quae desiderant aperte obicit, bonis autem latenter insidians, sub specie
5 sanctitatis illudit. Illis uelut familiaribus suis iniquum se manifestius insinuat ; istis uero uelut extraneis cuiusdam quasi honestatis praetextu se palliat, ut mala quae eis publice non ualet, tecta bonae actionis uelamine subintromittat. Vnde et membra eius saepe cum aperta nequitia nocere non
10 possunt, bonae actionis habitum sumunt ; et praua quidem se opere exhibent, sed sancta specie mentiuntur. Iniqui enim si aperte mali essent, a bonis recipi omnino non possent ; sed sumunt aliquid de uisione bonorum, ut dum boni uiri in eis recipiunt speciem quam amant, permixtum sumant etiam
15 uirus quod uitant. Vnde quosdam Paulus apostolus intuens sub praedicationis uelamine uentris studio seruientes, ait : *Ipse enim Satanas transfigurat se in angelum lucis. Quid ergo mirum si ministri eius transfigurantur uelut ministri iustitiae*[a] *?* Hanc transfigurationem Iosue timuit, quando uidens
20 angelum, cuius esset partis inquisiuit, dicens : *Noster es, an aduersariorum*[b] *?* Vt uidelicet si aduersae uirtutis esset, eo

44. a. 2 Co 11, 14-15 b. Jos 5, 13

non pas des phrases bien composées. Cependant, plus il est écrasé avec rigueur, plus l'antique ennemi se montre mauvais en se propageant dans de multiples machinations ; mais le Seigneur, voyant qu'il cache ses embûches avec une habileté accrue, nous les découvre avec d'autant plus de miséricorde, le texte poursuit à juste titre :

L'habit de sainteté

XXIV, **44.** ***Qui découvrira le dessus de son vêtement ?*** Ce Léviathan tente d'une manière différente les âmes religieuses et les âmes vouées à ce monde. Aux dépravés, en effet, il présente ouvertement le mal qu'ils désirent, mais il se joue des bons par des embûches secrètes sous couleur de sainteté. Il s'introduit sans déguiser sa malice auprès des premiers comme chez des amis, mais, pour ceux qui lui sont comme étrangers, il se couvre pour ainsi dire d'un manteau d'honnêteté, et le mal qu'il ne peut leur soumettre à découvert, il leur insinue, caché sous le voile d'une bonne action. De même, souvent, quand ses membres ne peuvent nuire avec une méchanceté déclarée, ils se dissimulent sous l'habit d'une bonne conduite. Et, tandis qu'ils se révèlent par de mauvaises actions, ils trompent par une sainte apparence. Si les hommes injustes, en effet, se montraient méchants au grand jour, ils ne pourraient d'aucune manière être accueillis par les bons ; mais ils leur empruntent au dehors quelque ressemblance, si bien que les hommes bons, en voyant en eux l'extérieur qui leur plaît, absorbent du même coup le venin qu'ils voulaient éviter. C'est pourquoi l'apôtre Paul, observant que certains s'adonnent à la bonne chère sous le couvert de la prédication, dit : *Satan lui-même se transforme en ange de lumière. Quoi d'étonnant dès lors si ses ministres se transforment en serviteurs de la justice*[a] ? C'est ce changement d'apparence que redouta Josué quand, voyant un ange, il lui demanda de quel côté il était, en disant : *Es-tu des nôtres ou de nos ennemis*[b] ?, en sorte que, s'il appartenait à la puissance adverse, par le fait qu'il se

41,4

ipso quo se suspectum cognosceret, ab illusione resiliret. Quia ergo Leuiathan iste in eo quod iniquitatis opus molitur, saepe specie sanctitatis induitur ; et quia nisi per diuinam gra-
25 tiam simulationis eius detegi indumenta non possunt, bene dicitur : *Quis reuelabit faciem indumenti eius ?* Subaudis nisi ego, qui seruorum meorum mentibus gratiam subtilissimae discretionis inspiro, ut reuelata malitia faciem eius nudam uideant, quam coopertam ille sub habitu sanctitatis occultat.
30 Et quia fidelium mentes corrumpere aliquando ostensione sua, aliquando suggestione conatur, – agit enim modo opere, modo persuasione –, recte subiungitur :

41,4 XXV, **45.** ***Et in medium oris eius quis intrauit ?*** Subaudis nisi ego, qui per discretas electorum mentes suggestionum eius uerba discutio, et non ita haec esse ut sonuerint manifesto. Bonum namque uidentur promittere, sed ad perdi-
5 tum finem trahunt. In medium igitur oris eius intrare est calliditatis eius uerba penetrare, ut nequaquam pensetur quid resonant, sed quo intendant. Intrare Adam in medium oris eius noluit, quando intentionem persuasionis illius caute pensare neglexit [a] ; diuinitatem quippe se per illum accipere
10 credidit, et immortalitatis gratiam amisit. Vnde ergo ab intellectu uerborum eius incaute exterius stetit, inde se ori illius deuorandum funditus praebuit. Sequitur :

41,5 XXVI, **46.** ***Portas uultus eius quis aperiet ?*** Portae uultus eius sunt iniqui doctores, qui idcirco portae uultus eius uocati sunt, quia per ipsos quisque ingreditur, ut Leuiathan iste quasi in potestatis suae principatu uideatur. Sicut enim

45. a. Cf. Gn 3, 5

verrait soupçonné, il renoncerait à tromper. Ce Léviathan, en effet, revêt souvent une apparence de sainteté là où il machine une œuvre d'iniquité. Et comme il est impossible, sans le secours de la grâce divine, de discerner le vêtement de sa dissimulation, il est bien dit : *Qui découvrira le dessus de son vêtement ?* Sous-entendu : Si ce n'est moi, qui insuffle une grâce de discernement très subtil dans l'esprit de mes serviteurs, pour qu'ils décèlent la malice de Léviathan et voient à nu son visage, que ce misérable tient caché sous un habit de sainteté. Et parce qu'il cherche à corrompre l'âme des fidèles, parfois en se montrant, parfois en suggérant – car il agit tantôt par des actes, tantôt par la persuasion –, il est ajouté à juste titre :

Savoir discerner

XXV, **45.** ***Et qui est entré dans le milieu de sa gueule ?*** Sous-entendu : si ce n'est moi qui, au moyen du discernement des élus, examine les termes de ses suggestions et révèle qu'elles diffèrent de ce que l'on croit entendre. Oui, elles semblent promettre un bien, mais conduisent finalement à la perdition. Entrer dans le milieu de sa gueule, c'est pénétrer l'astuce de ses discours, en sorte de ne tenir aucun compte de leur sonorité, mais de leur intention. Adam n'a pas voulu pénétrer dans le milieu de sa gueule, quand il a négligé de peser avec précaution l'intention de ses suggestions [a]. Il crut, en effet, obtenir grâce à lui la divinité, et il perdit la grâce de l'immortalité. Ainsi, en demeurant inconsidérément extérieur au sens de son discours, il s'offrit tout entier à sa gueule pour être dévoré. Le texte poursuit :

41,4

Les docteurs d'iniquité

XXVI, **46.** ***Les portes de son visage, qui les ouvrira ?*** Les portes de son visage sont les docteurs d'iniquité, qui sont appelés « portes de son visage », car c'est par eux que l'on entre pour voir ce Léviathan, comme s'il était dans la souveraineté

41,5

5 scriptura sacra sanctos uiros portas Sion uocare consueuit. Sion quippe speculatio interpretatur, et non immerito praedicatores sanctos portas Sion dicimus, quia per eorum uitam atque doctrinam abscondita supernae contemplationis intramus ; ita etiam portis Leuiathan istius errorum ma-
10 gistri signantur, quorum dum praedicatio peruersa recipitur, miseris auditoribus uia perditionis aperitur. Sed portae istae ante oculos hominum plerumque ad introducendum quidem apertae sunt, sed tamen ad deprehendendum clausae, quia recta in specie exhibent, sed opere praua persuadent.
15 Ad deprehendendum ergo clausae sunt, quia ne intrinsecus cognosci ualeant, exteriori simulatione muniuntur. Quas tamen mira potentia Dominus aperit, quia electis suis hypocritarum mentes comprehensibiles facit. *Portas* ergo *uultus eius quis aperiet ?* Subaudis nisi ego, qui electis meis ma-
20 gistros errorum sub specie sanctitatis absconditos perspicua cognitione manifesto.

Et quia Antichristus ueniens ipsas etiam summas huius saeculi potestates obtinebit, qui duplici errore saeuiens conatur ad se corda hominum et missis praedicatoribus tra-
25 here. Et commotis potestatibus inclinare, bene de Leuiathan isto Dominus subdidit, dicens :

41,5 XXVII, 47. ***Per gyrum dentium eius formido.*** Mutato namque nomine, hos eius dentes insinuare aliter uoluit, quos superius portas uocauit. Peruersi etenim praedicatores portae eius sunt, quia ingressum perditionis aperiunt.
5 Dentes eius sunt, quia eos quos in errorem capiunt, a ueritatis soliditate confringunt. Sicut enim sanctae Ecclesiae

1. Cf. *supra*, p. 20-21.

de sa puissance. La divine Écriture a coutume d'appeler les hommes saints « portes de Sion », – de fait, Sion se traduit par « contemplation[1] » – et ce n'est donc pas sans raison que nous appelons les saints prédicateurs « portes de Sion » puisque, grâce à leur vie et à leur doctrine, nous pénétrons dans les mystères de la contemplation céleste ; de même, les « portes » de ce Léviathan désignent les maîtres d'erreur dont la prédication perverse, lorsqu'on la reçoit, ouvre un chemin de perdition aux malheureux qui les écoutent. Mais si ces portes sont habituellement ouvertes aux yeux des hommes pour laisser entrer, elles sont fermées quand il s'agit de discerner, c'est-à-dire qu'ils montrent en apparence le bien, mais en réalité persuadent le mal. Quand il s'agit de discerner, elles sont par conséquent fermées, car, afin de ne pouvoir être connus au dedans, ils sont recouverts au dehors de fausses apparences. Mais, avec une puissance admirable, le Seigneur les ouvre cependant, parce qu'il révèle à ses élus l'âme des hypocrites : *Les portes de son visage, qui les ouvrira ?* Sous-entendu : sinon moi qui révèle par une claire connaissance à mes élus les maîtres d'erreur dissimulés sous une apparence de sainteté.

Et, puisque, lors de sa venue, l'Antichrist se soumettra même les plus hautes puissances de ce siècle, lui qui, sévissant par une double tromperie, s'efforce d'attirer à lui le cœur des hommes par l'envoi de prédicateurs, et de les plier sous son joug par les puissances déchaînées, c'est donc à bon droit que le Seigneur ajoute au sujet de Léviathan :

Les maîtres d'erreur

XXVII, 47. ***Autour de ses dents règne la terreur.*** Sous un autre nom, il a voulu désigner d'une manière différente ses dents, que plus haut il a appelées « portes ». Les prédicateurs pervers sont, en effet, ses portes, puisqu'ils ouvrent un chemin de perdition. Ils sont ses dents, puisqu'ils coupent de la solide vérité ceux qu'ils entraînent dans l'erreur. Nous tenons, en **41,5**

dentes accipimus eos qui praedicationibus suis peccantium duritiam conterunt, unde ei per Salomonem dicitur : *Dentes tui sicut grex detonsarum ascendentium de lauacro*[a] ; qui
10 non immerito detonsis ac lotis ouibus comparantur ; quia innocuam uitam sumentes, in lauacro baptismatis conuersationis pristinae uellera uetusta posuerunt ; ita etiam dentibus Leuiathan istius errorum magistri figurantur, quia reproborum uitam mordendo dilaniant, et eos a ueritatis
15 integritate subductos in sacrificio falsitatis mactant. Quorum quidem praedicatio facile despici ab auditoribus poterat, sed hanc ante humana iudicia adiunctus potestatum saecularium terror exaltat.

48. Recte ergo dicitur : *Per gyrum dentium eius formido* ; id est, iniquos praedicatores Antichristi peruersae huius saeculi protegunt potestates. Nam quos illi appetunt loquendo seducere, multi potentium student saeuiendo terrere. Per
5 gyrum ergo dentium eius formido est, ac si aperte diceretur : Idcirco isti peruersi praedicatores aliquos suadentes conterunt, quia sunt circa ipsos alii qui infirmorum mentes terrentes affligunt. Quale itaque illud persecutionis tempus apparebit, quando ad peruertendam fidelium pietatem alii
10 uerbis saeuiunt, alii gladiis ? Quis enim etiam infirmus Leuiathan istius dentes non despiceret, si non eos per circuitum potestatum saecularium terror muniret ? Sed duplici contra illos calliditate agitur, quia quod eis ab aliis uerbis blandientibus dicitur, hoc ab aliis gladiis ferientibus imperatur.
15 Quae utrorumque actio, id est potentium atque loquacium, in Ioannis Apocalypsi breui est sententia comprehensa, qua

47. a. Ct 4, 2

effet, pour les dents de la sainte Église ceux qui, par leur prédication, brisent la dureté des pécheurs, ainsi que le dit Salomon s'adressant à l'Église : *Tes dents sont comme un troupeau de brebis tondues qui reviennent du lavoir*[a] – ce n'est pas indûment qu'ils sont comparés à des brebis tondues et lavées, car, adoptant une vie innocente, ils ont abandonné dans l'eau du baptême la vieille toison de leur ancienne vie – ; de même, les dents de ce Léviathan figurent aussi les maîtres d'erreur dont les morsures lacèrent la vie des réprouvés et qui immolent en sacrifice au mensonge ceux qu'ils ont arrachés à l'intégrité de la vérité. Certes, leur prédication pouvait être facilement méprisée par leurs auditeurs, mais la crainte du pouvoir séculier, en lui apportant son concours, l'exalte devant le jugement des hommes.

Les puissances séculières

48. Il est donc juste de dire : *Autour de ses dents règne la terreur*, c'est-à-dire des puissances séculières perverses protègent les prédicateurs iniques de l'Antichrist. En effet, les hommes que ceux-ci cherchent à séduire par leurs discours, beaucoup, parmi les puissants, s'appliquent à les terrifier par leurs sévices. Autour de ses dents règne donc la terreur, comme s'il était dit en clair : Ces prédicateurs corrompus parviennent à séduire certains pour les broyer, parce qu'autour d'eux il en existe d'autres qui par la terreur tourmentent l'esprit des faibles. Quelle forme prendra ce temps de persécution quand, pour pervertir la piété des fidèles, certains sévissent par des discours, d'autres par le glaive ? Qui donc, en effet, même faible, ne mépriserait les dents de ce Léviathan, si la crainte des puissances séculières ne faisait autour d'elles un rempart ? Mais deux procédés astucieux sont mis en œuvre contre les fidèles, parce que ce que les uns leur disent avec des paroles flatteuses est impéré par les autres à grands coups de glaive. Et cette double action des puissants et des prédicateurs est résumée, dans l'Apocalypse de Jean, par une brève

dicitur : *Potestas equorum in ore et in caudis eorum erat*[a]. In ore namque doctorum, scientia ; in cauda uero, saecularium potentia figuratur. Per caudam quippe, quae retro est, huius
20 saeculi postponenda temporalitas designatur ; de qua Paulus apostolus dicit : *Vnum autem, quae retro sunt oblitus, ad ea quae ante sunt extentus*[b]. Retro est enim omne quod transit, ante uero est omne quod ueniens permanet. Istis ergo equis, id est nequissimis praedicatoribus, ubique carnali impulsu
25 currentibus, in ore et in cauda potestas est ; quia ipsi quidem peruersa suadendo praedicant, sed temporalibus potestatibus fulti, per ea se quae retro sunt exaltant. Et quia ipsi apparere despicabiles possunt, ab iniquis auditoribus suis per eos sibi reuerentiam exigunt, quorum patrociniis fulciuntur.
30 Vnde hic quoque non immerito per gyrum dentium eius formido inesse describitur, quia multis terroribus agitur ; ut in peruersis eorum praedicationibus etsi non ueritatis sententia, certe temporalis potentia timeatur. Vnde bene eumdem Antichristum psalmista descripsit, dicens : *Sub*
35 *lingua eius labor et dolor, sedet in insidiis cum diuitibus in occultis*[c]. Propter enim peruersa dogmata sub lingua eius labor et dolor est ; propter miraculorum uero speciem sedet in insidiis ; propter saecularis autem potestatis gloriam, cum diuitibus in occultis. Quia enim simul et miraculorum
40 fraude et terrena potestate utitur, et in occultis et cum diuitibus sedere perhibetur, sequitur :

48. a. Ap 9, 19 b. Ph 3, 13 c. Ps 9, 28-29

phrase où il est dit : *La force des chevaux est dans leur bouche et dans leur queue* [a]. En effet, par la bouche des doctes est figurée la science, et par la queue, la puissance séculière. Assurément, par la queue, située derrière, est désigné le caractère temporaire de ce siècle qui doit passer en second. C'est à ce sujet que l'apôtre Paul dit : *Mais seulement, oubliant ce qui est derrière, je m'avance vers ce qui est devant* [b]. Est derrière nous tout ce qui passe, est devant nous tout ce qui se produisant demeure. Donc la puissance de ces chevaux, – par chevaux, il faut entendre les prédicateurs très vicieux qui courent partout sous une impulsion charnelle –, la puissance de ces chevaux est dans leur bouche et dans leur queue : eux-mêmes, il est vrai, prêchent avec persuasion une doctrine perverse, mais c'est en s'appuyant sur les puissances temporelles qu'ils parviennent à s'élever, grâce à ce qui est derrière eux. Et parce qu'en eux-mêmes, ils peuvent sembler méprisables, ils réclament cependant le respect de leurs auditeurs iniques grâce à ceux qui les soutiennent de leur patronage.

Ce n'est donc pas sans raison que la terreur est dite ici régner autour de ses dents, parce qu'il s'agit de multiples formes de frayeur, si bien que, dans leurs prédications pleines d'erreurs, ce que l'on respecte, c'est la puissance temporelle, quand bien même ce n'est pas la vérité qui est énoncée. Le psalmiste a donc bien décrit cet Antichrist en disant : *Sous sa langue est la peine et la douleur. Il est assis en embuscade avec les riches en des lieux cachés* [c]. Car, du fait de ses doctrines erronées, sous sa langue est la peine et la douleur. Du fait de ses faux miracles, il est assis en embuscade ; enfin, du fait de la gloire de la puissance séculière, il se tient avec les riches en des lieux cachés. Puisqu'en effet il use à la fois de miracles trompeurs et du pouvoir temporel, il est désigné comme assis, et en des lieux cachés, et avec les riches. Le texte poursuit :

41,6 XXVIII, **49.** ***Corpus illius quasi scuta fusilia.*** Scriptura sacra scuti nomine aliquando uti in parte prospera, aliquando in aduersa consueuit. Nam saepe scuti defensio pro diuina protectione ponitur ; nonnumquam uero pro humana
5 repugnatione memoratur. Pro diuina enim protectione per psalmistam dicitur : *Scuto bonae uoluntatis tuae coronasti nos*[a]. Scuto nos Dominus coronare perhibetur, quia quos protegens adiuuat, remunerans coronat. Rursum pro humana repugnatione per eumdem prophetam scutum ponitur sicut
10 ait : *Ibi confregit cornua, arcum, scutum, gladium et bellum*[b]. In cornibus quippe elatio superborum, in arcu enim insidiae longe ferientium, in scuto autem obstinata duritia defensionum, in gladio uicina percussio, in bello autem ipsa contra Dominum mentis motio designatur. Quod nimirum
15 totum in sancta Ecclesia confringitur, dum mentes Deo resistentium, superposito iugo humilitatis, edomantur. Hinc rursum per eumdem psalmistam dicitur : *Arcum conteret et confringet arma ; et scuta comburet igni*[c]. Arcum enim Dominus conterit, cum occulta insidiantium machinamenta
20 dissoluit. Arma confringit, cum ea quae contra se erecta fuerant patrocinia humana comminuit. Scuta igne comburit, cum peccantium mentes obstinata se duritia defendentes, ad paenitentiae et confessionis ardorem sancti Spiritus calore succendit.

25 Quod uero hoc loco corpus Leuiathan istius scutis fusilibus comparatur, perscrutandum nobis innuitur, quia durum quidem, sed tamen cum labitur, fragile solet esse uas omne quod fusile est. Scuta ergo si sunt fusilia, in suscipienda sagittarum percussione robusta sunt, sed casu fragilia. Ictu
30 quidem ferientium minime penetrantur, sed suo se lapsu

49. a. Ps 5, 13 b. Ps 75, 4 c. Ps 45, 10

La résistance de l'homme

XXVIII, **49.** ***Son corps est comme un bouclier de métal fondu.*** La sainte Écriture a coutume de prendre le terme de bouclier parfois en bonne part, parfois en mauvaise part. En effet, souvent le bouclier qui arrête les coups signifie la protection divine, mais parfois il évoque la résistance de l'homme. Il exprime la protection divine dans ces paroles du psalmiste : *Tu nous as couronnés du bouclier de ta bienveillance*[a]. Il est dit que le Seigneur nous couronne de son bouclier, parce que ceux qu'il assiste de sa protection, il les couronne en guise de sa récompense. Inversement, le bouclier signifie la résistance de l'homme, chez le même prophète, quand il dit : *Là, il a brisé les cornes, l'arc, le bouclier, le glaive et la guerre*[b]. Par les cornes est désigné l'orgueil des superbes ; par l'arc, les embûches qui frappent de loin ; par le bouclier, la ferme obstination de ceux qui se défendent ; par le glaive, les coups donnés de près ; par la guerre, la révolte même de l'âme contre le Seigneur. Tout cela, sans aucun doute, est détruit dans la sainte Église, lorsque les âmes de ceux qui résistaient à Dieu sont domptées, soumises au joug de l'humilité. C'est pourquoi le même psalmiste peut dire encore : *Il cassera l'arc, il brisera les armes ; il brûlera les boucliers*[c]. Le Seigneur casse l'arc quand il dissipe les machinations cachées des intrigants. Il brise les armes quand il met en pièces ces protections humaines qui avaient été dressées contre lui. Il brûle les boucliers lorsque, par le feu du Saint-Esprit, il embrase de l'ardeur de la pénitence et de l'aveu les âmes des pécheurs qui, dans leur endurcissement, se défendaient avec obstination.

41,6

Mais il nous faut chercher pourquoi ici le corps de Léviathan est comparé à un bouclier de métal fondu, parce que, même s'il est dur, tout objet en métal fondu se casse habituellement quand il tombe. Les boucliers en métal fondu sont d'une solidité qui leur permet de recevoir le choc des flèches, mais ils sont fragiles en cas de chute. Ils ne se laissent aucunement entamer par le choc des coups, mais ils éclatent

per fragmenta dissoluunt. Corpus ergo Leuiathan istius, id est omnes iniqui, quia per obstinationem duri sunt, sed per uitam fragiles, scutis fusilibus comparantur. Cum enim uerba praedicationis audiunt, nulla correptionis iacula se penetrare
35 permittunt, quia in omni peccato quod faciunt, scutum superbae defensionis opponunt. Nam cum talium quisque de reatu suae iniquitatis arguitur, non mox cogitat quomodo culpam corrigat, sed quid in adiutorio suae defensionis opponat. Nulla igitur ueritatis sagitta penetratur, quia uerba
40 sanctae correptionis in scuto excipit superbae defensionis.

Vnde bene de Iudaeis contra praecepta Domini superba se defensione tuentibus per Ieremiam dicitur : *Reddes eis uicem, Domine, iuxta opera manuum suarum* [d]. Moxque eamdem uicem expressius subdidit dicens : *Dabis eis scutum cordis labo-*
45 *rem tuum* [e]. Labor quippe Domini apparens inter homines passibilis eius humanitas fuit, quam Iudaei superbe sapientes dum cernerent, despexerunt ; eumque immortalem credere dedignati sunt, quem natura passibili mortalem uiderunt. Cumque eius humilitatem conspicerent, superbiae fastibus
50 obdurati, summa cura moliti sunt, ne eorum mentes sancta praedicantium uerba penetrarent. Dum ergo eis Dominus uicem malorum operum redderet, dedit illis scutum cordis laborem suum ; quia recto iudicio inde illos contra se superbe obstinatos exhibuit, unde ipse pro nobis in infirmitate labo-
55 rauit. Reppulerunt quippe a se uerba praedicantium, quia dedignati sunt in Domino infirma passionum. Laborem igitur Domini contra eumdem Dominum scutum cordis ha-

49. d. Lm 3, 64 e. Lm 3, 65

en morceaux, s'ils tombent. Ainsi le corps de ce Léviathan, ce sont tous les méchants qui, parce qu'ils sont durs par leur obstination, mais fragiles par leur vie, sont comparés à des boucliers en métal fondu. S'ils entendent une exhortation, ils ne se laissent pénétrer par aucun trait qui les corrigerait, parce que, quelque péché qu'ils commettent, ils opposent le bouclier d'une orgueilleuse défense. Oui, si quelqu'un de cette espèce est reconnu coupable d'injustice, il ne songe pas d'abord à corriger sa faute, mais à quels arguments recourir pour sa défense. Aucune flèche de vérité ne peut l'entamer, puisqu'il reçoit les avis de la sainte admonestation sur le bouclier d'une orgueilleuse défense.

C'est pourquoi Jérémie dit fort bien des juifs qui se mettaient à l'abri des commandements du Seigneur par une orgueilleuse défense : *Tu leur rendras la pareille, Seigneur, selon les œuvres de leurs mains* [d]. Et aussitôt, il explique plus expressément quelle est « la pareille » dont il parle : *Tu leur mettras ton labeur comme bouclier sur le cœur* [e]. Le labeur du Seigneur fut son humanité, qui s'est montrée passible parmi les hommes, mais les juifs, la considérant dans leur orgueilleuse sagesse, la méprisèrent ; et ils ne daignèrent pas croire immortel celui qu'ils voyaient mortel dans une nature passible. Tandis qu'ils fixaient leurs regards sur son humilité, endurcis par l'arrogance de leur orgueil, ils se sont efforcés avec le plus grand soin de ne pas laisser les saintes paroles des prédicateurs pénétrer en leurs âmes. Et donc, en échange de leurs œuvres mauvaises, le Seigneur leur a donné son labeur comme bouclier sur le cœur. Car il les a fait comparaître à son juste jugement, eux qui s'étaient orgueilleusement obstinés contre lui, du fait que lui-même a accompli son labeur pour nous dans la faiblesse. Ils ont rejeté loin d'eux les paroles des prédicateurs, puisqu'ils ont méprisé chez le Seigneur sa faiblesse et ses souffrances. Ils ont, par conséquent, opposé au Seigneur lui-même, tel un bouclier sur leur cœur, le labeur du Seigneur. En effet, à ceux qui ont le goût des

buerunt, quia superba sapientibus eo despectus apparuit, quo propter eos humilis fuit.

50. Hoc scutum, sicut iam et superius diximus, primus ille peccator tenuit, qui, requirente Domino cur lignum uetitum contigisset, non ad se culpam rettulit, sed a muliere quam Dominus dederat, se accepisse respondit[a]; ut quasi reatum 5 suum oblique in auctore relideret, qui ei mulierem dederat quae talia persuaderet. Hoc scutum etiam requisita mulier tenuit, quando neque ipsa ad se culpam rettulit, sed serpentis illud persuasionibus replicauit, dicens : *Serpens decepit me et comedi*[b], ut ipsa quoque reatum suum oblique in creatorem 10 reduceret, qui illic intrare serpentem persuasurum talia permisisset. Serpens uero iam non requiritur, quia nec eius paenitentia quaerebatur. Hi autem quorum paenitentia quaesita est, scutum nequissimae defensionis contra iustissimae correptionis uerba protulerunt.

15 Vnde nunc usque in usum peccantium trahitur, ut culpa cum arguitur defendatur ; et unde finiri reatus debuit, inde cumuletur. Bene ergo dicitur : *Corpus illius quasi scuta fusilia*, quia omnes iniqui, ne ad se corripientium uerba perueniant, quasi contra aduersantium iacula scuta defensionum parant. 20 Quod uidelicet eius corpus adhuc nobis expressius detegit, dum subiungit :

41,6 XXIX, **51.** ***Compactum squamis se prementibus.*** Fertur quia draconis corpus squamis tegitur, ne citius iaculatione penetretur. Ita corpus omne diaboli, id est multitudo repro-

50. a. Cf. Gn 3, 12 b. Gn 3, 13

grandeurs, il a paru méprisable, du fait qu'il a été humble à cause d'eux.

Exemple d'Adam et Ève

50. Ce bouclier, comme nous l'avons déjà dit plus haut, le premier d'entre les pécheurs l'a déjà tenu : comme Dieu lui demandait pourquoi il avait touché à l'arbre défendu, il ne voulut pas prendre sur lui la faute, mais il répondit que c'était de la femme donnée par le Seigneur qu'il l'avait reçue[a]; il rejetait ainsi en quelque sorte indirectement sa faute sur le Créateur qui lui avait donné une femme capable de lui persuader pareille chose. Mais ce bouclier, la femme, interrogée à son tour, le brandit. Elle non plus ne voulut pas se charger de la faute, mais elle la rejeta sur les persuasions du serpent en disant : *Le serpent m'a trompée et j'en ai mangé*[b], en sorte de rejeter elle aussi indirectement sa faute sur le Créateur, qui avait permis au serpent de se trouver là pour lui persuader une telle chose. Quant au serpent, il n'est plus interrogé alors : on ne pouvait, en effet, s'attendre à son repentir. Mais ceux dont on attendait le repentir opposèrent aux paroles d'une très juste réprobation le bouclier d'une détestable défense.

C'est ainsi que, jusqu'aujourd'hui, est venue aux pécheurs l'habitude de défendre la faute qu'on leur reproche et d'accumuler ainsi les péchés, à l'occasion de ce qui devrait y mettre un terme. Il est donc bien dit : *Son corps est comme un bouclier de métal fondu*, car tous les impies, afin de n'être pas atteints par les avis de ceux qui les corrigent, dressent des boucliers, comme on le ferait pour se défendre contre les traits d'adversaires. Il nous est encore plus expressément dévoilé comment est ce corps, lorsqu'il est ajouté :

Faux-fuyants des réprouvés

XXIX, **51.** ***Couvert d'écailles épaisses et serrées.*** Il est dit que le corps du dragon est couvert d'écailles, afin de n'être pas facilement pénétré par les traits. C'est ainsi, en effet, que tout **41,6**

borum, cum de iniquitate sua corripitur, quibus ualet tergi-
5 uersationibus se excusare conatur ; et quasi quasdam defensionis squamas obicit, ne transfigi sagitta ueritatis possit.
Quisquis enim dum corripitur, peccatum suum magis excusare appetit quam deflere, quasi squamis tegitur, dum
a sanctis praedicatoribus gladio uerbi iaculatur. Squamas
10 habet, et idcirco ad eius praecordia transeundi uiam uerbi
sagitta non habet. Duritia enim carnali repellitur, ne spiritalis ei gladius infigatur.

52. Carnali sapientia contra Deum Saulus obduruerat,
quando cor eius nulla praedicationis euangelicae sagitta
penetrabat. Sed postquam forti caelitus increpatione iacu-
latus, et superno respectu caecatus est, – lumen quippe ut
5 acciperet amisit –, ad Ananiam ueniens illuminatur. In
qua illuminatione quia defensionum suarum duritia caruit,
bene de eo scriptum est : *Ceciderunt quasi squamae ab oculis
eius*[a]. Carnalis uidelicet tegumenti illum duritia presserat,
et idcirco radios ueri luminis non uidebat. Sed postquam
10 superbae repugnationes eius uictae sunt, defensionum
squamae ceciderunt. Quae quidem sub Ananiae manibus
ab oculis ceciderunt corporis, sed ante iam sub dominica
increpatione ceciderant ab oculis cordis. Cum enim altae
inuectionis iaculo confossus iaceret, humili iam et pene-
15 trato corde requirebat, dicens : *Domine, quid me uis facere*[b] ?
Repulsis uidelicet squamis, iam ad cordis uiscera ueritatis
sagitta peruenerat ; quando, deposita elatione superbiae,

52. a. Ac 9, 18 b. Ac 9, 6

le corps du diable, c'est-à-dire la multitude des réprouvés, quand elle est reprise de son iniquité, s'efforce de s'excuser par tous les faux-fuyants qu'elle a en son pouvoir ; et il oppose comme des écailles, en guise de défense, afin de ne pas pouvoir être atteint par les flèches de la vérité. Quiconque, en effet, quand on le corrige, cherche à excuser son péché plutôt qu'à le pleurer, se couvre, pour ainsi dire, d'écailles, tandis que les saints prédicateurs le frappent du glaive de la parole. Il a des écailles, et voilà pourquoi la flèche de la parole ne trouve pas une voie d'accès jusqu'à son cœur. Elle est repoussée par sa dureté charnelle, de sorte que le glaive spirituel n'y peut pénétrer.

Exemple de Saul

52. Saul s'était endurci contre Dieu du fait de sa sagesse charnelle, quand aucune flèche de la prédication de l'Évangile ne pénétrait dans son cœur. Mais après avoir été transpercé par un reproche sévère venu du ciel et aveuglé par le regard divin – il perdit, en effet, la vue pour la recevoir – il est illuminé en allant voir Ananie. Lors de cette illumination, parce qu'aucune dureté ne lui restait pour se défendre, il est écrit de lui à juste titre : *Il tomba comme des écailles de ses yeux* [a]. Assurément la dureté d'une cuirasse charnelle avait offusqué son regard, et c'est pourquoi il ne pouvait voir les rayons de la lumière véritable. Mais, dès que ses résistances orgueilleuses furent vaincues, les écailles de ses défenses tombèrent, elles aussi. Et ces écailles qui, grâce aux mains d'Ananie, tombèrent des yeux de son corps, étaient déjà, sous l'effet de la réprimande du Seigneur, tombées des yeux de son cœur. Tandis qu'il gisait à terre, transpercé par le dard du reproche venu d'en haut, d'un cœur désormais humble et ému, il questionnait : *Seigneur, que veux-tu que je fasse* [b] *?* Les écailles une fois tombées, la flèche de la vérité était parvenue maintenant jusqu'aux entrailles de son cœur ; l'exaltation de son orgueil étant retombée, celui qu'il avait

eum quem impugnauerat, Dominum confitens, et quid ageret nesciens, requirebat. Intueri libet ubi est saeuus
20 ille persecutor, ubi lupus rapax[c]. Ecce in ouem iam uersus est, qui percunctatur pastoris semitam quam sequatur. Et notandum quod cum diceret : *Quis es, Domine*[d] *?* non ei a Domino respondetur : Ego sum Vnigenitus Patris, ego Principium, ego Verbum ante saecula. Quia enim Saulus in-
25 carnatum Deum credere contemnebat, et eius humanitatis infirma despexerat, de caelo hoc quod contempserat audiuit : *Ego sum Iesus Nazarenus, quem tu persequeris*[e]. Ac si diceret : Hoc a me audi de superioribus, quod in me de inferioribus despicis. Auctorem caeli uenisse despexeras in
30 terra, ex terra ergo hominem cognosce de caelo, ut tanto in me amplius sacramenta infirmitatis metuas, quanto et haec perducta in caelestibus ad excellentiam potestatis probas. Prosternens igitur te, nequaquam tibi hoc astruo quod ante saecula Deus sum ; sed illud a me audis quod de me credere
35 dedignaris. Postquam enim dixit *Iesus*, adhuc in expressione terrenae inhabitationis subdidit *Nazarenus* ; uelut si apertius diceretur : Humilitatis meae infirma suscipe et tuae superbiae squamas amitte.

53. Sciendum tamen est quod istae defensionum squamae, quamuis paene omne humanum genus contegant, hypocritarum tamen specialiter et callidorum hominum mentes premunt. Ipsi etenim culpas suas tanto uehementius confiteri
5 refugiunt, quanto et stultius uideri ab hominibus peccatores

52. c. Cf. Gn 49, 27 d. Ac 22, 8 e. Ac 22, 8

combattu, il le confessait maintenant comme le Seigneur et, dans son ignorance, il le questionnait sur ce qu'il devait faire. Il est bon de considérer dans quelle situation se trouve ce persécuteur cruel, ce loup rapace[c]. Le voici désormais transformé en brebis, qui s'informe auprès du pasteur sur le chemin à suivre. Et il faut bien noter que, lorsqu'il disait : *Qui es-tu, Seigneur*[d] *?*, le Seigneur ne lui répond pas : « Je suis le Fils Unique du Père, je suis le Principe, je suis le Verbe avant tous les siècles. » Mais, parce que Saul dédaignait de croire au Dieu incarné et avait méprisé la faiblesse de son humanité, du ciel, il entendit affirmer ce qu'il avait méprisé : *Je suis Jésus de Nazareth que tu persécutes*[e]. Comme s'il disait : Écoute-moi qui d'en haut t'affirme ce que tu méprises en moi ici-bas. Tu avais méprisé la venue sur terre du Créateur du ciel ; de la terre où tu gis, reconnais-moi donc comme un homme qui est dans le ciel. Quand il était sur terre, tu avais méprisé la venue du Créateur du ciel ; connais donc depuis le ciel l'homme qui a quitté cette terre. Tu auras ainsi d'autant plus de respect pour les mystères de ma faiblesse que tu les reconnais aussi, élevés dans les cieux, au sommet de la puissance. En te renversant, je ne songe donc pas à te prouver que je suis Dieu avant tous les siècles, mais à t'apprendre ce que tu ne daignes pas croire à mon sujet. Et, en effet, après avoir dit *Jésus*, pour souligner encore son habitat sur terre, il ajoute : *de Nazareth*, comme s'il disait plus nettement : Accepte les faiblesses de mon humilité et quitte les écailles de ton orgueil.

La lamie, le hérisson

53. Cependant, il faut bien savoir que ces écailles servant de protection, si elles recouvrent presque tout le genre humain, pèsent d'une manière particulière sur les âmes des hommes hypocrites et pleins de malice. Ceux-là, en effet, refusent avec d'autant plus de véhémence de confesser leurs fautes qu'ils rougissent plus sottement de paraître pécheurs aux yeux des

erubescunt. Correpta itaque sanctitatis simulatio, et malitia occulta deprehensa, squamas obicit defensionis, et ueritatis gladium repellit.

Vnde bene per prophetam contra Iudaeam dicitur : *Ibi* 10 *cubauit lamia et inuenit sibi requiem ; ibi habuit foueam hericius*[a]. Per lamiam quippe hypocritae, per hericium uero malitiosi quique, qui diuersis se defensionibus contegunt, designantur. Lamia etenim humanam habere faciem dicitur, sed corpus bestiale, sicut omnes hypocritae in prima facie 15 quod ostendunt quasi ex ratione sanctitatis est ; sed bestiale est corpus quod sequitur, quia ualde iniqua sunt quae sub boni specie moliuntur. Hericii autem nomine malitiosarum mentium defensio designatur, quia uidelicet hericius cum apprehenditur eius et caput cernitur ; et pedes uidentur et 20 corpus omne conspicitur ; sed mox ut apprehensus fuerit, semetipsum in sphaeram colligit, pedes introrsus subtrahit, caput abscondit ; et intra tenentis manus totum simul amittitur, quod totum simul ante uidebatur. Sic nimirum sic malitiosae mentes sunt, cum in suis excessibus compre-25 henduntur. Caput enim hericii cernitur, quia quo initio ad culpam peccator accesserit uidetur. Pedes hericii conspiciuntur, quia quibus uestigiis nequitia sit perpetrata cognoscitur ; et tamen, adductis repente excusationibus, malitiosa mens introrsus pedes colligit, quia cuncta iniquitatis suae 30 uestigia abscondit. Caput subtrahit, quia miris defensionibus nec incohasse se prauum aliquid ostendit ; et quasi sphaera in manu tenentis remanet, quia is qui corripit, cuncta quae iam cognouerat subito amittens, inuolutum intra conscientiam peccatorem tenet ; et qui totum iam de-35 prehendendo uiderat, tergiuersatione prauae defensionis illusus, totum pariter ignorat. Foueam ergo hericius in

53. a. Is 34, 14-15

hommes. Aussi, une sainteté simulée, si elle est reprimandée, et une malice cachée, si elle est découverte, opposent les écailles de leur défense, et repoussent le glaive de la vérité.

C'est pourquoi le prophète a bien parlé contre la Judée : *Là, s'est couchée la lamie et elle a trouvé son repos ; là, le hérisson a fait son terrier*[a]. La lamie est la figure des hypocrites, et le hérisson celle des hommes de malice qui se couvrent de mille défenses. On dit, en effet, que la lamie a un visage humain, mais un corps de bête. De même, tous les hypocrites : à première vue, ce qu'ils montrent semble être du ressort de la sainteté, mais ce qui vient ensuite est un corps de bête, car ils machinent de grandes iniquités sous l'apparence du bien. Quant aux hérissons, leur nom désigne la défense des hommes de malice : en effet, avant de prendre un hérisson, on distingue sa tête, on aperçoit aussi ses pieds, tout son corps est visible. Mais, dès qu'il est pris, il se met en boule, replie ses pattes sous lui, rentre sa tête. Ainsi, dans les mains de celui qui le tient, disparaît d'un seul coup tout ce qu'on voyait ensemble auparavant. Telles sont, assurément, les âmes pleines de malice quand elles sont surprises dans leurs incartades. On distingue la tête du hérisson, c'est-à-dire qu'on voit comment le pécheur a débuté dans son approche de la faute. On aperçoit les pattes du hérisson, c'est-à-dire que l'on connaît par quelles démarches il en est arrivé à accomplir ses méfaits, et pourtant, présentant soudain des excuses, cet esprit rempli de malice ramène sous lui ses pattes, parce qu'il efface toutes les traces de son iniquité. Il rentre sa tête, parce que, par d'étonnantes défenses, il démontre qu'il n'a même pas commencé à faire le moindre mal. Enfin, roulé en boule, il reste immobile dans la main de qui le tient, parce que celui qui le blâme, oubliant soudain tout le mal dont il avait connaissance, tient le pécheur comme enroulé dans sa conscience ; et lui qui l'avait vu entièrement quand il l'avait surpris, trompé maintenant par les arguments d'une défense perverse, se méprend entièrement à son sujet. Le hérisson a

reprobis habuit, quia malitiosa mens sese intra se colligens in tenebris defensionis abscondit. Sed in hoc quod se peccator excusat, in hoc quod caligosis defensionibus fixum in se 40 oculum corripientis obnubilat, diuinus nobis sermo etiam quomodo a similibus fulciatur ostendit. Sequitur :

XXX, **54.** ***Vna uni coniungitur, et ne inspiraculum*** 41,7 ***quidem incedit per eas.*** Istae squamae peccantium, ne ab ore praedicantium aliquo uitae inspiraculo penetrentur, et obduratae sunt et coniunctae. Quos enim similis reatus so- 5 ciat, concordi pertinacia etiam defensio peruersa constipat, ut de facinoribus suis alterna se inuicem defensione tueantur. Sibi enim quisque metuit, dum admoneri uel corrigi alterum cernit ; et idcirco contra corripientium uerba unanimiter assurgit, quia se in alterum protegit. Bene ergo dicitur : *Vna* 10 *uni coniungitur, et ne inspiraculum quidem incedit per eas ;* quia in iniquitatibus suis, dum uicissim superba defensione se protegunt, sanctae exhortationis spiracula ad se nullatenus intrare permittunt. Quorum pestiferam concordiam adhuc apertius subdidit, dicens :

XXXI, **55.** ***Vna alteri adhaerebunt, et tenentes se nequa-*** 41,8 ***quam separabuntur.*** Qui enim diuisi corrigi poterant, in iniquitatum suarum pertinacia uniti perdurant, et tanto magis cotidie a cognitione iustitiae separabiliores fiunt, quanto a 5 se inuicem nulla increpatione separantur. Nam sicut esse

donc eu son terrier parmi les réprouvés, car un esprit plein de malice, ramassé sur lui-même, se dissimule ainsi dans les ténèbres de sa défense. Cependant, si le pécheur s'excuse de la sorte, s'il obnubile par les nuages de ses défenses l'œil que fixe sur lui celui qui le réprimande, la parole divine nous montre encore comment il est soutenu par ses semblables. Le texte poursuit :

Accord des pécheurs

XXX, **54.** ***Elles sont jointes l'une à l'autre, même le souffle du vent ne peut y passer.*** Ces écailles des pécheurs, pour que le moindre souffle de vie venant de la bouche des prédicateurs n'y puisse pénétrer, sont dures et bien jointes les unes aux autres. Ceux qu'associe un même sentiment de culpabilité, une défense perverse les unit également dans une obstination commune pour se mettre à l'abri et se servir l'un à l'autre de défenseur en ce qui concerne les crimes de chacun. En effet, chacun craint pour soi, s'il voit l'autre admonesté et corrigé ; et, pour cette raison, chacun, d'un commun accord, se dresse à l'encontre des paroles de ceux qui réprimandent, car c'est soi-même que l'on protège en protégeant l'autre. Il est donc dit avec justesse : *Elles sont jointes l'une à l'autre, même le souffle du vent ne peut y passer*, parce qu'au milieu de leurs iniquités, en se protégeant mutuellement par une défense orgueilleuse, ils ne laissent aucunement pénétrer le souffle d'une sainte exhortation dans leur cœur. Et l'on ajoute encore plus clairement au sujet de leur funeste concorde :

41,7

Unité des réprouvés

XXXI, **55.** ***L'une s'attachera à l'autre, adhérant si bien qu'elles ne se sépareront absolument pas.*** Ceux, en effet, qui, séparément, pourraient être corrigés, persistent obstinément dans leurs iniquités s'ils sont réunis, et, chaque jour, se séparent d'autant plus de la connaissance de la justice qu'aucun reproche ne les sépare les uns des autres. Car, s'il est habituellement nui-

41,8

noxium solet si unitas desit bonis, ita perniciosum est si non desit malis. Peruersos quippe unitas corroborat, dum concordat; et tanto magis incorrigibiles, quanto unanimes facit. De hac unitate reproborum per Salomonem dicitur:
10 *Stuppa collecta, synagoga peccantium* [a]. De hac Nahum propheta ait: *Sicut spinae inuicem se complectuntur, sic conuiuium eorum pariter potantium* [b]. Conuiuium namque reproborum est delectatio temporalium uoluptatum. In quo nimirum conuiuio pariter potant quia delectationis suae illecebris se
15 concorditer debriant. Igitur quia membra Leuiathan istius, id est iniquos omnes, quos Dei sermo squamarum compactionibus comparat, ad defensionem suam par culpa concordat, bene dicitur: *Vna alteri adhaerebunt, et tenentes se nequaquam separabuntur.* Tenentes enim se separari ne-
20 queunt, quia eo ad defensionem suam uicissim constricti sunt, quo se sibi per omnia similes esse meminerunt.

Descripto itaque eius corpore, ad caput sermo reducitur, et quid per semetipsum extremae persecutionis tempore antiquus hostis exerceat nuntiatur. Nam sequitur:

41,9 XXXII, **56.** ***Sternutatio eius splendor ignis.*** Quod melius exponimus, si prius sternutatio quomodo agatur indagemus. In sternutatione quippe inflatio a pectore exsurgit, quae cum apertos ad emanandum poros non inuenit, cerebrum
5 tangit; et congesta per nares exiens, totum caput protinus concutit. In hoc itaque Leuiathan corpore, id est siue in malignis spiritibus, seu in reprobis hominibus, qui illi per

55. a. Si 21, 10 b. Na 1, 10

1. La phrase du Siracide (Si 21, 10) est attribuée à Salomon. Voir à ce sujet la note de *PL* 76, 709, où cependant *Salomonem* est remplacé dans le texte par *Sapientem*.

sible aux bons que l'unité leur fasse défaut, de même il est funeste pour les méchants qu'elle ne leur fasse pas défaut. Car l'unité fait la force des pervers en les mettant d'accord et ils sont d'autant plus incorrigibles qu'elle les fait s'entendre entre eux. Au sujet de cette unité des réprouvés, il est dit par Salomon[1] : *Amas d'étoupe, telle est l'assemblée des pécheurs*[a]. De cette unité, le prophète Nahum dit : *Comme un fagot d'épines entrelacées, ainsi est le festin de ceux qui boivent ensemble*[b]. Le festin des pécheurs est, en effet, la jouissance des plaisirs temporels. Assurément, dans ce festin, ils boivent ensemble, parce que, d'un commun accord, ils s'enivrent des séductions de leur jouissance. Et donc, puisque les membres de ce Léviathan – c'est-à-dire tous les impies que la parole de Dieu compare à des écailles enchâssées l'une dans l'autre – une faute analogue les réunit pour assurer sa défense, il est bien dit : *L'une s'attachera à l'autre, adhérant si bien qu'elles ne se sépareront absolument pas.* Se tenant entre elles, elles ne peuvent être séparées, c'est-à-dire que les pécheurs sont d'autant plus liés dans une mutuelle défense qu'ils se souviennent qu'ils sont en tout semblables entre eux.

C'est pourquoi, après avoir décrit le corps de Léviathan, le texte en revient à la tête et annonce ce que, par lui-même, à l'heure de la dernière persécution, l'antique ennemi met à exécution. Le texte poursuit en effet :

Les souffles de la malice

XXXII, **56.** ***Son éternuement ressemble à des étincelles de feu.*** **41,9** Ceci, nous le ferons mieux comprendre si, tout d'abord, nous recherchons minutieusement comment se produit l'éternuement. Lorsque l'on éternue, un souffle jaillit de la poitrine, et comme il ne trouve pas d'issue pour s'exhaler librement, il atteint le cerveau ; et là, comprimé, il s'échappe par les narines et imprime une brusque secousse à toute la tête. Ainsi, dans ce corps de Léviathan, c'est-à-dire soit dans les esprits malins, soit dans les hommes réprouvés qui lui sont

similitudinem iniquitatis inhaeserunt, quasi inflatio surgit a pectore, dum elatio se erigit ex praesentis saeculi potestate.
10 Quae uelut ad emanandum poros non inuenit, quia in hoc quod contra iustos extollitur, disponente Deo, quantum appetit praeualere prohibetur. Exsurgens autem cerebrum tangit ac concutit, quia collecta elatio Satanae sensum in fine mundi artius percutit ; et caput turbat, dum ipsum
15 auctorem malignorum spirituum per eum qui Antichristus dicitur in persecutione fidelium uehementius excitat. Tunc congesta inflatio per eius nares egreditur, quia tota superbiae eius iniquitas apertis malitiae flatibus demonstratur. Quia ergo sternutatio caput maxime concutit, Leuiathan
20 istius sternutatio uocatur illa eius extrema commotio qua damnatum hominem ingreditur ; et per eum reprobis principatur. Qui tanta tunc uirtute se commouet, ut membra Domini, si potest fieri, etiam electa perturbet [a] ; tantis signis et prodigiis utitur [b], ut miraculorum potentia quasi quodam
25 ignis lumine resplendere uideatur. Quia ergo commotum caput illius miraculis clarescere nititur, recte eius sternutatio splendor ignis uocatur. In eo enim quod se ad persequendos iustos commouet, ante reproborum oculos signorum uirtutibus lucet. Et quia eius tyrannidi sapientes mundi
30 adhaerent, eorumque consiliis omne quod prauum molitur exercet, recte subiungitur :

41,9 XXXIII, **57.** ***Et oculi eius ut palpebrae diluculi.*** Per oculos quippe, qui inhaerentes capiti, utilitati uisionis inseruiunt, non immerito eius consiliarii designantur ; qui dum peruersis machinationibus quae qualiter agenda sint,
5 praeuident, malignis eius operariis quasi ostensum pedibus

56. a. Cf. Mt 24, 24 b. Cf. 2 Th 2, 9

attachés par une ressemblance dans l'iniquité, une sorte de souffle jaillit de la poitrine lorsque l'orgueil se dresse sur la puissance de ce monde présent. Et il ne trouve pas, pour ainsi dire, de passage pour s'exhaler librement, car, étant donné qu'il s'élève contre des justes, il est empêché, grâce à une disposition divine, de prévaloir autant qu'il le souhaite. Jaillissant, il atteint le cerveau et lui imprime une secousse, parce que l'orgueil accumulé frappe plus vivement, à la fin du monde, l'attention de Satan et trouble sa tête, lorsque, par l'intermédiaire de celui qu'on appelle l'Antichrist, il excite le chef des esprits malins lui-même à plus de violence dans la persécution des fidèles. Le souffle comprimé sort alors par ses narines, parce que toute l'iniquité de son orgueil se révèle dans les souffles déchaînés de sa malice. Et donc, puisque c'est la tête surtout qui est secouée par l'éternuement, on appelle éternuement de ce Léviathan cette ultime commotion par laquelle il entre dans l'homme damné et, à travers lui, devient le prince des réprouvés. Il s'agite alors avec une telle violence qu'il troublerait, si c'était possible, même les membres élus du Seigneur[a]; il fait alors usage de tant de signes et de prodiges[b] que, par la puissance de ses miracles, il semble resplendir comme par une lumière de feu. Puisque sa tête, agitée, s'efforce d'étinceler par ses miracles, son éternuement est justement appelé étincelles de feu. Lorsqu'il s'agite pour persécuter les justes, il brille aux yeux des réprouvés, par la force des miracles. Et parce que les sages selon ce monde adhèrent à sa tyrannie, et que, par leurs décisions, il exécute toutes les méchancetés qu'il médite, il est ajouté à juste titre :

Miracles mensongers

XXXIII, 57. ***Et ses yeux sont comme les paupières de l'aurore.*** Par les yeux qui, fixés dans la tête, sont au service de l'efficacité de la vision, sont désignés, non sans raison, ses conseillers ; ceux-ci, prévoyant par quelles machinations perverses il faut agir, présentent aux regards de ses ouvriers d'iniquité une

41,9

iter praebent. Qui recte palpebris diluculi comparantur. Palpebras namque diluculi, extremas noctis horas accipimus, in quibus quasi nox oculos aperit, dum uenturae lucis iam initia ostendit. Prudentes igitur saeculi, malitiae Antichristi
10 peruersis consiliis inhaerentes, quasi palpebrae sunt diluculi ; quia fidem quam in Christo inueniunt quasi erroris noctem asserunt, et uenerationem Antichristi uerum esse mane pollicentur. Spondent enim se tenebras repellere et ueritatis lucem signis clarescentibus nuntiare, quia nec persuadere
15 quae uolunt possunt, nisi exhibere se meliora fateantur. Vnde hic ipse coluber in paradisum primis hominibus loquens, in eo quod se melius aliquid prouidere simulauit, quasi diluculi palpebras aperuit, quando in innocentibus mentibus humanitatis ignorantiam reprehendit, et scien-
20 tiam diuinitatis promisit [a]. Quasi ignorantiae enim tenebras repellebat, et aeternae scientiae diuinum mane nuntiabat, dicens : *Aperientur oculi uestri et eritis sicut dii, scientes bonum et malum* [b]. Ita in illo tunc damnato homine ueniens, eius oculi palpebris diluculi comparantur ; quia sapientes illius
25 simplicitatem uerae fidei quasi transactae noctis tenebras respuunt, et eius signa mendacia quasi exsurgentis solis radios ostendunt.

Sed quia Leuiathan iste non solum habet oculos qui malignis consiliis peruersa prouideant, sed os quoque ad
30 peruertendas hominum mentes aperit, quoniam per praedicatores prauos ad diligendam erroris fallaciam auditorum corda succendit, apte subiungitur :

57. a. Cf. Gn 3, 5 b. Gn 3, 5

sorte de chemin pour leurs pieds. Ils sont comparés à bon droit aux paupières de l'aurore. En effet, par ces paupières de l'aurore, il faut entendre les dernières heures de la nuit, dans lesquelles la nuit, pour ainsi dire, ouvre les yeux, tandis qu'elle fait luire les premiers rayons du jour qui vient. Les sages de ce monde, attachés par leurs décisions perverses à la malice de l'Antichrist, sont donc comme les paupières de l'aurore. Ils affirment, en effet, que la foi dans le Christ qu'ils peuvent constater est comparable à la nuit de l'erreur, et ils annoncent que le culte envers l'Antichrist est le matin véritable. Ils promettent de dissiper les ténèbres et de révéler la lumière de la vérité par des miracles éclatants, parce qu'ils ne peuvent persuader ce qu'ils souhaitent, sans affirmer qu'ils apporteront des biens meilleurs. Ainsi, ce serpent lui-même, s'adressant aux premiers hommes dans le paradis, feignit de vouloir leur procurer quelque chose de meilleur, comme s'il ouvrait les paupières de l'aurore, lorsqu'il critiqua, en ces âmes innocentes, leur humaine ignorance, et leur promit la science divine[a]. C'était, en effet, comme chasser les ténèbres de l'ignorance et annoncer le divin matin de la science éternelle que de leur dire : *Vos yeux s'ouvriront et vous serez comme des dieux, connaissant le bien et le mal*[b]. De la même manière, quand il entre dans cet homme désormais damné, ses yeux sont comparés aux paupières de l'aurore, car les docteurs de celui-ci rejettent la simplicité de la vraie foi, comme si c'étaient les ténèbres d'une nuit qui s'achève, et font apparaître ses miracles mensongers, comme les rayons du soleil levant.

Mais parce que ce Léviathan n'a pas seulement des yeux pour voir par avance les maux résultant de mauvaises décisions, mais aussi une bouche qui s'ouvre pour pervertir les esprits des hommes, – puisque, par ses prédicateurs corrompus, il enflamme le cœur des auditeurs de l'amour fallacieux de l'erreur –, le texte poursuit avec raison :

41,10 XXXIV, **58.** ***De ore eius lampades procedunt.*** Qui enim prouident oculi, qui autem praedicant, os uocantur. Sed de hoc ore lampades exeunt, quia mentes audientium ad amorem perfidiae accendunt ; et unde quasi per sapientiam
5 lucent, inde procul dubio per nequitiam concremant. Sed qualis ipsa sapientia eorum lux sit ostenditur, cum protinus subinfertur :

41,10 XXXV, **59.** ***Sicut taedae ignis accensae.*** Ecce iam hypocrisis eorum aperte describitur quorum praedicatio taedarum lampadibus comparatur. Taeda enim cum accenditur odorem quidem suauem habet, sed lumen obscurum.
5 Ita isti praedicatores Antichristi, quia sanctitatis speciem sibi arrogant, sed tamen opera iniquitatis exercent, quasi blandum quidem est quod redolent, sed nigrum quod lucent. Olent enim per simulationem iustitiae, sed obscurum ardent per nequitiae perpetrationem. Quorum simulationis
10 malitiam Ioannes in Apocalypsi breui descriptione comprehendit, dicens : *Vidi aliam bestiam ascendentem de terra, habentem cornua duo similia agni, et loquebatur ut draco*[a]. Priorem quippe bestiam, id est Antichristum superiore iam descriptione narrauerat ; post quam etiam haec alia bestia
15 ascendisse dicitur, quia post eum multitudo praedicatorum illius ex terrena potestate gloriatur. De terra quippe ascendere est de terrena gloria superbire. Quae habet duo cornua agni similia, quia per hypocrisim sanctitatis eam quam in se ueraciter Dominus habuit singularem, sibi inesse et
20 sapientiam mentitur et uitam. Sed quia sub agni specie auditoribus reprobis serpentinum uirus infunditur, recte illic

59. a. Ap 13, 11

Les prédicateurs de l'Antichrist

XXXIV, **58.** ***De sa gueule sortent des flambeaux.*** En effet, ceux qui voient par avance sont appelés « yeux », ceux qui prêchent sont appelés « bouche ». De cette bouche sortent des flambeaux, car ils enflamment l'esprit des auditeurs de zèle pour l'incroyance ; et alors qu'ils semblent éclairer par leur sagesse, à l'évidence ils brûlent par leur malice. Mais il est montré de quelle sorte de lumière est leur sagesse, car il est dit aussitôt après : **41,10**

L'agneau et le dragon

XXXV, **59.** ***Ils sont comme des torches enflammées.*** Voici que maintenant va être clairement dépeinte l'hypocrisie de gens dont la prédication est comparée aux flambeaux de torches. Lorsqu'une torche, en effet, est allumée, elle dégage une odeur suave, bien que sa lumière soit faible. De même, ces prédicateurs de l'Antichrist : ils se donnent une apparence de sainteté, mais, néanmoins, pratiquent des œuvres d'iniquité ; suave semble être le parfum qu'ils exhalent, mais ténébreuse est leur lumière. Ils embaument, en effet, par une apparence de justice, mais leur flamme est obscure du fait qu'ils commettent le mal. La malice de leur hypocrisie, Jean, dans l'Apocalypse, l'exprime en une brève description, quand il dit : *Je vis une autre bête qui montait de la terre : elle avait deux cornes semblables à celles de l'agneau, et elle parlait comme le dragon*[a]. Il avait décrit plus haut déjà une première bête – c'est-à-dire l'Antichrist –, après laquelle il est dit que cette autre bête aussi est montée, car, après lui, la multitude de ses prédicateurs met sa gloire dans la puissance terrestre. Monter de la terre, c'est, en effet, s'enorgueillir d'une gloire terrestre. Elle a deux cornes semblables à celles de l'agneau, car, par une apparence de sainteté, elle feint d'avoir en elle et cette sagesse et cette vie que le Seigneur a véritablement possédées de façon unique. Mais parce que, sous l'aspect d'un agneau, elle injecte à des auditeurs réprouvés le venin **41,10**

subditur : *Et loquebatur ut draco* [b]. Ista ergo bestia, id est praedicantium multitudo, si aperte ut draco loqueretur, agno similis non appareret, sed assumit agni speciem, ut draconis
25 exerceat operationem. Quod hic utrumque per taedarum lampades exprimitur, quia et obscurum ardent per effectum malitiae, et quasi suaue redolent per simulationem uitae.

60. Sed nequaquam aestimandum est quod tunc solum Antichristi praedicatores apparebunt, et nunc ab humanis deceptionibus desunt. Modo namque priusquam per semetipsum appareat, nonnulli illum uocibus, plerique autem mo-
5 ribus praedicant. An praedicatores simulationis illius non sunt, qui cum sacros Dei ordines obtinent, fugientem totis desideriis mundum tenent ; qui uirtutes ostendunt esse quae faciunt, sed uitium est omne quod agunt ? Sed electorum mens quanto magis internae luci inhaeret, tanto subtilius
10 quo modo uirtutes a uitiis discernere debeat uidet. Quid autem mirum est hoc nos spiritaliter agere quod cotidie corporaliter cernimus nummularios implere ? Qui cum numisma percipiunt, prius qualitatem illius, post figuram, ad extremum uero pondus examinant ; ne aut sub auri specie aes
15 lateat, aut hoc quod ueraciter aurum est monetae reprobae figura dehonestet, aut quod et aurum, et rectae figurae est, hoc non integrum pondus leuiget. Cum igitur mira ignotorum hominum facta conspicimus, residere ad mentis nostrae trutinam quasi sollertes nummularii debemus ; ut prius dis-
20 cretio aurum examinet, ne sub uirtute se uitium occultet ; et

59. b. Ap 13, 11

1. Ce discernement des bonnes œuvres véritables, comparé à celui des métaux précieux par les changeurs (*nummularii*), s'inspire de CASSIEN, *Conl.* 1, 20, qui appelait les changeurs *trapezitae* et énumérait trois objets de leur vérification : le métal précieux, la figure royale et le poids. – Le verbe *legiuet* (*PL* 26, 712A ; *CCL* 173B, p. 1725, ligne 43) est sans doute à remplacer par *leuiget* (« rend léger »).

du serpent, il est dit ensuite à juste titre : *Et elle parlait comme le dragon* [b]. Cette bête donc, c'est-à-dire la multitude des prédicateurs, si elle parlait ouvertement comme le dragon, ne pourrait apparaître semblable à un agneau, mais elle prend l'aspect d'un agneau pour faire l'œuvre d'un dragon. Ceci est bien dépeint tout à la fois par les flambeaux des torches, car, d'une part, leur lumière est obscurcie du fait de leur malice, et, d'autre part, ils semblent exhaler un parfum suave par l'hypocrisie de leur vie.

La fausse monnaie

60. Mais il ne faut pas du tout s'imaginer que c'est alors seulement qu'apparaîtront les prédicateurs de l'Antichrist et qu'ils ne sont pas déjà là pour tromper les hommes. Dès à présent, en effet, avant que lui-même ne se montre, certains l'annoncent par leurs discours et beaucoup par leurs mœurs. Ne sont-ils pas les prédicateurs de son hypocrisie ceux qui, étant membres des ordres sacrés de Dieu, s'attachent de tous leurs désirs à ce monde qui passe, et qui présentent leurs actions comme vertueuses, alors qu'est vicieuse toute leur manière de vivre ? Mais plus l'esprit des élus adhère à la lumière intérieure, mieux il voit comment il doit distinguer les vertus d'avec les vices. Qu'y a-t-il d'extraordinaire à ce que nous fassions sur le plan spirituel ce que, tous les jours, nous voyons les changeurs [1] accomplir matériellement ? Lorsqu'ils reçoivent des pièces de monnaie, ils en examinent d'abord la qualité, puis l'effigie, enfin le poids, de crainte que, sous l'aspect de l'or, ne se cache le cuivre, ou que l'effigie de la fausse monnaie ne déprécie la valeur de ce qui est en or pur, ou encore que, en or et avec une effigie correcte, elle n'ait un poids trop léger et non réglementaire. Lors donc que nous voyons des actions surprenantes accomplies par des gens que nous ne connaissons pas, il nous faut, comme des changeurs experts, les peser sur la balance de notre esprit, afin d'en examiner d'abord avec discernement l'or, de peur

quod praua intentione agitur, recti uisione pallietur. Cuius si intentionis qualitas approbatur, impressae mox formula figurae quaerenda est, si a probatis monetariis, id est ab antiquis patribus ducitur, et ab eorum uitae similitudine nullo
25 errore uitiatur. Cum uero et per intentionem qualitas, et recta per exemplum figura cognoscitur, restat ut integrum eius pondus exquiratur. Bonum quippe quod per signa et miracula coruscat, si perfectionis summam non habet, pensari sollicite per cautelam circumspectionis debet ; ne dum
30 imperfecta res quasi pro perfecta accipitur, in accipientis damno uertatur. Praedicatores itaque Antichristi quomodo ueram numismatis qualitatem tenent, qui in his quae agunt intentionis rectae uim nesciunt ; quia per haec non caelestem patriam, sed culmen gloriae temporalis exquirunt ? Quo-
35 modo a monetae figura non discrepant, qui ab omni pietate iustorum iustos persequendo discordant ? Quomodo in se integritatis pondus ostendunt, qui non solum humilitatis perfectionem nequaquam assecuti sunt, sed neque ipsam primam eius ianuam contigerunt ? Hinc ergo, hinc electi
40 cognoscant quomodo eorum signa despiciant, quorum profecto actio omne quod a piis patribus gestum memoratur impugnat. Sed ipsi quoque electi dum tot signa conspiciunt, dum contemnentes uitam tanta eius miracula perhorrescunt, quoddam dubietatis nubilum in corde patiuntur ; quia
45 dum se per prodigia illius malitia eleuat, in istis aliquatenus uisus certior caligat. Vnde recte subiungitur :

que, sous la vertu, le vice ne se dissimule, et que l'action faite dans une intention perverse ne se couvre du manteau du bien. Une fois la qualité de l'intention garantie, il convient aussitôt de rechercher si le moule de l'effigie gravée est émis par les artisans monnayeurs autorisés, c'est-à-dire les anciens Pères, et si la ressemblance de leur vie n'est défigurée par aucune malfaçon. Mais lorsque la qualité, au travers de l'intention, et l'effigie, par confrontation avec le modèle, ont été validées, il faut encore s'enquérir si le poids de cette monnaie est exact. Car, si le bien qui brille par des signes miraculeux n'a pas une totale perfection, il convient de le peser soigneusement avec une prudente circonspection, de crainte qu'en acceptant comme parfait un objet imparfait, cela ne tourne au détriment de celui qui l'accepte. Comment donc les prédicateurs de l'Antichrist auraient-ils les qualités d'une monnaie authentique, eux qui, dans leurs actions, ignorent la force d'une intention droite, car, par leurs actes, ce n'est pas la patrie céleste qu'ils poursuivent, mais plutôt le sommet de la gloire temporelle ? Comment ne seraient-ils pas dissemblables de l'effigie de la monnaie, eux qui, en persécutant les justes, sont en complet désaccord avec la piété des justes ? Comment trouverait-on en eux le poids exact, eux qui non seulement ne sont aucunement parvenus à la perfection de l'humilité, mais qui n'en ont même pas atteint le premier seuil ? Que les élus reconnaissent ainsi le peu de cas qu'ils doivent faire des miracles de ces gens-là, dont la conduite, bien évidemment, va à l'encontre de tout ce qu'on rapporte à propos de la vie des saints Pères. Mais les élus eux-mêmes, alors qu'ils voient tant de prodiges, alors qu'ils frémissent devant les si grands miracles de celui-là même dont ils méprisent le comportement, ces élus sont atteints en leur cœur par un nuage de doute, car tandis que celui-là, grâce à sa malice, se hausse par des prodiges, chez eux, à l'opposé, la vision plus précise se brouille quelque peu. C'est pourquoi il est dit ensuite à juste titre :

41,11 XXXVI, **61.** ***De naribus eius procedit fumus.*** Oculorum quippe acies fumo sauciatur. Fumus ergo de eius naribus procedere dicitur, quia de miraculorum eius insidiis ad momentum caligosa dubietas etiam in electorum corde
5 generatur. De Leuiathan naribus fumus exit, quia ex eius prodigiis mendacibus etiam bonarum mentium oculos trepidationis caligo confundit[a]. Tunc namque in electorum cordibus conspectis terribilibus signis, obscura cogitatio conglobatur. Vnde hoc quod iam supra protulimus ueritatis
10 ore per euangelium dicitur : *Surgent pseudochristi et pseudoprophetae, et dabunt signa magna et prodigia, ita ut in errorem inducantur, si fieri potest, etiam electi*[b]. Qua in re ualde quaerendum est quomodo aut hi qui electi sunt induci in errorem possunt, aut cur, *si fieri potest* quasi ex dubietate
15 subditur, cum quid fiendum sit Dominus omnia praesciens praestolatur. Sed quia electorum cor et trepida cogitatione concutitur, et tamen eorum constantia non mouetur, una hac sententia Dominus utrumque complexus est, dicens : *Ita ut in errorem inducantur, si fieri potest, etiam electi*[c]. Quasi
20 enim iam errare est in cogitatione titubare ; sed protinus *si fieri potest* subiungitur, quia procul dubio fieri non potest ut in errore plene electi capiantur. Bene autem in hac fumi caligine ipse etiam animorum feruor exprimitur cum protinus subinfertur :

41,11 XXXVII, **62.** ***Sicut ollae succensae atque feruentis.*** Velut enim olla feruens est unaquaeque tunc anima, cogitationum suarum impetus quasi spumas undarum ardentium sustinens, quas et ignis zeli commouet, et ipsa temporalis oppressio

61. a. Cf. 2 Th 2, 9 b. Mt 24, 24 c. Mt 24, 24

Le brouillard du doute

XXXVI, **61.** ***De ses narines sort une fumée.*** L'acuité des yeux est, en effet, offusquée par la fumée. S'il est dit que la fumée sort de ses narines, c'est que les prodiges qu'il opère comme autant d'embûches produisent dans l'instant, même dans le cœur des élus, le brouillard du doute. Des narines de Léviathan sort de la fumée, car, au moyen de ses miracles trompeurs, le nuage épais de la frayeur trouble même les yeux des âmes bonnes[a]. Oui, à ce moment, dans le cœur des élus, à la vue de ces signes terrifiants, s'accumulent des pensées ténébreuses. Comme nous l'avons déjà cité plus haut, c'est ce qu'affirme l'Évangile par la bouche de la Vérité : *Il s'élèvera de faux christs et de faux prophètes, et ils feront de grands miracles et prodiges, à tel point que les élus eux-mêmes seront induits en erreur, si c'est possible*[b]. A ce propos, il faut rechercher avec attention d'une part, comment ceux qui sont élus peuvent être induits en erreur, et d'autre part, pourquoi il est ajouté sous forme de doute : *si c'est possible*, alors que Dieu, dans sa prescience, est garant de tout ce qui doit arriver. Mais comme les élus sont émus en leur cœur par des pensées troublantes sans que pourtant leur fidélité soit ébranlée, le Seigneur embrasse ces deux idées en une seule phrase, quand il dit : *A tel point que les élus eux-mêmes seront induits en erreur, si c'est possible*[c]. Comme si c'était déjà se tromper que de chanceler en pensée, mais aussitôt il est ajouté : *si c'est possible*, car, indubitablement, il est impossible que les élus soient entièrement la proie de l'erreur. Cependant, ce nuage de fumée peut aussi très bien traduire la ferveur des âmes, puisqu'il est aussitôt ajouté :

41,11

Le souffle, du basilic

XXXVII, **62.** ***Comme celle d'un pot qui bout sur le feu.*** En effet, chaque âme est maintenant comme un pot bouillant, gardant en elle l'impétuosité de ses pensées comme l'écume d'une eau bouillante agitée par le feu du zèle, mais que les

41,11

5 more ollae intrinsecus clausas tenet. Vnde Ioannes quoque cum huius bestiae signa narraret, adiunxit : *Ita ut ignem faceret de caelo descendere*[a]. Ignem quippe de caelo descendere est de caelestibus electorum animis sancti zeli flammas emanare. Quia uero Leuiathan iste alias non solum serpens, 10 sed etiam regulus dicitur, pro eo quod immundis spiritibus, uel reprobis hominibus principatur, sicut Isaias ait : *De radice colubri egredietur regulus*[b], inspiciendum nobis summopere est qualiter regulus perimat, ut, ex operatione reguli, huius nobis malitia apertius innotescat. Regulus namque non 15 morsu perimit, sed flatu consumit. Saepe quoque flatu aera afficit ; et quicquid uel positum longe contigerit sola narium inspiratione tabefacit.

63. Hinc ergo, hinc pensare compellimur, per hoc quod de naribus eius fumus procedere dicitur, etiam priusquam apertus appareat, quid cotidie in humanis cordibus fumo pestiferae exhalationis operetur. Quia enim, sicut et su- 5 perius diximus, fumo oculorum acies infirmatur, non immerito de eius naribus procedere fumus asseritur, cuius noxiis inspirationibus praua in humanis cordibus cogitatio nascitur, per quam acies mentis obtunditur, ne lux interna uideatur. Quasi enim flatu narium caliginem emittit, qui 10 in reproborum cordibus insidiarum suarum aspirationibus ex amore uitae temporalis aestum congerit multiplicium cogitationum. Et uelut fumi globos multiplicat, quia inanissimas uitae praesentis curas in terrenorum hominum mente

62. a. Ap 13, 13 b. Is 14, 29

contraintes de la vie présente tiennent enfermées à l'intérieur comme le ferait un pot. C'est pourquoi Jean aussi, tandis qu'il relatait les prodiges de cette bête, ajouta: *Au point de faire descendre le feu du ciel*[a]. Le feu descend du ciel, quand des âmes célestes des élus sortent les flammes du saint zèle. Mais ailleurs ce Léviathan n'est pas seulement appelé serpent, mais aussi basilic [petit roi], parce qu'il domine sur les esprits impurs, c'est-à-dire les hommes reprouvés, selon ces paroles d'Isaïe: *De la race de la couleuvre sortira un basilic*[b]; il nous faut donc examiner avec soin comment le basilic fait mourir, afin que, par la manière dont opère ce « petit roi », sa malice nous soit mieux connue. En effet, ce n'est pas par une morsure que le basilic fait mourir, mais il fait succomber par son souffle. Fréquemment, même, il contamine l'air par son souffle ; et tout ce qu'il aura pu atteindre, fût-ce de loin, dépérit par la seule expiration de ses narines.

La fumée des pensées

63. De là donc, de là nous sommes poussés à réfléchir – en raison de ce qui est dit de la fumée qui sort de ses narines, même avant qu'il ne paraisse à découvert – à ce que produit chaque jour dans le cœur des hommes la fumée de ses exhalaisons pernicieuses. La fumée, comme nous l'avons dit plus haut, affaiblit l'acuité des yeux: on peut donc affirmer sans crainte d'erreur, que de ses narines sort une fumée – dont les insufflations empoisonnées font naître dans le cœur des hommes des pensées dépravées –, par laquelle est offusquée l'acuité du regard de l'âme, si bien qu'elle ne peut voir la lumière intérieure. Par le souffle de ses narines, il émet comme un brouillard qui, dans le cœur des réprouvés, accumule en d'insidieuses exhalaisons, par l'attrait de la vie temporelle, le bouillonnement d'innombrables imaginations. Et l'on peut dire qu'il multiplie les volutes de fumée, alors qu'il amoncelle les plus vains soucis de la vie présente dans l'esprit des hommes terrestres. Cette fumée sortant de ses narines peut

coaceruat. Iste fumus ex eius naribus prodiens aliquando ad
15 tempus etiam electorum oculos tangit. Hunc namque intrinsecus fumum patiebatur propheta, cum diceret : *Turbatus est prae ira oculus meus*[a]. Huius inundatione premebatur, dicens : *Cor meum conturbatum est in me, et lumen oculorum meorum non est mecum*[b]. Fumus quippe iste obtundit aciem
20 cordis, quia caliginis suae nubilo serenitatem intimae turbat quietis. Cognosci uero nisi tranquillo corde non potest Deus. Vnde per eumdem rursum prophetam dicitur : *Vacate et uidete quoniam ego sum Deus*[c]. Vacare autem mens non potest quae huius fumi inundationibus premitur, quia in
25 ea cogitationum terrenarum uolumina ex praesentis uitae amore glomerantur. Lumen ergo quietis aeternae hoc fumo amittitur, quia curarum prurigine cordis oculus dum confunditur tenebratur.

64. Sed fumus iste aliter electorum animos turbat, aliter reproborum oculos excaecat. A bonorum quippe oculis spiritalium desideriorum flatu respergitur, ne praeualente misera cogitatione densetur. In prauorum uero mentibus quo se
5 licentius per tetras cogitationes colligit, eo ab eis ueritatis funditus lumen tollit. Fumus iste reproborum cordibus quot illicita desideria ingerit, quasi per tot ante illos globos intumescit.

65. Et certe fumi globos nouimus, quia cum alii superius inanescunt, alii inferius surgunt, sicut et in cogitatione carnali, etsi alia prauitatis desideria transeunt, alia succedunt. Saepe autem mens misera quid iam transierit uidet, sed ubi
5 adhuc retineatur non uidet. Gaudet de quibusdam uitiis quia eis subiecta iam non sit, et praecauere ac gemere ne-

63. a. Ps 6, 8 b. Ps 37, 11 c. Ps 45, 11

parfois blesser pour un temps les yeux des élus eux-mêmes. Le prophète souffrait intérieurement de cette fumée lorsqu'il disait : *Mon œil est troublé par la colère*[a]. Il était submergé par ce déluge de fumée, ainsi qu'il le dit : *Mon cœur est troublé en moi et la lumière de mes yeux m'a abandonné*[b]. Oui, cette fumée offusque l'acuité du regard du cœur, car, par son nuage d'épais brouillard, elle trouble la sérénité de la paix intérieure. Or, seul un cœur tranquille peut connaître Dieu. Voilà pourquoi le même prophète dit encore : *Soyez en repos et voyez que c'est moi qui suis Dieu*[c]. L'âme, submergée par le déluge de cette fumée, ne peut être en repos parce que, du fait de son attachement à la vie présente, des volutes de pensées terrestres se massent en elle. Et donc la lumière du repos éternel disparaît du fait de cette fumée, car l'œil du cœur, se brouillant, est obscurci par le prurit des soucis.

64. Mais cette fumée trouble les âmes des élus d'une façon et aveugle les yeux des réprouvés d'une autre. Elle est repoussée loin des yeux des bons par le souffle de leurs désirs spirituels, afin qu'elle ne puisse s'épaissir par le triomphe de pensées misérables. Mais, dans l'esprit des pervers, parce qu'elle a plus de licence de se condenser sous l'effet de pensées ténébreuses, elle éloigne totalement d'eux la lumière de la vérité. Cette fumée se gonfle devant eux d'autant de nuages qu'elle fait naître de désirs illicites dans le cœur des réprouvés.

Succession des vices

65. Et à coup sûr ce sont des nuages de fumée que nous observons : lorsque les premiers se dissipent dans les hauteurs, d'autres surgissent en dessous, de même que, pour les pensées charnelles, si certains désirs dépravés s'évanouissent, d'autres leur succèdent. Or, souvent, l'âme misérable voit ce qu'elle a déjà dépassé, mais sans voir où elle est encore retenue. Elle se réjouit de vices auxquels elle n'est plus soumise, et elle néglige de veiller et de gémir, alors qu'à leur place d'autres ont

glegit, quia eorum uice successerunt alia, quibus fortasse nequius succumbit ; sicque fit ut dum alia uitia transeunt et semper alia succedunt, ab hoc serpente cor reproborum sine 10 intermissione teneatur.

Vnde bene per Ioel prophetam dicitur : *Residuum erucae comedit locusta ; et residuum locustae comedit bruchus ; et residuum bruchi comedit rubigo. Expergiscimini ebrii et flete*[a]. Quid enim per erucam, quae toto corpore in terram repit, 15 nisi luxuria designatur ? Quae cor quod tenet, ita polluit, ut in superioris munditiae surgere amorem non possit. Quid per locustam quae saltibus euolat, nisi inanis gloria exprimitur, quae se uanis praesumptionibus exaltat ? Quid per bruchum, cuius paene totum corpus in uentrem colligitur, nisi edendi 20 ingluuies figuratur ? Quid per rubiginem, quae dum tangit incendit, nisi ira innuitur ? Residuum ergo erucae locusta comedit, quia saepe cum luxuriae uitium a mente recesserit, inanis gloria succedit. Nam quia iam per amorem carnis non sternitur, quasi sanctam se ex castitate gloriatur. Et residuum 25 locustae bruchus comedit, quia saepe cum inani gloriae, quae quasi ex sanctitate ueniebat, resistitur, uel uentri uel quibuslibet ambitionis desideriis immoderatius indulgetur. Mens enim Dei nescia, tanto atrocius ad quemlibet ambitum ducitur, quanto nullo uel humanae laudis amore refrenatur. 30 Residuum bruchi rubigo consumit, quia saepe dum uentris ingluuies per abstinentiam restringitur, irae impatientia acrius dominatur ; quae more rubiginis quasi exurendo messem comedit, quia uirtutum fructus impatientiae flamma tabefacit. Dum ergo uitiis uitia succedunt, agrum mentis alia 35 pestis deuorat, dum alia relinquit.

65. a. Jl 1, 4-5

succédé auxquels elle succombe, peut-être plus gravement encore. Et donc, si des vices disparaissent et si, sans cesse, d'autres leur succèdent, le cœur des réprouvés est sans cesse tenté par ce serpent.

C'est pourquoi il est bien dit par le prophète Joël : *La sauterelle a mangé les restes de la chenille. Les restes de la sauterelle, le hanneton les a mangés. Et la nielle a mangé les restes du hanneton. Réveillez-vous, ivrognes, et pleurez*[a]. Que représente donc la chenille qui, de tout son corps, rampe à terre, sinon la luxure ? Le cœur qu'elle possède, elle le souille tellement qu'il ne peut s'élever à l'amour de la pureté céleste. Que représente la sauterelle qui ne vole qu'en sautant, sinon la vaine gloire qui s'élève en d'illusoires prétentions ? Et le hanneton dont presque tout le corps se réduit à un ventre, que figure-t-il, sinon la voracité gloutonne ? Et la nielle, qui brûle tout ce qu'elle touche, n'évoque-t-elle pas la colère ? La sauterelle mange donc les restes de la chenille, car, souvent, lorsque le vice de la luxure s'est retiré de l'âme, la vaine gloire prend sa place. Parce que l'amour charnel ne peut désormais l'abattre, elle se glorifie d'être sainte, du fait de sa chasteté. Et le hanneton mange les restes de la sauterelle, parce que, souvent, lorsqu'on résiste à la vaine gloire qui venait d'un simulacre de sainteté, on s'abandonne sans retenue ou à son ventre, ou à n'importe quel désir fastueux. En effet, l'âme ignorante de Dieu est entraînée avec d'autant plus de violence à n'importe quelle ambition qu'elle n'est plus retenue par aucun amour de la louange des hommes. La nielle brûle les restes du hanneton, car, souvent, quand la gloutonnerie est réfrénée par l'abstinence, l'emportement de la colère prend plus vivement le dessus. Et, à la manière de la nielle qui semble dévorer la moisson en la brûlant, la flamme de l'emportement consume les fruits des vertus. Lors donc que les vices succèdent aux vices, un nouveau fléau dévaste le champ de l'âme tandis que le précédent s'en retire.

66. Bene autem illic subditur: *Expergiscimini ebrii et flete*[a]. Ebrii quippe uocati sunt qui, mundi huius amore confusi, mala non sentiunt quae patiuntur. Quid est ergo dicere: *Expergiscimini ebrii et flete*, nisi somnum uestrae
5 insensibilitatis excutite, et in deuastatione cordis tot sibi succedentibus uitiorum pestibus, uigilantibus lamentis obuiate? Per tot igitur globos de Leuiathan naribus fumus surgit, per quot nimirum pestes frugem cordis reprobi occulta aspiratione consumit.

10 Cuius adhuc fumi uim sollicite Dominus exprimit, cum ilico subiungit: *Sicut ollae succensae atque feruentis*[b]. Olla enim succenditur cum mens humana maligni hostis suasionibus instigatur. Olla autem feruet cum iam etiam per consensum in desideriis prauae persuasionis accenditur. Et
15 tot undas quasi feruendo proicit, per quot se nequitias usque ad exteriora opera extendit.

Hunc namque carnalis conscientiae, id est ollae feruorem, ex Leuiathan fumo uenientem propheta conspexerat, cum dicebat: *Ollam succensam ego uideo, et faciem eius a facie*
20 *Aquilonis*[c]. Ab Aquilonis etenim facie humani cordis olla succenditur cum per instigationem aduersarii spiritus illicitis desideriis inflammatur. Ille namque qui ait: *Sedebo in monte testamenti, in lateribus Aquilonis*[d], mentem quam semel ceperit malignis persuasionis suae flatibus, quasi suppositis
25 ignibus accendit, quatenus, non contenta praesentibus, indesinenter per desideria aestuet, ut alia contemnenda appetat, alia adepta contemnat; ut modo suis compendiis inhiet, modo alienis commodis etiam cum proprio detrimento

66. a. Jl 1, 5 b. Jb 41, 11 c. Jr 1, 13 d. Is 14, 13

La conscience charnelle

66. Et il est bien d'ajouter ici : *Réveillez-vous, ivrognes, et pleurez* [a]. Sont appelés ivrognes ceux qui, égarés par l'amour du monde, ne prennent plus conscience des maux dont ils souffrent. Que veut donc dire : *Réveillez-vous, ivrognes, et pleurez*, sinon : Secouez le sommeil de votre insensibilité et faites obstacle, par la vigilance et les larmes, à tant de vices dont les fléaux se succèdent dans votre cœur pour le dévaster ?

La fumée s'échappe donc des narines de Léviathan en autant de volutes que de fléaux par lesquels il consume, en de secrètes exhalaisons, les récoltes du cœur réprouvé. Et, de cette fumée encore, le Seigneur exprime avec insistance la violence en ajoutant aussitôt : *Comme celle d'un pot qui bout sur le feu* [b]. Le pot est sur le feu, quand l'esprit de l'homme est tenté par les suggestions de l'ennemi malin. Le pot bout, quand, par son consentement, désormais enflammé, il se met à désirer ce qu'on lui a persuadé avec perversité. Et, comme s'il bouillait, il projette alentour comme autant d'éclaboussures toutes les mauvaises actions par lesquelles il se répand jusque dans les actes extérieurs.

Cette effervescence du pot, c'est-à-dire de la conscience charnelle, issue de la fumée de Léviathan, le prophète l'avait contemplée, lorsqu'il disait : *Je vois un pot sur le feu et il est tourné vers l'Aquilon* [c]. Le pot du cœur de l'homme est, en effet, sur le feu, tourné vers l'Aquilon, lorsque, sous l'inspiration de l'adversaire, son esprit s'enflamme de désirs illicites. Celui qui dit en effet : *Je m'assiérai sur la montagne du testament, du côté de l'Aquilon* [d], une fois qu'il a capté par les souffles empoisonnés de ses suggestions un esprit, il l'enflamme, comme s'il plaçait sous lui un brasier, et ceci, au point que, insatisfait des biens qu'il possède, il se consume sans cesse en de nouveaux désirs, et désirant des choses qu'il devrait mépriser, il en méprise d'autres qu'il a obtenues. Ainsi, tantôt il est plein d'ardeur pour son intérêt personnel, tantôt il s'oppose aux avantages d'autrui, fût-ce à son propre

contradicat ; modo carnis illecebris satisfaciat ; modo quasi
30 in quodam culmine per cogitationis superbiam rapta, carnali cura postposita, totam se in typho elationis attollat.

Quia ergo cor per uaria desideria ducitur, quod instigatione Leuiathan istius inflammatur, recte eius fumus succensae et feruenti ollae similis esse perhibetur, quia per tot
35 se feruores afflata eius temptationibus conscientia erigit, per quot intra se cogitationes intumescit. Quod uerbis aliis adhuc Veritas apertius exsequitur, dum subiungit :

41,12 XXXVIII, **67.** ***Halitus eius prunas ardere facit.*** Quid enim prunas nisi succensas in terrenis concupiscentiis reproborum hominum mentes appellat ? Ardent enim cum quodlibet temporale appetunt, quia nimirum urunt desideria
5 quae quietum uel integrum esse animum non permittunt. Totiens igitur Leuiathan halitus prunas accendit, quotiens eius occulta suggestio humanas mentes ad delectationes illicitas pertrahit. Alias namque superbiae, alias inuidiae, alias luxuriae, alias auaritiae facibus inflammat.

10 Superbiae quippe facem menti Euae supposuit, cum hanc ad contemnenda uerba dominicae iussionis instigauit[a]. Inuidiae quoque flamma Cain animum succendit, cum de accepto fratris sacrificio doluit, et per hoc usque ad fratricidii facinus peruenit[b]. Luxuriae facibus cor Salomonis ex-
15 ussit[c], quem tanto mulieribus amore subdidit, ut, usque ad idolorum uenerationem deductus, dum carnis delectationem sequeretur, conditoris reuerentiae obliuisceretur. Auaritiae quoque igne Achab animum concremauit[d], cum eum

67. a. Cf. Gn 3, 1-5 b. Cf. Gn 4, 3-8 c. Cf. 1 R 11, 1-8 d. Cf. 1 R 21, 9-14

détriment ; tantôt il satisfait les convoitises de la chair, tantôt comme sur des hauteurs, transporté par l'orgueil de ses pensées, il abandonne les soucis charnels pour s'élever tout entier dans son orgueilleuse arrogance.

Comme le cœur est entraîné à travers une infinité de désirs, enflammé qu'il est par les suggestions de ce Léviathan, c'est à juste titre que la fumée de celui-ci est représentée comme la fumée d'un pot sur le feu et bouillant ; car, sous le souffle de ses tentations, la conscience s'élève en autant de bouillons ardents qu'elle fait gonfler d'imaginations au dedans d'elle-même. Ce que la Vérité exprime encore plus clairement en d'autres termes, lorsqu'elle ajoute :

Convoitises terrestres

41,12

XXXVIII, **67.** ***Son souffle attise les braises.*** Qu'appelle-t-on, en effet, braises, sinon le cœur des hommes réprouvés, enflammé de convoitises terrestres ? Car ils sont attisés lorsqu'ils convoitent quelque bien temporel, parce que les désirs brûlent assurément, eux qui ne permettent pas à l'âme de demeurer tranquille, ou intacte. Le souffle de Léviathan allume donc ces braises, chaque fois que ses suggestions secrètes entraînent le cœur humain vers des jouissances illicites. C'est parfois avec la torche de la superbe, parfois avec celle de la jalousie ou avec celle de la luxure ou de l'avarice, qu'il y met le feu.

Il alluma la torche de l'orgueil dans l'esprit d'Ève, lorsqu'il lui suggéra de mépriser l'ordre du Seigneur [a]. Avec la flamme de l'envie, il embrasa l'âme de Caïn, quand celui-ci ressentit une telle contrariété en voyant accepté le sacrifice de son frère qu'il alla jusqu'au crime de fratricide [b]. Avec les torches de la luxure, il consuma le cœur de Salomon [c] ; il l'assujettit tellement à l'amour des femmes que, s'étant égaré au point de vénérer les idoles, tandis qu'il cédait aux voluptés charnelles, il en oubliait la crainte du Créateur. C'est aussi par le feu de l'avarice qu'il réduisit en cendres l'âme d'Achab [d], lorsqu'il le

ad appetendam alienam uineam impatientibus desideriis
20 impulit, et per hoc usque ad reatum homicidii pertraxit.

Tanto igitur Leuiathan iste halitu in prunis flat, quanto annisu suggestionis occultae humanas mentes ad illicita inflammat. Vnde et bene mox subditur :

41,12 XXXIX, **68.** ***Et flamma de ore eius egreditur.*** Flamma quippe oris eius est ipsa instigatio occultae locutionis. Prauae enim suasionis uerba ad uniuscuiusque animum facit, sed flamma est quod de ore eius egreditur, quia ardet in desi-
5 deriis animus cum eius suggestionibus instigatur. Haec cotidie suggerit, haec usque ad praesentis uitae terminum suggerere non desistit ; sed tunc se nequius dilatat, cum per illum damnatum hominem ueniens, in huius mundi se gloria apertius ostentat. Tunc ab eius naribus uastior fumus
10 procedit, quia humana corda signorum eius admirationibus territa amplior instigatio percutit. Tunc eius halitus ardere uehementius prunas facit, quia reproborum mentes, quas iam calentes amore gloriae temporalis inuenerit, suggestionis suae flatibus usque ad nequitiam exercendae crudelitatis
15 incendit. Tunc de ore eius flamma egreditur, quia quicquid per se, quicquid per praedicatores suos loquitur, ignis est quo infructuosa ligna concremantur.

Igne autem terrenae concupiscentiae eorum mens tangitur, qui nequaquam fieri pretiosa metalla concupiscunt.
20 Qui ergo oris eius non uult flamma affici, iuxta doctoris ueri sententiam, non lignum, fenum, stipula, sed aurum, argentum et pretiosus lapis curet inueniri[a] ; quia tanto ignis suasionis illius amplius incendit, quanto se ei ad consentiendum molliorem quisque praebuerit. Sed quia

68. a. Cf. 1 Co 3, 12

poussa à convoiter avec un désir sans frein la vigne d'autrui et l'entraîna de la sorte jusqu'au crime de l'homicide.

Ainsi, ce Léviathan attise les braises avec autant de souffle qu'il met d'insistance, dans ses suggestions secrètes, à enflammer l'esprit de l'homme pour ce qui est illicite. Aussi, c'est à juste titre que le texte ajoute aussitôt :

Le feu de la tentation

XXXIX, **68.** ***Et une flamme sort de sa bouche.*** La flamme de sa bouche, c'est la suggestion même de ses paroles secrètes, car, à l'âme de chacun, il tient le langage d'une suggestion perverse, mais ce qui sort de sa bouche est une flamme, car l'âme brûle de désirs, quand elle est stimulée par ses suggestions. Voilà ce que, chaque jour, il suggère, voilà ce qu'il ne cesse de suggérer jusqu'à la fin de la vie présente. Mais sa malice prend encore une nouvelle extension lorsque, se présentant sous le couvert de cet homme damné, il se met plus ouvertement en valeur dans la gloire de ce monde. Ce jour-là, de ses narines sort une fumée plus épaisse, parce que le cœur de l'homme frappé de stupeur devant ses prodiges, est atteint par des tentations plus véhémentes. Alors son souffle attise les braises avec plus d'ardeur, car les esprits des réprouvés qu'il a déjà trouvés brûlant de passion pour la gloire temporelle, il les enflamme par le souffle de ses suggestions, les poussant au mal et à l'exercice de leur cruauté. Alors, une flamme sort de sa bouche, car tout ce qu'il dit, soit par lui-même, soit par ses prédicateurs, est un feu qui réduira en cendres les arbres sans fruit.

41,12

Le feu de la convoitise terrestre atteint l'esprit de ceux qui ne désirent nullement devenir un métal précieux. Celui donc qui ne veut pas être atteint par la flamme de sa bouche, qu'il veille – selon la parole du docteur de la vérité – à n'être ni bois, ni foin, ni paille, mais or, argent ou pierre précieuse[a]; car le feu de sa tentation brûle d'autant plus que l'on se sera présenté comme moins opposé à lui accorder son

25 nulla ratione conceditur ut mens in hac corruptibili carne posita nequaquam suasionis eius ardore tangatur, restat ut malignis flatibus adusta, ad orationis opem se sine cessatione conuertat. Flammam quippe suggestionum illius exstinguit citius unda lacrimarum.

consentement. Mais comme il n'est en aucune façon donné à l'âme demeurant dans cette chair corruptible de n'être pas touchée quelque peu par la brûlure de sa tentation, il lui reste, si elle est consumée par le souffle du malin, à se tourner sans cesse vers le secours de la prière. Rien n'éteint plus vite la flamme de ses suggestions que le flot des larmes.

LIBER TRIGESIMVS QUARTVS

I, **1.** Quia ex hoc mundo corpus gerimus, uniuersitatis terminum ex ea qua nos sumus parte pensemus. Citius quippe qualis sit mundi finis agnoscimus, si sollicite aspicimus hoc quod de mundo gestamus. Aetas etenim nostra
5 per iuueniles annos robustius uiget, in senili autem tempore crebrescentibus morbis excoquitur; et dum diutius distenditur ut subsistat, moriendi uice cotidie deficit per momenta uiuendi. Ita etiam mundi tempus dum uenientibus annis augetur, crebrescentibus malis afficitur, et unde
10 aetatis augmentum percipit, inde salutis dispendium sentit. Tribulationes namque illi cum temporibus crescunt, et eo detrimenta uitae debilior tolerat, quo quasi ad uitam prouectior durat.

Totis enim contra illum antiquus hostis uiribus soluitur,
15 qui quamuis iam nunc interiit pro eo quod supernae conditionis beatitudinem amisit, tunc tamen plenius exstinguitur, quando, et a temptandi licentia abstractus, aeternis incendiis religatur. Vnde et extrema mundi atrocius temptaturus aggreditur, quia tanto fit feruentior ad saeuitiam, quanto

LIVRE 34

Multiplication des maux

I, **1.** Puisque nous avons un corps qui fait partie de ce monde, réfléchissons à la fin de l'univers à partir de cette portion que nous en sommes nous-mêmes. Nous pouvons, en effet, reconnaître assez facilement quel sera le terme du monde, si nous considérons avec attention ce que nous portons en nous de ce monde. Car, si notre vie est florissante et robuste dans les années de la jeunesse, au temps de la vieillesse, elle est rongée par des infirmités grandissantes ; et tandis qu'elle se prolonge plus longtemps dans l'existence, elle décline chaque jour, à la manière d'un mourant, à travers les étapes de la vie. Il en va de même pour la durée du monde : avec les années qui se succèdent, se multiplient les maux dont il est affecté, et, plus il croît en âge, plus il éprouve une perte de vigueur. Pour lui, les tribulations augmentent avec les années, et il supporte avec d'autant moins de force les dommages de sa vie qu'il paraît, en vieillissant, la prolonger.

Oui, c'est de toutes ses forces que l'antique ennemi se déchaîne contre lui. Il est vrai que celui-ci a déjà péri dans la mesure où il a perdu la béatitude de sa condition supérieure ; cependant, il sera plus complétement anéanti le jour seulement où, privé aussi du pouvoir de tenter les hommes, il sera enchaîné dans le feu éternel. Voilà pourquoi, à la fin du monde, l'attaque de ses tentations se fait plus violente, car il montre d'autant plus d'ardeur à exercer sa fureur qu'il

20 se uiciniorem sentit ad poenam. Considerat quippe quod iuxta sit ut licentiam nequissimae libertatis amittat ; et quantum breuitate temporis angustatur, tantum multiplicitate crudelitatis expanditur, sicut de illo uoce angelica ad Ioannem dicitur : *Vae terrae et mari, quia descendit diabolus ad* 25 *uos habens iram magnam, sciens quod modicum tempus habet*[a]. Tunc ergo in magnae irae feruorem se dilatat, ne qui in beatitudine stare non potuit, in damnationis suae foueam cum paucis ruat. Tunc quicquid nequiter ualuerit, callidius exquirit ; tunc ceruicem superbiae altius erigit, et per dam- 30 natum illum quem gestat hominem omne quod temporaliter praeualet nequiter ostendit. Vnde diuina uoce recte nunc dicitur :

41,13 II, **2.** ***In collo eius morabitur fortitudo.*** Quid enim collo Leuiathan istius, nisi elationis extensio designatur ? Qua contra Deum se erigens, cum simulatione sanctitatis etiam tumore potestatis extollitur. Quia enim per collum superbia 5 exprimitur, Isaias propheta testatur, qui Ierusalem filias redarguit, dicens : *Ambulauerunt extento collo*[a]. In collo ergo Leuiathan istius fortitudo demorari dicitur, quia elationi illius etiam subiuncta potentia suffragatur. Nam quicquid tunc superbe extollitur, quicquid callide machinatur, etiam 10 cum uirtute potentiae saecularis exsequitur. Quod Daniel propheta intuens, ait : *Dolus in manu eius dirigetur*[b]. Dolus quippe in manu est fraus in uirtute, quia omne quod nequiter uult, hoc ad tempus exsequi etiam fortiter potest. Dolus uero eius dirigi dicitur, quia fraudis eius malitia 15 nulla difficultate praepeditur. Hoc enim Leuiathan iste uel uasa eius habere crebro proprium solent, quod ad iniqui-

1. a. Ap 12, 12
2. a. Is 3, 16 b. Dn 8, 25

se sent plus proche du châtiment. Il considère qu'il est sur le point de perdre le pouvoir de donner libre cours à sa très grande malice, et, autant il est à l'étroit dans ce laps de temps, autant il se déploie en multipliant ses cruautés, ainsi que la voix de l'ange le dit à Jean à son sujet : *Malheur à la terre et à la mer, parce que le diable descend vers vous dans une grande colère, sachant qu'il ne lui reste que peu de temps*[a]. C'est alors qu'il se dilate dans l'effervescence d'une grande colère, de peur, lui qui n'a pu demeurer dans la béatitude, de tomber avec quelques-uns dans le gouffre de sa damnation. Alors tout le mal qu'il pourrait faire, il le poursuit avec plus de ruse encore ; alors, il dresse plus haut la nuque de sa superbe et, à travers cet homme damné qu'il met en mouvement, il montre tout le mal qu'il peut accomplir en ce monde. C'est pourquoi la voix divine dit maintenant à juste titre :

L'enflure du pouvoir

II, 2. ***Sa force demeurera dans son cou.*** **41,13** Que faut-il entendre par le cou de ce Léviathan, sinon le déploiement de l'orgueil ? Se dressant contre Dieu par cet orgueil, avec une apparence de sainteté, il s'enorgueillit aussi de l'enflure du pouvoir. Que le cou soit l'image de la superbe, le prophète Isaïe en témoigne, lui qui adressa ce reproche aux filles de Jérusalem : *Elles ont marché le cou dressé*[a]. Il est donc dit que la force de ce Léviathan demeure dans son cou, parce que le pouvoir, soumis à son orgueil, lui donne aussi son suffrage. En effet, tout ce qui alors s'élève avec superbe, tout ce qui se machine avec fraude, se réalise aussi avec la puissance du pouvoir séculier. Considérant cela, le prophète Daniel dit : *La tromperie réussira entre ses mains*[b]. La tromperie entre ses mains, c'est la ruse jointe à la puissance, car tout le mal qu'il veut faire, il peut, pour un temps, l'exécuter, et même avec force. Il est dit que sa ruse réussit, car aucun obstacle n'entrave la malice de sa tromperie. Ce Léviathan, en effet, ainsi que ses réceptacles, ont très souvent en propre le fait

tatis suae cumulum ea quae nequiter appetunt explere nequius possunt.

3. Nam cum fortasse infirmantur electi, atque in desideriis illicitis ruunt, in hoc plerumque diuini muneris manu retinentur, quod uoluntatis miserae nullos effectus inueniunt. Cumque eorum uotis ualida contrarietas nascitur, plerum-
5 que ex ipsa impossibilitate corriguntur, et miro internae dispositionis ordine, per conuersionem mutatio malae uoluntatis sequitur, dum per infirmitatem perfectio denegatur. Hinc est enim quod, sub specie uniuscuiusque animae, de infirmante Iudaea, atque in prauis itineribus gradiente, per
10 prophetam Dominus dicit : *Ecce ego sepiam uiam tuam spinis, et sepiam eam maceria, et semitas suas non inueniet, et sequetur amatores suos, et non apprehendet eos, et quaeret eos, et non inueniet et dicet : Vadam et reuertar ad uirum meum priorem, quia mihi bene erat tunc magis quam nunc*[a]. Spinis
15 enim electorum uiae sepiuntur, dum dolorum punctiones inueniunt in hoc quod temporaliter concupiscunt. Quasi interposita maceria uiis eorum obuiat, quorum nimirum desideria perfectionis difficultas impugnat. Horum profecto animae amatores suos quaerunt, et non inueniunt, dum
20 sequendo malignos spiritus, nequaquam eas quas appetunt huius saeculi uoluptates apprehendunt. Bene autem subditur quod ex ipsa difficultate mox dicat : *Vadam et reuertar ad uirum meum priorem, quia melius erat mihi tunc magis quam nunc*[b]. Prior quippe uir Dominus est, qui castam sibi
25 animam sancti Spiritus interposito amore coniunxit. Quem tunc mens uniuscuiusque desiderat, cum multiplices amari-

3. a. Os 2, 6-7 b. Os 2, 7

que le mal qu'ils souhaitent accomplir pour mettre le comble à leur iniquité, ils sont capables de le réaliser avec encore plus de méchanceté.

Amertume des plaisirs terrestres

3. Il peut, en effet, arriver que les élus faiblissent et tombent en des désirs illicites ; ils sont alors généralement retenus par la main de la grâce divine, du fait qu'ils ne trouvent aucun moyen d'accomplir leur misérable volonté. Et lorsqu'il naît quelque forte opposition à leurs souhaits, ils sont souvent corrigés par cette impossibilité elle-même, et, grâce à une disposition admirable de la secrète Providence, il s'ensuit, par une conversion, le changement de leur mauvais vouloir, quand, par faiblesse, ils en repoussent l'aboutissement. De là vient que le Seigneur, visant toute âme, dit, par la bouche du prophète, au sujet de la Judée qui est faible et qui marche en des voies dépravées : *J'entourerai ton chemin d'une haie d'épines. Je l'entourerai d'un mur, et elle ne retrouvera pas ses sentiers. Elle poursuivra ses amants et ne les atteindra pas : elle les cherchera et ne les trouvera pas. Alors elle dira : « J'irai et je retournerai à mon premier mari, car j'étais alors bien plus heureuse que maintenant*[a]. » Les chemins des élus sont, en effet, entourés d'épines, lorsqu'ils trouvent les piqûres de la douleur dans ce qu'ils désirent selon le monde. Un mur semble barrer leurs chemins, c'est-à-dire qu'une difficulté s'oppose à leurs désirs d'aboutir. Leurs âmes, certes, poursuivent leurs amants et ne les trouvent pas, lorsque, dociles aux esprits malins, elles ne parviennent pas à saisir les plaisirs de ce monde qu'elles recherchent. Et il est ajouté justement que, du fait même de cette difficulté, l'on dit immédiatement : *J'irai et je retournerai à mon premier mari, car j'étais alors bien plus heureuse que maintenant*[b]. Le premier mari, c'est le Seigneur qui s'est uni l'âme chaste dans l'amour du Saint-Esprit. C'est lui que l'âme de chacun désire lorsqu'elle trouve de multiples amertumes, telles des

tudines uelut quasdam spinas inuenit in eis delectationibus quas temporaliter concupiscit. Nam dum aduersitatibus mundi quem diligit morderi anima coeperit, tunc plenius 30 intellegit quanto illi cum priore uiro melius fuit.

4. Eos ergo quos uoluntas praua peruertit, plerumque aduersitas corrigit. Vnde et nimis timendum est ne sequantur prospera cum desiderantur iniusta, quia difficilius malum corrigitur, quod perfectionis etiam prosperitate fulcitur. 5 Leuiathan itaque iste qui cum membris suis aeternis est cruciatibus deputatus, et dolus in manu eius dirigitur, et in collo eius fortitudo demoratur, quia hoc quod temporaliter peruersa contra bonos uoluntate desiderat, peruersiore facultate consummat, ut tanto ei de aduersitate in praesenti 10 nil obstet, quanto ei in posterum de prosperitate nil remanet. Et quia omnis qui peruersis moribus amicitiis eius innotescit prius ueras mentis diuitias amittit, apte subiungitur :

41,13 III, **5.** ***Et faciem eius praecedet egestas.*** Per faciem quippe solet notitia designari. Vnde scriptum est : *Facies mea praecedet te*[a] ; id est notitia ducatum praebebit. Sciendum uero est quod egestas in sacro eloquio aliter electorum ponitur, 5 atque aliter reproborum.

Egestas namque electorum est, cum uerae diuitiae caelestis patriae ad eorum animum redeunt, et in hoc aerumnoso praesentis uitae exsilio positi, pauperes se esse meminerunt. Illas quippe diuitias sine cessatione suspirant, de quibus 10 Paulus dicit : *Vt sciatis quae sit spes uocationis eius, et quae*

5. a. Ex 33, 14

épines, dans les jouissances mêmes qu'elle convoite selon le monde. Car lorsque l'âme commence à sentir la morsure des adversités de ce monde qu'elle aime, elle comprend mieux alors combien elle était plus heureuse avec son premier mari.

Se méfier du succès

4. Ceux donc qu'une volonté dépravée a pervertis, souvent l'adversité les corrige. Aussi faut-il craindre par-dessus tout que le succès ne s'ensuive quand les désirs sont injustes, car le mal est plus difficile à corriger lorsqu'il est aussi conforté par le succès de son aboutissement. On peut donc dire que, pour ce Léviathan, destiné avec ses membres aux supplices éternels, la tromperie réussit entre ses mains et que sa force demeure dans son cou, puisque ce qu'il désire faire en ce monde contre les justes par une volonté pernicieuse, il le parachève avec une facilité plus pernicieuse encore, si bien que rien en fait d'adversité ne peut l'arrêter dans le temps présent, d'autant que, dans l'avenir, il ne lui reste rien en fait de prospérité. Et, comme tout homme qui, par ses mœurs perverses, se montre ami de Léviathan, perd d'abord les vraies richesses de l'âme, il est ajouté avec raison :

Les vraies richesses

III, **5.** ***Et la pauvreté précédera sa face.*** La face a coutume de désigner la connaissance. C'est ainsi qu'il est écrit : *Ma face te précédera*[a] ; c'est-à-dire ma connaissance te guidera. Mais il faut savoir que, dans l'Écriture sainte, le mot « pauvreté » s'emploie d'une manière différente pour les élus et pour les réprouvés. **41,13**

La pauvreté des élus consiste en ceci que les vraies richesses de la patrie céleste leur reviennent à l'esprit et, tandis qu'ils se trouvent dans l'exil plein de chagrin de la vie présente, ils prennent conscience qu'ils sont pauvres. Ils soupirent sans cesse après ces richesses dont Paul dit : *Afin que vous sachiez quelle est l'espérance à laquelle vous avez été appelés,*

diuitiae gloriae hereditatis eius in sanctis[b]. Et quia adhuc eas nequaquam conspiciunt, studiose interim in aerumna istius paupertatis gemunt. Hanc procul dubio paupertatem Ieremias inspexerat, cum dicebat : *Ego uir uidens paupertatem meam in uirga indignationis eius*[c]. Virga enim indignationis Dei est percussio districtionis. Quam indignationem tunc homo pertulit, cum ex paradiso pulsus, ueras interni gaudii diuitias amisit[d]. Sed quia electi quique incessanter conspiciunt quod in praesentis uitae penuriam ab illa potestatis ingenitae facultate ceciderunt, bene dicitur : *Ego uir uidens paupertatem meam*[e]. Quisquis enim haec adhuc uisibilia appetit, peregrinationis suae malum non intellegit, et hoc ipsum uidere quod patitur nescit. Hanc paupertatem Dauid propheta intuens, ait : *Infirmata est in paupertate uirtus mea*[f]. In paupertate enim uirtus infirmari dicitur, quia lapsus in hac peregrinatione animus, et corruptionis suae molestiis reuerberatus, hoc quod perdidit contemplari praepeditur.

6. Sed hanc paupertatem reprobi considerare nesciunt, quia dum sequuntur ea quae conspiciunt, cogitare inuisibilia neglegunt quae perdiderunt. Vnde et egestas eorum proprie dicitur, quia dum replentur uitiis, uirtutum diuitiis uacuantur. Quibus saepe euenit ut per elationis dementiam subleuati, dum nequaquam ruinae suae damna considerant, esse se etiam a bonis actibus inopes non agnoscant. Vnde uoce angelica praedicatori Laodiceae dicitur : *Dicis quod diues sum, et locupletatus, et nullius egeo, et nescis quia tu es*

5. b. Ep 1, 18 c. Lm 3, 1 d. Cf. Gn 3, 24 e. Lm 3, 1 f. Ps 30, 11

1. Sur la *reuerberatio*, cf. *SC* 32 bis, p. 50-54.

quelles sont les richesses et la gloire de l'héritage réservé aux saints[b]. Et, comme ils ne peuvent encore les contempler, ils gémissent vivement durant ce temps-là dans l'amertume de cette pauvreté. Sans aucun doute, voilà la pauvreté qu'avait envisagée Jérémie lorsqu'il disait : *Je suis l'homme qui voit sa pauvreté sous les verges de sa fureur*[c]. Les verges de sa fureur sont les coups dont Dieu nous frappe avec rigueur. Et cette fureur, l'homme l'a subie lorsque, chassé du paradis, il a perdu les vraies richesses de la joie intérieure[d]. Mais parce que tous les élus considèrent sans cesse que, de la puissance de leur condition naturelle, ils sont tombés dans le dénuement de la vie présente, il est dit avec raison : *Je suis l'homme qui voit sa pauvreté*[e]. Car celui qui désire les biens encore visibles d'ici-bas ne comprend pas le malheur de sa pérégrination, et il est incapable de voir cela même dont il souffre. Cette pauvreté, le prophète David la voyait : *Ma force,* dit-il, *s'est affaiblie dans la pauvreté*[f]. Il dit que sa force s'affaiblit dans la pauvreté, c'est-à-dire que son âme, tombée dans le pèlerinage d'ici-bas et repoussée violemment[1] par les tourments de sa corruption, est empêchée de contempler ce qu'elle a perdu.

Pauvreté des réprouvés

6. Mais cette pauvreté-là, les réprouvés ne sont pas en état de la prendre en considération, parce que, ne se réglant que sur ce qu'ils voient, ils négligent de penser aux réalités invisibles qu'ils ont perdues. C'est pourquoi l'on peut parler à leur sujet de pauvreté au sens propre, parce que, tandis qu'ils regorgent de vices, ils sont entièrement dépourvus des richesses des vertus. Aussi arrive-t-il souvent que, gonflés par la folie de l'orgueil, tandis qu'ils ne prêtent aucune attention aux malheurs de leur propre ruine, ils ne reconnaissent pas non plus qu'ils sont pauvres en fait de bonnes actions. C'est pourquoi, par la voix de l'ange, il est dit au porte-parole de Laodicée : *Tu dis : « Je suis riche et comblé de biens, je ne manque de rien », et tu*

10 *miser, et miserabilis, et pauper, et caecus, et nudus*[a]. Quasi diuitem se asserit, qui se per arrogantiam sanctitatis extollit, sed pauper caecusque et nudus arguitur. Pauper utique, quia uirtutum diuitias non habet ; caecus, quia nec paupertatem quam patitur uidet ; nudus, quia primam stolam perdidit[b],
15 sed peius, quia se nec perdidisse cognoscit. Quia ergo, ut diximus, egestas reproborum est defraudatio meritorum, recte de Leuiathan dicitur : *Faciem eius praecedet egestas.*

Nemo quippe cognitioni eius iungitur, nisi prius uirtutum diuitiis denudetur. Prius enim bonas cogitationes sub-
20 trahit, et tunc eis apertiorem notitiam suae iniquitatis infundit. Egestas ergo faciem illius praecedere dicitur, quia prius facultas uirium perditur, ut quasi per familiaritatem postmodum eius notitia cognoscatur. Vel certe quia multis ita fraudulenter subrepit[c], ut ab eis deprehendi nequaquam
25 possit, et sic eorum uirtutes euacuat, quatenus astutiae suae malitiam non ostendat, faciem eius egestas praeire perhibetur, ac si aperte diceret, quia cum insidians temptat, priusquam uideatur exspoliat. Hinc est enim quod de Ephraim per prophetam dicitur : *Comederunt alieni robur eius, et ipse*
30 *ignorauit*[d]. Alieni quippe intellegi apostatae spiritus solent, qui robur comedunt, dum uirtutem mentis peruertendo consumunt. Quod Ephraim et pertulit, et nesciuit, quia in temptatione malignorum spirituum et robur animi perdidit, et hoc ipsum quia perdiderit non intellexit.

35 Leuiathan ergo faciem egestas antecedit, quia neglegentium mentes ante temptando spoliat, quam eius insidias is qui temptatur agnoscat. Per hoc ergo quod dictum est : *In*

6. a. Ap 3, 17 b. Cf. Lc 15, 22 c. Cf. Dn 8, 25 d. Os 7, 9

ignores que tu es malheureux et misérable, et pauvre, et aveugle, et nu[a]. Il s'affirme riche, celui qui s'arroge la grandeur de la sainteté, mais on le déclare pauvre et aveugle et nu. Pauvre, il l'est, parce qu'il n'a pas la richesse des vertus ; aveugle, parce qu'il ne voit même pas la pauvreté dont il souffre ; nu, parce qu'il a perdu sa première robe[b], mais pire encore, parce qu'il ne sait même pas qu'il l'a perdue. Et puisque, comme nous l'avons dit, la pauvreté des réprouvés est le manque de mérites, c'est à juste titre qu'il est dit à propos de Léviathan : *La pauvreté précédera sa face.*

Car personne n'est apte à le connaître s'il n'est d'abord dépouillé des richesses des vertus. Il leur retire d'abord les pensées salutaires, et, alors seulement, leur inculque une connaissance plus manifeste de son iniquité. La pauvreté précède sa face, est-il dit, parce que les richesses des ressources morales sont perdues avant que l'on ne parvienne ensuite à sa connaissance comme à une notion familière. Ou encore peut-être parce qu'il parvient à s'introduire chez beaucoup avec tant de ruse[c] qu'ils ne peuvent aucunement le surprendre, et parce qu'il anéantit en eux les vertus au point que la malice de sa fourberie leur demeure cachée, il est dit que la pauvreté marche devant sa face, comme si l'on affirmait que, lorsqu'il tente en tendant des pièges, avant d'être vu, il a déjà tout dépouillé. De là vient ce qui est dit par le prophète à propos d'Éphraïm : *Les étrangers ont dévoré sa force et il ne s'en est pas douté*[d]. Les étrangers sont d'habitude compris comme les anges apostats qui dévorent toute force lorsqu'ils détruisent la vertu de l'âme en la pervertissant. C'est ce qu'Éphraïm a subi, et c'est ce qu'il a ignoré, parce que, tenté par les esprits malins, il a perdu la force de son âme, et de plus n'a pas compris la perte qu'il a faite.

La pauvreté précède donc la face de Léviathan, c'est-à-dire que, par ses tentations, il dépouille l'âme des insouciants avant même que celui qui est tenté ne se rende compte de ses pièges. Ainsi, par ce qui est dit : *Sa force demeurera dans*

collo eius morabitur fortitudo, uirtus uiolentiae ostenditur. Per hoc uero quod subditur : *Et faciem eius praecedet egestas*, 40 fraudis subtilitas designatur.

7. Quamuis de eo quod eius faciem egestatem praeire cognoscimus, suppetit aliud quod tamen tristius exponamus. Terribili quippe ordine dispositionis occultae, priusquam Leuiathan iste in illo damnato homine quem assu-5 mit appareat, a sancta Ecclesia uirtutum signa subtrahuntur. Nam prophetia absconditur ; curationum gratia aufertur ; prolixioris abstinentiae uirtus imminuitur ; doctrinae uerba conticescunt ; miraculorum prodigia tolluntur. Quae quidem nequaquam superna dispensatio funditus subtrahit, 10 sed non haec sicut prioribus temporibus aperte ac multipliciter ostendit. Quod tamen mira dispensatione agitur, ut una ex re diuina simul pietas et iustitia compleatur. Dum enim subtractis signorum uirtutibus sancta Ecclesia uelut abiectior apparet, et bonorum praemium crescit, qui illam 15 pro spe caelestium, et non propter praesentia signa uenerantur, et malorum mens contra illam citius ostenditur, qui sequi quae promittit inuisibilia neglegunt, dum signis uisibilibus non tenentur. Dum igitur humilitas fidelium multitudine et manifestatione signorum quasi destituitur, terribili 20 occultae dispositionis examine inde bonis misericordia largior, unde malis iusta ira cumulatur.

Quia ergo Leuiathan iste priusquam manifestus et conspicuus ueniat ex magna parte in sancta Ecclesia signa uirtutum cessant, recte nunc dicitur : *Faciem eius praecedet egestas*.

son cou, on montre la force de sa violence, et, par ce qui suit : *Et la pauvreté précédera sa face*, on indique la subtilité de ses artifices.

L'Église démunie

7. Pourtant, au sujet de ce que nous connaissons que la pauvreté précède sa face, un autre sens se présente, plus affligeant, que nous allons cependant exposer : selon une disposition de la secrète Providence qui nous remplit de crainte, avant que ce Léviathan ne se manifeste dans l'homme damné qu'il assume, les signes des miracles sont retirés à la sainte Église. En effet, la prophétie est cachée, le charisme de guérison s'évanouit, la faculté d'une longue abstinence diminue, les exhortations doctrinales se taisent, les prodiges des miracles disparaissent. Non certes que la divine Providence les retire de fond en comble, mais elle ne les manifeste pas visiblement et fréquemment comme dans les premiers temps. Et cela se produit cependant avec une sagesse admirable, en sorte que s'accomplissent à la fois et la bonté et la justice de Dieu. Car, tandis que la sainte Église, à qui les signes des miracles ont été retirés, apparaît pour ainsi dire plus démunie, d'une part, la récompense s'accroît pour les bons qui la révèrent non pour des miracles présents, mais pour l'espérance des biens célestes, d'autre part, l'âme des méchants dévoile bientôt son hostilité contre elle, eux qui dédaignent de rechercher les biens invisibles qu'elle promet, dès lors qu'ils ne sont plus motivés par des miracles visibles. Ainsi, tandis que l'humilité est pour ainsi dire dépouillée de la foule des fidèles et de la manifestation des miracles, par un décret de sa secrète Providence qui nous remplit de crainte, Dieu comble les bons d'une miséricorde d'autant plus abondante qu'il réserve aux méchants une juste colère.

Puisque donc, avant même que ce Léviathan ne se montre à découvert, les signes des miracles cessent en grande partie dans la sainte Église, il est dit maintenant à juste titre : *La*

25 Ante enim a fidelibus miraculorum diuitiae subtrahuntur, et tunc contra eos antiquus ille per aperta prodigia hostis ostenditur, ut quo ipse per signa extollitur, eo a fidelibus sine signis robustius laudabiliusque uincatur. Quamuis etiam fidelibus in eius certamine signa non deerunt, sed tanta erunt 30 illius, ut nostrorum aut pauca, aut nulla uideantur. Quorum nimirum uirtus omnibus signis fit potior, cum omne quod ab illo terribiliter fieri conspicit, per internae constantiae calcem premit. Sed malignus hostis tanto contra eos acriori immanitate se exhibet, quanto se despici etiam clarescentibus 35 miraculis dolet. Totum se ergo in eorum interitu colligit, cunctosque reprobos in nece fidelium unanimi crudelitate coniungit, ut saeuitiam suam tanto robustius exserat, quanto et in eis quae peruerse agere appetit, nulla sibi sui corporis membra discordant. Vnde et recte subditur :

41,14 IV, **8.** ***Membra carnium eius cohaerentia sibi.*** Carnes enim Leuiathan huius sunt omnes reprobi, qui ad intellectum spiritalis patriae per desiderium non assurgunt. Membra uero sunt carnium hi qui eisdem peruerse agentibus, et sese ad 5 iniquitatem praecedentibus coniunguntur, sicut e contra per Paulum dominico corpori dicitur : *Vos estis corpus Christi, et membra de membro* [a]. Aliud quippe est membrum corporis, aliud membrum membri. Membrum quippe corporis pars ad totum, membrum uero membri est particula ad partem. 10 Membrum namque membri est digitus ad manum, manus ad

8. a. 1 Co 12, 27

pauvreté précédera sa face. Oui, auparavant, les richesses des miracles sont retirées aux fidèles et, alors, l'antique ennemi dévoile son hostilité contre eux par des prodiges éclatants. Ainsi, tandis que lui-même s'exalte par des miracles, il est vaincu par les fidèles avec d'autant plus de courage et de succès, sans le secours des miracles. Les miracles, il est vrai, ne feront pas non plus défaut aux fidèles dans leur combat contre lui, mais ceux de l'ennemi seront si nombreux que ceux des nôtres paraîtront soit isolés soit négligeables. La force des fidèles, cependant, devient plus puissante que tous les miracles, lorsque tout ce qu'elle voit l'ennemi accomplir de terrible, elle le foule aux pieds par la constance de leur cœur. Aussi l'ennemi malin se montre-t-il contre eux d'une férocité d'autant plus vive qu'il enrage d'être méprisé même avec ses miracles éblouissants. Il rassemble donc toutes ses forces pour les faire mourir, et unit tous les réprouvés dans une commune cruauté en vue du meurtre des fidèles, en sorte qu'il puisse manifester avec d'autant plus de force sa fureur que tous les membres de son corps concourent avec lui à l'exécution de ses desseins pervers. C'est pourquoi il est ajouté à propos :

Unité des réprouvés

IV, **8.** ***Les membres de sa chair sont joints ensemble.*** La chair de ce Léviathan, ce sont tous les réprouvés, dont les désirs ne s'élèvent pas vers la connaissance de la patrie spirituelle. Les membres de la chair sont ceux qui sont unis à ceux-là mêmes qui agissent avec perversité et qui les ont précédés dans l'iniquité, à l'opposé de ce qui est dit par Paul au corps du Seigneur : *Vous êtes le corps du Christ et membres d'un membre*[a]. C'est en effet une chose d'être membre du corps et autre chose d'être membre d'un membre. Un membre du corps est une partie par rapport au tout, mais le membre d'un membre est une portion d'une partie. Le membre d'un membre, c'est, par exemple, le doigt par rapport à la main, la

41,14

brachium ; membrum uero est corporis totum hoc simul ad corpus uniuersum. Sicut ergo in spiritali dominico corpore membra de membro dicimus eos qui in eius Ecclesia ab aliis reguntur, ita in illa Leuiathan istius reproba congregatione 15 membra sunt carnium qui iniquo opere quibusdam se nequioribus coniunguntur.

Sed quia malignus hostis sibi in peruerso opere a primis usque ad extrema concordat, diuinus sermo in eo membra carnium sibimet cohaerentia memorat. Sic namque peruersa 20 unanimiter sentiunt, ut nulla contra se uicissim disputatione diuidantur. Nulla tunc eos diuersitatis altercatio scindit, et idcirco contra bonos uehementer praeualent, quia in malo se concorditer tenent. Sicut enim iam superius diximus, ut perniciosum est si unitas desit bonis, ita perniciosius si non 25 desit malis. Reproborum quippe unitas bonorum uiam tanto durius praepedit quanto se ei per collectionem durior opponit.

9. Hanc unitatem reproborum perniciosam sibi Paulus conspexerat, cum in medio Sadducaeorum Pharisaeorumque deprehensus dicebat : *De spe et resurrectione mortuorum ego iudicor*[a]. Qua nimirum uoce percussa, protinus contra se 5 uicissim audientium turba dissiluit. Cumque in duas partes tumultuantium multitudo diuiditur, Paulo uia ereptionis aperitur, quia quem turba persequentium unita constrinxerat, diuisa laxabat. Eripiuntur etenim iusti dum diuiduntur iniusti, et electorum uota ad perfectum perueniunt dum 10 reproborum agmina per discordiam confunduntur. Quod

9. a. Ac 23, 6

main par rapport au bras, mais un membre du corps est tout cela en même temps par rapport au corps entier ; par conséquent, de même que dans le corps mystique du Seigneur nous appelons membres d'un membre ceux qui, dans son Église, sont gouvernés par d'autres, de même dans cet agrégat de réprouvés qu'est Léviathan, les membres de la chair sont ceux qui, par une conduite injuste, s'unissent à d'autres pires qu'eux-mêmes.

Mais comme l'ennemi malin s'accorde avec lui-même quand il s'agit de faire le mal, d'un bout à l'autre, le texte sacré mentionne qu'en lui les membres de la chair sont joints ensemble. Car leur goût de la perversité est tellement unanime qu'aucun désaccord ne les divise entre eux. Aucune dispute due à des divergences ne les oppose alors ; aussi ont-ils beaucoup de force contre les bons parce qu'ils sont soudés dans le mal. Comme nous l'avons dit plus haut, il est pernicieux que l'unité manque entre les bons, mais plus pernicieux encore qu'elle ne manque pas entre les méchants. Car l'unité des réprouvés met des obstacles d'autant plus rigoureux sur le chemin des bons que, par leur coalition, elle barre plus rigoureusement ce chemin.

9. Paul avait pris conscience du danger que représentait pour lui cette union des réprouvés, lorsqu'après son arrestation, il disait en présence des Saducéens et des Pharisiens : *C'est pour notre espérance, la résurrection des morts, que je suis mis en jugement*[a]. Frappée par cette parole, aussitôt la foule des auditeurs se scinda en deux camps opposés. Comme la multitude se divise dans le tumulte, Paul trouve l'occasion de leur échapper, parce que, tandis que la foule des persécuteurs l'avait retenu prisonnier par son union, elle le libérait par sa division. Ainsi les justes sont délivrés quand les impies sont divisés, et les désirs des élus parviennent à l'accomplissement lorsque la confusion règne parmi les colonnes des réprouvés par suite de leur désaccord. Ceci est bien figuré aussi par la

bene etiam maris Rubri scissione signatur[b]. Dum enim in duas partes unda diuiditur, ab electo populo ad terram repromissionis tenditur, quia dum malorum unitas scinditur, bonae mentes ad hoc quod appetunt perducuntur.
15 Si malorum unitas noxia non fuisset, nequaquam diuina prouidentia superbientium linguas in tanta diuersitate dissipasset[c]. Si malorum unitas noxia non fuisset, de sanctae Ecclesiae hostibus propheta non diceret : *Praecipita, Domine, et diuide linguas eorum*[d].

20 Igitur quia Leuiathan iste tunc contra electos Dei in suis uiribus effrenatur, ad augmentum suae malitiae unitatem quoque in reprobis habere permittitur, ut tanto contra nos robustius uires suas exserat, quanto non solum nos ictu fortitudinis, sed mole etiam adunationis impugnat. Sed quis
25 contra ista sufficiat ? Quae mens ad tantae elationis et compagis pondera non ab ipsa cogitationum radice contremiscat ? Vnde quia trepidare nos per infirmitatem conspicit, protinus diuina clementia quid per semetipsam faciat, adiungit. Nam sequitur :

V, **10.** ***Mittet contra eum fulmina, et ad locum alium***
41,14 ***non ferentur.*** Quid appellatione fulminum nisi tremendae illae extremi iudicii sententiae designantur ? Quae idcirco fulmina uocantur, quia nimirum eos quos feriunt in perpe-
5 tuum incendunt. Fulmina namque super eum Paulus uenire conspexerat, cum dicebat : *Quem Dominus Iesus interficiet spiritu oris sui et destruet illustratione aduentus sui*[a]. Haec autem quae in eum mittuntur fulmina, ad locum alium non feruntur, quia iustis gaudentibus, solos tunc reprobos feriunt.
10 Nam post trituram uitae praesentis, in qua nunc triticum sub

9. b. Cf. Ex 14, 21 c. Cf. Gn 11, 7 d. Ps 54, 10
10. a. 2 Th 2, 8

division de la mer Rouge[b]. Tandis que les flots se divisent, le peuple élu peut se diriger vers la terre de la promesse, parce que, lorsque l'unité des méchants est rompue, les âmes des bons sont conduites vers ce qu'elles désirent. Si l'unité des méchants n'avait été nocive, jamais la divine Providence n'aurait diversifié les langues des orgueilleux en une si grande variété[c]. Si l'unité des méchants n'avait été nocive, le prophète n'aurait pas dit au sujet des ennemis de la sainte Église : *Seigneur, mets la brouille et la division dans leur langage*[d].

Donc, puisque ce Léviathan se déchaîne alors de toutes ses forces contre les élus de Dieu, pour augmenter sa puissance l'unité lui est accordée aussi parmi les réprouvés, afin qu'il puisse déployer contre nous ses forces avec d'autant plus de violence qu'il nous combat non seulement par les coups de sa brutalité, mais aussi par le poids de sa masse unifiée. Mais qui serait à la hauteur de tels assauts ? Quel esprit ne tremblerait jusqu'au tréfonds même de sa pensée devant le poids d'un tel bloc d'orgueil ? C'est pourquoi, voyant que nous tremblons du fait de notre faiblesse, la clémence divine ajoute aussitôt ce que, par elle-même, elle accomplit. Car voici ce qui suit :

Châtiment des réprouvés

V, **10.** ***Il lance contre lui des foudres et elles ne se porteront vers aucun autre lieu.*** Que faut-il entendre par les foudres, sinon les arrêts effroyables du Jugement dernier ? On les appelle « foudres », parce qu'à l'évidence ils enflamment pour toujours ceux qu'ils frappent. Paul avait vu les foudres fondre sur lui, quand il disait : *Le Seigneur Jésus le tuera du souffle de sa bouche et le détruira par l'éclat de sa venue*[a]. Or, ces foudres envoyées sur lui ne se portent vers aucun autre lieu parce que, pour la plus grande joie des justes, elles ne frappent alors que les réprouvés. Car, après le battage de la vie présente, durant laquelle le froment gémit sous la paille,

41,14

paleis gemit, ita illo extremi iudicii uentilabro inter triticum paleasque discernitur, ut nec in tritici horreum paleae transeant, nec in palearum ignem horrei grana delabantur[b]. Illa ergo fulmina locum alium nequaquam tangunt, quia uidelicet igne suo non grana, sed paleas incendunt. Sed quia Leuiathan istum poena non corrigit, insinuat dum subiungit :

41,15 VI, **11.** ***Cor eius indurabitur quasi lapis.*** Cor enim antiqui hostis ut lapis indurabitur, quia nulla umquam conuersionis paenitentia mollietur. Qui quia solis ictibus aeternae ultionis aptabitur, recte protinus subinfertur :

41,15 ***Et stringetur quasi malleatoris incus.*** Incudem quippe malleator solis aptam percussionibus figit. Ad hoc namque incus statuitur, ut crebris ictibus feriatur. Leuiathan ergo ut malleatoris incus stringitur, quia inferni uinculis coarctabitur, ut aeterni supplicii continua percussione tundatur. Qui modo quoque percutitur, dum iusti quique, illo in insidiis uigilante, sed doloribus tabescente, saluantur. In incude autem alia uasa formantur, ipsa uero tot percussionibus in uas aliud non transfertur. Recte ergo Leuiathan iste incudi comparatus est, quia nos illo persequente componimur, ipse autem et semper percutitur, et in uas utile numquam mutatur. Aeternae illum percussioni relinquimus, et nos, superni artificis manu in eius temptatione percussi, per illum quasi uascula formata transimus. In ipso enim tundimur, sed ut ad usum domus supernae ueniamus. Ipse uero quasi incus

10. b. Cf. Mt 3, 12 ; Lc 3, 17

le van du Jugement dernier fait le tri entre froment et paille, afin que ni la paille n'entre dans le grenier qui contient le froment, ni les grains du grenier ne tombent dans le feu qui brûle la paille[b]. Ces foudres n'atteignent donc aucun autre lieu, c'est-à-dire qu'elles brûlent de leur feu, non le grain, mais la paille. Mais le châtiment ne corrige pas ce Léviathan, ce qui suit le suggère :

Supplice de Léviathan

VI, **11.** ***Son cœur s'endurcira comme une pierre.*** Le cœur de l'antique ennemi s'endurcira, en effet, comme une pierre, parce que jamais aucune pénitence ni conversion ne pourront l'amollir. Parce qu'il ne sera façonné que par les coups de l'éternelle vengeance, le texte ajoute aussitôt avec à propos : **41,15**

Et il sera serré comme une enclume de forgeron. Car l'enclume n'est fixée par le forgeron qu'en vue de recevoir des coups. Oui, l'enclume est fixée de manière à être frappée d'une pluie de coups. Léviathan est donc serré comme une enclume de forgeron, parce qu'il sera ligoté par les chaînes de l'enfer, de telle sorte qu'il sera meurtri par les coups incessants du supplice éternel. Et dès maintenant il reçoit des coups, lorsque tous les justes, tandis qu'il est si vigilant à tendre des pièges, mais se consume de douleurs, sont sauvés. On forge des ustensiles variés sur l'enclume ; elle-même, cependant, malgré tant de coups, ne se transforme pas en un autre ustensile. C'est donc avec raison que ce Léviathan est comparé à une enclume, parce que nous-mêmes nous sommes façonnés lorsqu'il nous persécute, mais lui a beau être frappé, jamais il n'est changé en un ustensile de quelque utilité. Nous l'abandonnons donc aux coups du châtiment éternel ; mais nous-mêmes, frappés à travers la tentation de l'ennemi par la main de l'artisan céleste, nous devenons grâce à lui semblables à de petits ustensiles bien façonnés. Nous sommes, en effet, frappés sur cette enclume, mais afin de servir dans la demeure éternelle. Quant à lui, il est serré **41,15**

20 stringitur, quia etsi nunc temptando mundum circuit, in inferno tamen positus, iam sub ictu sententiae non uagatur. Sequitur :

VII, **12.** ***Cum sublatus fuerit, timebunt angeli, et territi*** **41,16** ***purgabuntur.*** Scriptura sacra ita nonnumquam tempus praeteritum futurumque permiscet, ut aliquando futuro pro praeterito, aliquando uero utatur praeterito pro fu-5 turo. Futuro namque pro praeterito utitur cum Ioanni mulier paritura masculum, qui regat gentes in uirga ferrea, demonstratur[a]. Quod quia incarnato Domino ueniente iam tunc factum fuerat, res gesta nuntiabatur. Rursum praeterito utitur pro futuro, sicut per psalmistam Dominus loquitur, 10 dicens : *Foderunt manus meas et pedes meos, dinumerauerunt omnia ossa mea*[b]. Quibus uidelicet uerbis species dominicae passionis quasi iam transacta describitur, sed tamen adhuc longe post futura nuntiatur.

Hoc ergo loco quo dicitur : *Cum sublatus fuerit, timebunt* 15 *angeli*, nil obstat intellegi quia sub futuri temporis modo praeterita describuntur. Nec rectae intellegentiae sensum relinquimus, si credamus Leuiathan isto ab arce beatitudinis cadente, in ruina eius etiam electos angelos expauisse, ut cum istum ex illorum numero superbiae lapsus eiceret, illos ad 20 robustius standum timor ipse solidaret. Vnde et subditur : *Et territi purgabantur*.

13. Purgati enim sunt, quia nimirum isto cum reprobis legionibus exeunte, soli in caelestibus sedibus qui beate in

12. a. Cf. Ap 12, 5 b. Ps 21, 17-18

comme une enclume, parce qu'il a beau actuellement tourner autour du monde pour le tenter, cependant, une fois en enfer, alors, sous le coup du jugement, il ne peut plus vagabonder. Le texte poursuit :

Léviathan, ange déchu

VII, **12.** ***Quand il aura été enlevé, les anges craindront et ils seront purifiés par cette crainte.*** La sainte Écriture mêle parfois le passé et le futur, si bien qu'elle emploie quelquefois le futur pour le passé ou le passé pour le futur. Elle emploie le futur pour le passé, lorsque Jean voit la femme sur le point d'enfanter un enfant mâle qui régira les nations avec un sceptre de fer[a]. Or, puisque, par l'avènement du Seigneur dans la chair, cela avait déjà été accompli, c'est un événement passé qui était annoncé. A l'inverse, elle emploie le passé pour le futur, de même que le Seigneur dit, par la bouche du psalmiste : *Ils ont percé mes mains et mes pieds, ils ont compté tous mes os*[b]. Par ces paroles, les circonstances de la passion du Seigneur sont décrites comme si elle était déjà accomplie, mais elle est annoncée pour un futur encore lointain.

41,16

Par conséquent, ce qui est dit en ce passage : *Quand il aura été enlevé, les anges craindront,* rien ne nous empêche de le comprendre comme la description, sous le mode futur, d'événements passés. Et nous ne renonçons pas à interpréter correctement le sens si nous croyons que, lorsque ce fameux Léviathan tomba du haut de sa béatitude, même les anges élus furent épouvantés devant sa chute, en sorte que ce malheureux étant rejeté de leurs rangs par la faute de son orgueil, ils soient affermis, par cette crainte même, dans une position plus solide. C'est pourquoi l'on ajoute : *Et ils seront purifiés par cette crainte.*

13. Ils ont été purifiés, c'est-à-dire qu'après le bannissement de Léviathan et de ses légions de réprouvés, seuls demeurèrent sur les trônes du ciel ceux qui devaient y vivre

aeternum uiuerent remanserunt. Huius itaque lapsus eos et terruit et purgauit ; terruit, ne conditorem suum superbe de-
5 spicerent ; purgauit uero, quia, exeuntibus reprobis, actum est ut electi soli remanerent. Et quia cunctorum opifex Deus scit ad bonorum custodiam bene uti etiam mala actione reproborum, lapsum cadentium uertit in profectum manentium ; et unde punita est culpa superbientium, inde
10 humilibus angelis et inuenta et solidata sunt augmenta meritorum. Istis namque cadentibus, illis in munere datum est ut cadere omnino non possint. Sancti enim angeli, dum in istis naturae suae damna conspiciunt, in seipsis iam cautius robustiusque consistunt. Vnde fit, auctore rerum Domino
15 cuncta mirabiliter ordinante, ut illi electorum spirituum patriae etiam ruinae suae damna proficiant, dum inde firmius constructa sit unde fuerat ex parte destructa.

14. Sed quia saepe scriptura sacra praedicatores Ecclesiae, pro eo quod gloriam patriae caelestis annuntiant, angelorum solet nomine designare, possumus hoc loco angelos etiam sanctos praedicatores accipere. Hinc est enim quod Ioannes
5 in Apocalypsi, septem ecclesiis scribens, angelis ecclesiarum loquitur, id est praedicatoribus populorum [a]. Hinc propheta ait : *Et angeli pacis amare flebunt* [b]. Hinc rursum Malachias propheta loquitur dicens : *Labia sacerdotis custodient scientiam, et legem requirent ex ore eius ; quia angelus Domini*
10 *exercituum est* [c]. Hinc Paulus ait : *Magnum est pietatis sacramentum, quod manifestatum est in carne, iustificatum est in spiritu, apparuit angelis, praedicatum est gentibus, creditum*

14. a. Cf. Ap 1, 4 ; 1, 20 b. Is 33, 7 c. Ml 2, 7

dans la béatitude pour l'éternité. Ainsi sa chute les a remplis de crainte et les a purifiés : elle les a remplis de crainte, afin qu'ils ne méprisent pas avec orgueil leur Créateur ; elle les a purifiés, parce qu'il advint qu'après le départ des réprouvés, seuls les élus demeureraient là désormais. Et parce que Dieu, l'artisan de toutes choses, sait faire bon usage même des mauvaises actions des méchants pour la protection des bons, il utilise la chute de ceux qui tombent pour le progrès de ceux qui restent fermes ; et dans le châtiment de la faute des superbes, les anges demeurés dans l'humilité trouvent l'occasion d'acquérir et d'augmenter leurs mérites. En effet, ceux-ci étant tombés, à ceux-là il est donné la grâce de ne pouvoir absolument pas tomber. Car les saints anges, considérant dans ceux-ci les dommages subis par leur propre nature, persistent dès lors en eux-mêmes avec plus de précaution et de fermeté. Il arrive ainsi – le Seigneur, auteur de toutes choses, réglant tout de manière admirable – qu'à la patrie des esprits élus même les dommages de sa chute sont utiles, car c'est du fait d'avoir été en partie ruinée que sa construction est devenue plus solide.

Les saints prédicateurs

14. Mais puisque souvent l'Écriture sainte désigne les prédicateurs de l'Église sous le nom d'anges, parce qu'ils annoncent la gloire de la patrie céleste, nous pouvons dans ce passage interpréter les anges aussi comme de saints prédicateurs. C'est la raison pour laquelle Jean, dans l'Apocalypse, écrivant aux sept Églises, s'adresse aux anges de ces Églises, c'est-à-dire aux prédicateurs des peuples[a]. De même, le prophète dit : *Et les anges de la paix pleureront amèrement*[b]. Et encore le prophète Malachie : *Les lèvres du prêtre garderont la science et c'est de sa bouche qu'on cherchera la loi, car il est l'ange du Seigneur des armées*[c]. Et Paul : *Il est grand le mystère de la piété : il a été manifesté dans la chair, justifié dans l'Esprit, vu des anges, proclamé chez les païens, cru dans le monde, enlevé*

est in hoc mundo, assumptum est in gloria [d]. Qui igitur dispensationis mysterium postquam apparuisse angelis dixit,
15 praedicatum gentibus subdidit, profecto angelorum nomine
praedicatores sanctos, id est ueritatis nuntios designauit.

15. Si ergo hoc quod dicitur : *Cum sublatus fuerit, timebunt angeli et territi purgabuntur*, ad futurum tempus refertur, adueniente districto iudice, extrema hic Leuiathan istius damnatio designatur, quia de hoc mundo per iram
5 iudicii tollitur, qui nunc mira mansuetudinis longanimitate toleratur. Tanto autem hinc pondere terroris excutitur, ut sanctorum etiam praedicatorum fortitudo turbetur. *Cum* enim *sublatus fuerit, timebunt angeli*, quia cum iudicii turbine rapitur, hi qui in corporibus reperiri potuerint, im-
10 menso terrore concussi, etiam supernae patriae nuntii contremiscunt. Quamuis enim fortes iam atque perfecti, adhuc tamen, quia in carne sunt positi, non possunt in tanti terroris turbine nulla formidine concuti. Sed cum Leuiathan iste rapitur, cumque omnia in eius interitu elementa quatiuntur,
15 praedicatores sanctos quos, ut dixi, adhuc in suis corporibus illud tempus inuenerit, spes de regni propinquitate laetificat, et carnis infirmitas de irae ostensione perturbat. Erit ergo in eis aliquo modo tremor laetus, et timor securus, quia et caelesti regno se remunerari certi sunt, et per tanti turbinis
20 metum pro carnis infirmitate contremiscunt.

14. d. 1 Tm 3, 16

dans la gloire[d]. Celui qui a dit que le mystère du dessein de Dieu est d'abord apparu aux anges avant d'être prêché aux païens, indique assez que, sous l'appellation d'anges, il a désigné les saints prédicateurs, c'est-à-dire les messagers de la vérité.

Mort de Léviathan

15. Et donc, si ce qui est dit ici : *Quand il aura été enlevé, les anges craindront et ils seront purifiés par cette crainte* se rapporte aux temps futurs, quand viendra le Juge sévère, c'est la condamnation définitive de ce Léviathan qui est ici signifiée, parce qu'alors est enlevé de ce monde par la colère du Jugement celui qui jusque-là est supporté avec une admirable patience et longanimité. Il est maintenant renversé par le choc d'une telle épouvante que même l'assurance des saints prédicateurs en est ébranlée. Oui, *quand il aura été enlevé, les anges craindront,* parce que, lorsqu'il est enlevé par la tempête du Jugement, ceux qui seraient encore trouvés dans leur corps – fussent-ils les messagers de la céleste patrie –, terrassés par un immense effroi, se mettent à trembler. En effet, bien que déjà courageux et parfaits, cependant, parce qu'ils sont encore dans la chair, ils ne peuvent, dans la tempête d'une si grande frayeur, n'être secoués par aucune crainte. Mais lorsque ce Léviathan est enlevé et que tous les éléments sont ébranlés par sa mort, les saints prédicateurs que ces temps – ainsi que je l'ai dit – auront trouvés encore dans leur corps, sont remplis de joie par l'espérance de l'approche du royaume, tandis que l'infirmité de la chair les trouble à propos de cette manifestation de colère. Il y aura en eux, en quelque sorte, une frayeur pleine de joie et une crainte mêlée d'assurance, car ils sont sûrs de leur récompense dans le royaume céleste, mais, en raison de l'infirmité de la chair, tremblants de crainte devant pareille tourmente.

16. Consideremus ergo quomodo tunc iniquorum conscientia concutitur, quando etiam iustorum uita turbatur. Hi qui oderunt aduentum iudicis, quid facient, si terrorem tanti iudicii etiam qui diligunt expauescunt ? Et quia in
5 sanctis praedicatoribus hoc pauore excoquitur, si qua eis inesse potuit leuium rubigo uitiorum, postquam dixit : *Cum sublatus fuerit, timebunt angeli*, apte mox subdidit : *Et territi purgabuntur*. Sed quia haec de Leuiathan istius fine cognouimus, interim priusquam pereat quid agat audiamus. Se-
10 quitur :

VIII, **17.** ***Cum apprehenderit eum gladius, subsistere***
41,17 ***non poterit neque hasta, neque thorax.*** In scriptura sacra aliquando per gladium sancta praedicatio, aliquando aeterna damnatio, aliquando tribulatio temporalis, aliquando anti-
5 qui hostis ira uel persuasio designatur.

Gladius enim sancta praedicatio ponitur, sicut Paulus ait : *Et gladium spiritus, quod est uerbum Dei*[a]. Gladii nomine aeterna damnatio designatur, sicut de praedicante haeretico scriptum est : *Si multiplicati fuerint filii eius, in gladio erunt*[b],
10 quia quantalibet hic numerositate germinent, aeterna damnatione consumuntur. Gladius tribulatio temporalis accipitur, sicut Mariae secuturis tribulationibus dicitur : *Et tuam ipsius animam pertransibit gladius*[c]. Rursum per gladium ira uel persuasio maligni hostis exprimitur, sicut psal-
15 mista ait : *Qui liberasti Dauid seruum tuum de gladio maligno*[d]. Benignus quippe sanctae praedicationis est gladius, quo percutimur ut a culpa moriamur. Malignus uero est diabolicae persuasionis gladius, quo male quisque percutitur ut a uita rectitudinis exstinguatur. Antiqui ergo hostis
20 est gladius, ille tunc damnatus homo, in usum ministerii eius

17. a. Ep 6, 17 b. Jb 27, 14 c. Lc 2, 35 d. Ps 143, 10

16. Réfléchissons donc à quel point est ébranlée la conscience des impies, quand même la vie des justes est troublée. Ceux qui ont en horreur la venue du Juge, que feront-ils, si l'effroi d'un pareil jugement fait peur même à ceux qui l'aiment ? Et, parce que, chez les saints prédicateurs, cette peur consume la rouille de légers défauts qui pourraient leur rester, après qu'il a dit : *Quand il aura été enlevé, les anges craindront*, le texte ajoute aussitôt avec à propos : *Et ils seront purifiés par cette crainte.* Voilà ce que nous avons appris au sujet de la fin de ce Léviathan ; écoutons maintenant ce qu'il fait avant de périr. Le texte poursuit :

Sens divers du glaive

VIII, **17.** ***Lorsque le glaive l'aura atteint, ni lance, ni cuirasse ne pourra résister.*** Dans l'Écriture sainte, le glaive signifie parfois la sainte prédication, parfois la damnation éternelle, parfois les tribulations de cette vie, parfois la colère ou la persuasion de l'antique ennemi. **41,17**

Le glaive désigne la sainte prédication, comme le dit Paul : *Et le glaive de l'Esprit qui est la parole de Dieu* [a]. Sous le vocable de glaive est désignée la damnation éternelle, ainsi qu'il est écrit au sujet d'un prédicateur hérétique : *Si nombreux que soient ses fils, le glaive les attend* [b], car, en quelque nombre qu'ils se multiplient ici-bas, la damnation éternelle les consume. Le glaive signifie les tribulations de cette vie, comme il est dit à Marie au sujet des tribulations qui l'attendaient : *Et un glaive transpercera ton âme* [c]. Enfin, par le glaive sont figurées la colère ou la persuasion de l'ennemi malin, ainsi que l'exprime le psalmiste : *Toi qui as délivré David, ton serviteur, du glaive malfaisant* [d]. Oui, bienfaisant est le glaive de la sainte prédication, dont nous sommes frappés pour nous faire mourir au péché. Mais malfaisant est le glaive de la persuasion diabolique, par lequel chacun pour son malheur est frappé afin qu'il meure à une vie de droiture. Car le glaive de l'antique ennemi, c'est cet homme, dès lors damné, qu'il

assumptus. Ipsum quippe per malitiam fraudis exacuit, et infirmorum corda transfigit. Hunc ergo Leuiathan gladius apprehendit, cum eum suus damnatus homo susceperit. Si autem gladii nomine eius ira signatur, recte non apprehen-
25 dere gladium, sed a gladio apprehendi describitur. In tanta quippe tunc insania uertitur, ut dominari omnibus appetens, nequaquam suae irae dominetur. Nos namque cum iram in usu iustitiae assumimus, gladium tenemus, quia eam sub aequitate iudicii possidendo moderamur. Ille autem quia
30 per abrupta furoris rapitur, non apprehendere gladium, sed a gladio apprehendi perhibetur. Non enim iram possidens tenet, sed ab ira saeuiens tenetur.

18. Cunctis autem liquet quod hasta aduersarium percutimus, thorace uero ab aduersario munimur. Per hastam uulnera inferimus, per thoracem tegimur ne uulneremur. Quid igitur per hastam nisi praedicationis iaculum, quid
5 per thoracem nisi fortitudo patientiae designatur ? Leuiathan ergo iste, quia per assumptum reprobum hominem in ira omnimodae crudelitatis effrenatur, apprehendi a gladio dicitur. Nam per ostensionem immensae tunc fortitudinis exhibet quicquid nequiter potest. Et neque hasta neque tho-
10 rax subsistere poterit, quia in Antichristum ueniens, tantae uirtutis apparebit, ut si supernum adiutorium desit, et praedicantium acumen obtundat, et longanimitatem patientium destruat. Nisi enim iustorum uitam superna gratia solidet, non subsistit hasta, quia praedicatorum uirtus frangitur ;

assume pour servir son action. Il l'a, en quelque sorte, aiguisé par la malice de ses tromperies, et il en transperce le cœur des faibles. Le glaive de Léviathan l'a atteint donc, lorsque son homme damné s'en est emparé. Si sa colère est figurée par le glaive, c'est avec raison qu'on le montre, non pas s'emparant du glaive, mais atteint par lui. Il est, dès lors, saisi d'une telle folie que, dans son désir de tout dominer, il devient incapable de dominer sa propre colère. Quant à nous, lorsque nous mettons notre colère au service de la justice, nous saisissons le glaive, c'est-à-dire que, nous en étant rendus maîtres avec une juste équité, nous modérons cette colère. Mais, parce que lui est entraîné par les excès de sa fureur, on dit non pas qu'il s'empare du glaive, mais qu'il est atteint par le glaive. Ce n'est pas lui qui, maîtrisant sa colère, la tient, mais rendu furieux par elle, c'est la colère qui le tient.

La lance et la cuirasse

18. Chacun sait que nous frappons notre adversaire de la lance, et que, par la cuirasse, nous nous protégeons de cet adversaire. Avec la lance, nous infligeons des blessures ; grâce à la cuirasse, nous nous mettons à l'abri, afin de n'être pas blessés. Que désigne donc la lance, sinon les traits de la prédication, et la cuirasse, sinon la fermeté de la patience ? Ce Léviathan, par l'intermédiaire de cet homme réprouvé qu'il a assumé, se déchaîne dans les excès de toute sorte de cruautés, et c'est pourquoi on le dit atteint par le glaive. Car, par le déploiement d'une force dès lors sans mesure, il montre tout le mal qu'il peut faire. Et, ni lance, ni cuirasse ne pourront résister, car, venant dans l'Antichrist, il apparaîtra avec une telle puissance que si le secours d'en haut venait à manquer, il émousserait l'aiguillon de ceux qui prêchent et anéantirait la patience de ceux qui souffrent. En effet, si la grâce d'en haut n'affermit la vie des justes, la lance ne peut résister, car la force des prédicateurs est brisée ; la cuirasse ne peut résister,

15 non subsistit thorax, quia constantium patientia dirupta penetratur. Vnde et subditur :

IX, **19.** ***Reputabit enim ut paleas ferrum et quasi lignum***
41,18 ***putridum aes.*** Quod superius hastam dixit, hoc inferius ferri appellatione replicauit ; et quod thoracem protulit, hoc rursum aeris commemoratione signauit. Ferrum namque
5 acuitur ut aduersarius uulneretur, aes autem rubigine paene nulla consumitur. Ferro ergo praedicationis iacula, aere autem longanimitatis constantia designatur.

Vnde et sub Aser specie de sancta Ecclesia per Moysen dicitur : *Ferrum et aes calceamentum eius*[a]. Calceamentum
10 quippe in scriptura sacra munimen praedicationis accipitur, sicut scriptum est : *Calceati pedes in praeparatione euangelii pacis*[b]. Quia ergo per ferrum uirtus, per aes autem perseuerantia exprimitur, ferrum et aes calceamentum eius dicitur, dum praedicatio illius acumine simul et constantia munitur.
15 Per ferrum enim mala aduersantia penetrat, per aes autem bona quae proposuit longanimiter seruat. Cuius profecto perseuerantiam illic apertius insinuat, subdens : *Sicut dies iuuentutis eius, ita erit et senectus illius*[c]. Sed Leuiathan iste quando illum gladium quem sacra eloquia Antichristum
20 uocant in exercitatione suae iniquitatis assumpserit, et ferrum uelut paleas, et aes uelut lignum putridum reputabit, quia nisi diuina gratia protegat, et praedicantium uires uelut paleas nequitiae suae igne consumet, et patientium constantiam quasi lignum putridum in puluerem rediget. Et
25 acumen igitur ferri et aeris fortitudo deficit, dum per uiolentiam uirtutis illius et praedicationis sensus obtunditur, et patientiae longanimitas dissipatur.

19. a. Dt 33, 25 b. Ep 6, 15 c. Dt 33, 25

car la patience de ceux qui persévèrent une fois entamée est transpercée. Aussi est-il ajouté :

Le glaive de l'Antichrist

IX, **19.** ***Car il regardera le fer comme de la paille, et l'airain comme du bois pourri.*** Ce que, plus haut, le texte a appelé **41,18** lance revient plus bas sous le nom de fer, et ce qu'il a présenté comme cuirasse est de nouveau désigné sous l'appellation d'airain. Car on aiguise le fer pour blesser l'adversaire ; quant à l'airain, il n'est pour ainsi dire pas attaqué par la rouille. Le fer désigne donc les traits de la prédication, l'airain la constance dans la patience.

C'est pourquoi il est dit par Moïse à propos de la sainte Église, figurée par Aser : *Le fer et l'airain lui serviront de chaussure*[a]. La chaussure, dans la sainte Écriture, représente le rempart de la prédication, ainsi qu'il est écrit : *Que vos pieds soient chaussés pour être prêts à annoncer l'évangile de la paix*[b]. Puisque la force est désignée par le fer, et la persévérance par l'airain, fer et airain sont appelés sa chaussure, parce que sa prédication est munie à la fois d'acuité et de persévérance. Grâce au fer donc, elle transperce le mal qui lui fait obstacle, et par l'airain, elle conserve avec patience les biens qu'elle a promis. Et l'allusion à sa persévérance est plus claire encore dans la suite du texte : *Sa vieillesse aussi sera comme au jour de sa jeunesse*[c]. Mais lorsque ce Léviathan aura pris, pour exercer son iniquité, le glaive que les saintes Écritures appellent l'Antichrist, il regardera le fer comme de la paille, et l'airain comme du bois pourri, parce que, si la grâce divine ne les protégeait, il consumerait comme de la paille, par le feu de sa perversité, les forces de ceux qui prêchent et réduirait en poussière, comme du bois pourri, la constance de ceux qui souffrent. Et c'est pourquoi l'acuité du fer, et la résistance de l'airain font défaut, tandis que, par la violence de sa férocité, il émousse l'intelligence de la prédication et dissipe la persévérance de la patience.

20. Nisi ergo electos suos opitulatio diuina roboret, ubi tunc infirmi erunt, si fortes sicut paleae reputantur ? Quid tunc Leuiathan iste de paleis faciet, si ferrum quasi paleas aestimabit ? Quid de putridis lignis acturus est, si quasi
5 lignum putridum aeris fortitudinem soluet ? Sed o quam multi, qui suis uiribus ferrum se uel aes esse aestimant, in illo tunc tribulationis igne paleas se esse deprehendunt ; et quam multi, qui per infirmitatem propriam esse se paleas metuunt, per diuinum adiutorium fulti, in ferri atque aeris soliditate
10 roborantur, ut contra aduersarium suum tanto magis in Deo fortes sint, quanto de se amplius infirmos se esse meminerunt. Sed quanto altius Behemoth iste contra electos Dei per miracula erigitur, tanto contra eum sancti quique uehementius ad praedicationis se uerba constringunt. Qui
15 tamen ita reproborum mentes possidet, ut eas nulla confossus ueritatis iaculatione derelinquat. Vnde et subditur :

41,19 X, **21.** ***Non fugabit eum uir sagittarius.*** Quid enim sagittas, nisi uerba praedicatorum accipimus ? Quae dum ex uoce bene uiuentium distinguntur, audientium corda transfigunt. His sagittis sancta Ecclesia percussa fuerat, quae dicebat :
5 *Vulnerata caritate ego sum*[a]. De his sagittis psalmistae uoce narratur : *Sagittae paruulorum factae sunt plagae eorum*[b] ; quia scilicet uerba humilium penetrauerunt animos superborum. De his sagittis uenienti propugnatori dicitur : *Sagittae tuae acutae, potentissime, populi sub te cadent in corde*[c].
10 Vir itaque est sagittarius qui per sanctae intentionis arcum audientium cordibus uerba rectae exhortationis infigit. Quia

21. a. Ct 2, 5 ; 5, 8 b. Ps 63, 8 c. Ps 44, 6

20. Si donc le secours divin n'apporte sa force aux élus, que deviendront les faibles, quand les forts eux-mêmes sont regardés comme de la paille ? Et ce Léviathan, que fera-t-il de la paille, s'il considère le fer comme de la paille ? Quel sera le sort du bois pourri, s'il réduit la force de l'airain comme du bois pourri ? Mais ô combien nombreux ceux qui, du fait de leurs forces, croient être du fer ou de l'airain et qui, dans le feu de cette tribulation, s'aperçoivent qu'ils sont de la paille ! Et combien nombreux ceux qui, à cause de leur propre faiblesse, craignent d'être de la paille, et qui, munis du secours divin, acquièrent la force et la solidité du fer et de l'airain ; ainsi, pour s'opposer à leur adversaire, ils sont d'autant plus forts en Dieu qu'ils prennent conscience d'être plus faibles par eux-mêmes. Mais plus ce Béhémoth se dresse haut par des miracles contre les élus de Dieu, plus les saints déploient d'effort contre lui en vue des paroles de la prédication. Lui, cependant, possède si bien les esprits des réprouvés qu'aucun trait de la vérité, en le perçant, ne les lui fait abandonner. C'est pourquoi il est dit ensuite :

Les flèches de la parole

X, **21.** ***L'archer ne le mettra pas en fuite.*** Qu'entendre par les flèches, sinon les paroles des prédicateurs ? Lorsqu'elles sont prononcées par la voix de ceux qui vivent bien, elles transpercent le cœur de ceux qui les écoutent. C'est par ces flèches que la sainte Église avait été frappée lorsqu'elle disait : *Je suis blessée par l'amour*[a]. C'est de ces flèches que parle le psalmiste : *Les flèches des enfants sont devenues leurs plaies*[b], c'est-à-dire que les paroles des humbles ont pénétré le cœur des superbes. C'est aussi au sujet de ces flèches qu'il est dit au combattant qui s'avance : *Tes flèches sont aiguës, ô très puissant. Voici les peuples sous toi. Ils perdent cœur*[c]. Celui-là est un archer qui, grâce à l'arc saintement tendu, fait pénétrer dans le cœur de ceux qui écoutent les paroles d'une sage exhortation. Mais parce que ce Léviathan méprise

41,19

igitur Leuiathan iste uerba praedicantium despicit ; et cum reproborum mentes male suadendo momorderit, durus inter iacula omnimodo eas non relinquit, recte dicitur :
15 *Non fugabit eum uir sagittarius.* Ac si aperte diceretur : A reproborum cordibus eum sancti praedicatoris sagitta non excutit, quia quisquis ab illo apprehenditur, uerba iam praedicantium audire contemnit. Vnde bene peccatis praecedentibus irascens, de his quos in manu antiqui hostis
20 deserit, per prophetam Dominus dicit : *Immittam uobis serpentes regulos, quibus non est incantatio*[d]. Ac si diceret : Iusto iudicio talibus uos immundis spiritibus tradam, qui a uobis excuti exhortatione praedicantium quasi incantantium sermone non ualeant.
25 Quia uero Leuiathan iste a cordibus reproborum sanctae praedicationis spiculis non mouetur, ipse etiam sanctorum uirorum contemptus adicitur, cum ilico subinfertur :

41,19 XI, **22.** ***In stipulam uersi sunt ei lapides fundae.*** Quid per fundam, nisi sancta Ecclesia figuratur ? Funda namque dum in gyrum mittitur, sic de illa lapides exeunt quibus aduersariorum pectora feriantur ; ita sancta Ecclesia dum
5 uolubilitate temporum per tribulationum circuitum ducitur, fortes ex illa uiri prodeunt quibus quasi lapideis ictibus iniquorum corda tundantur. Vnde et ad prophetam de bonis doctoribus Dominus dicit : *Deuorabunt et subicient lapidibus fundae*[a]. Sancti quippe doctores qui ad uirtutem et
10 alios instruunt, hostes deuorant, dum eos intra corpus suum per uim conuersionis immutant. Quos lapidibus fundae

21. d. Jr 8, 17
22. a. Za 9, 15

les paroles de ceux qui prêchent et, insensible aux traits, retient, sans en lâcher un seul, les esprits des réprouvés qu'il a mordus en leur donnant ses mauvais conseils, il est dit avec exactitude : *L'archer ne le mettra pas en fuite.* Comme s'il était dit clairement : la flèche du saint prédicateur ne peut le chasser du cœur des réprouvés, car quiconque est possédé par lui se refuse dès lors à écouter les paroles de ceux qui prêchent. Voilà pourquoi, s'irritant avec raison de ceux dont les péchés ont précédé, le Seigneur dit par le prophète au sujet de ceux qu'il a laissés aux mains de l'antique ennemi : *J'enverrai contre vous des basilics, contre lesquels il n'existe pas d'incantation* [d]. Comme s'il disait : Par un juste jugement, je vous livrerai à des esprits si immondes qu'ils ne pourront être chassés loin de vous par l'exhortation de ceux qui prêchent comme par la récitation d'incantations.

Et puisque ce Léviathan ne peut être chassé du cœur des réprouvés par les pointes de la sainte prédication, lui-même en vient à mépriser les hommes saints, ainsi qu'il est dit ensuite :

Tribulations dans l'Église

XI, 22. ***Les pierres de la fronde sont devenues pour lui comme de la paille.*** **41,19** Que faut-il entendre par la fronde, sinon la sainte Église ? En effet, lorsqu'on fait tournoyer une fronde, des pierres s'en échappent qui viennent frapper la poitrine des adversaires ; il en est ainsi de la sainte Église, lorsqu'elle est entraînée par la rotation des temps dans le circuit des tribulations : des hommes courageux s'avancent hors d'elle pour venir frapper, comme des coups de pierre, le cœur des pécheurs. C'est ainsi que le Seigneur dit au prophète à propos des bons docteurs : *Ils les dévoreront et les soumettront avec les pierres de leur fronde* [a]. Car les saints docteurs, qui enseignent la vertu aussi aux autres, dévorent les ennemis lorsque, par la force de la conversion, ils les transforment en les faisant entrer dans leur propre corps. Et ils les soumettent avec les

subiciunt, quia dum fortes quosque in sancta Ecclesia uiros instituunt, per eos aduersariorum superbientium pectora dura confringunt. Vnde et Golias immanissimus saxo fundae 15 moritur[b], quia singulari sanctae Ecclesiae lapide diabolica celsitudo superatur.

Leuiathan itaque iste, quia damnato illo homine assumpto, quoslibet fortes Ecclesiae uelut infirmos despicit, eorumque uires temporaliter premit, recte nunc dicitur : *In stipulam* 20 *uersi sunt ei lapides fundae*. Ac si aperte diceretur : Sanctorum robur quasi in stipulae mollitiem redigit, quorum lingua prius pectus illius duris ictibus tutudit. Omnem quippe tunc fortitudinem suae iniquitatis exercens, quanto se ab eis uinci spiritaliter dolet, tanto contra eos atrocius corporaliter 25 praeualet. Et quia nil se contra eorum spiritum praeualere considerat, in eorum carne crudelitatis suae omnia argumenta consummat. Sed quid mirum si humanas uires despicit, qui ipsa etiam superni in se iudicii aeterna tormenta contemnit ? Vnde et subditur :

41,20 XII, 23. ***Quasi stipulam aestimabit malleum.*** Ac si diceret : Etiam pondus eius animaduersionis despicit, quae se per supplicium desuper ueniens ferit. In scriptura enim sacra mallei nomine aliquando diabolus designatur, per quem nunc 5 delinquentium culpae feriuntur ; aliquando uero percussio caelestis accipitur, qua uel electi supernos ictus sentiunt, ut a prauis itineribus corrigantur ; uel iusta ira reprobos percutit, ut iam supplicia aeterna praeueniens, quid etiam in posterum mereantur ostendat.

10 Nam quia appellatione mallei antiquus hostis exprimitur, propheta testatur, cum super eum uim extremi iudicii contemplatur, dicens : *Quomodo confractus est et contritus*

22. b. Cf. 1 Sm 17, 49

pierres de la fronde, parce qu'en formant tous les hommes courageux dans la sainte Église, ils s'en servent pour briser les cœurs durs de leurs adversaires remplis de superbe. C'est ainsi que le géant Goliath est tué par la pierre d'une fronde[b], parce que l'orgueil diabolique est abattu par la pierre unique de la sainte Église.

Parce que ce Léviathan, après avoir assumé cet homme damné, méprise comme des faibles tous les hommes courageux de l'Église et, pour un temps, retient leurs forces, il est dit maintenant avec raison : *Les pierres de la fronde sont devenues pour lui comme de la paille.* Comme s'il était dit clairement : Il réduit la force des saints à la fragilité de la paille, eux dont la langue a auparavant frappé de rudes coups sa poitrine. Et déployant dès lors toutes les ressources de sa méchanceté, plus il se désole d'être vaincu par eux par l'esprit, plus il triomphe d'eux dans leur corps d'une manière atroce. Et voyant qu'il ne peut rien contre leur âme, il épuise sur leur chair tous les expédients de sa cruauté. Mais quoi d'étonnant s'il méprise les forces de l'homme, lui qui se rit même des tourments éternels auxquels la justice d'en haut le condamne. C'est pourquoi le texte poursuit :

Les pierres bien taillées

XII, **23.** ***Il considérera le marteau comme paille.*** Comme si l'on disait : Il méprise même le poids de cette punition qui, venant d'en haut, le frappe d'un supplice. Dans la sainte Écriture, en effet, le nom de marteau désigne parfois le diable par qui sont actuellement bien enfoncées les fautes des pécheurs ; parfois la punition céleste dont sont frappés les élus afin qu'ils se corrigent de leurs voies dépravées, soit la juste colère qui frappe les réprouvés, anticipant déjà les supplices éternels, afin de leur montrer ce qu'ils méritent aussi dans l'avenir. **41,20**

Que ce terme de marteau désigne, en effet, l'antique ennemi, le prophète l'atteste, lorsque, contemplant au-dessus de lui la puissance du Jugement dernier, il dit : *Comment a été*

malleus uniuersae terrae[a] *?* Ac si diceret : Eum per quem uascula sua Dominus in ministerii usu formanda percutit,
15 quis perpendat quo turbine, ueniente extremo iudicio, in aeterna damnatione confringit ?

Rursum per malleum percussio caelestis exprimitur, quod Salomone templum aedificante signatur, cum dicitur : *Domus autem cum aedificaretur, lapidibus dedolatis atque perfectis*
20 *aedificata est ; et malleus et securis, et omne ferramentum non sunt audita in domo, cum aedificaretur*[b]. Quid enim domus illa nisi sanctam Ecclesiam, quam in caelestibus Dominus inhabitat, figurabat ? Ad cuius aedificationem electorum animae, quasi quidam expoliti lapides deferuntur. Quae cum
25 aedificatur in caelis, nullus illic iam disciplinae malleus resonat, quia dolati atque perfecti illuc lapides ducimur, ut locis iuxta meritum congruis disponamur. Hic enim foris tundimur, ut illuc sine reprehensione ueniamus. Hic malleus, hic securis, hic omnia tunsionum resonant ferramenta. In do-
30 mo autem Dei nulli ictus audiuntur, quia in aeterna patria omnes iam percussionum strepitus conticescunt. Nequaquam ibi malleus percutit, quia nulla animaduersio affligit. Nequaquam securis incidit, quia receptos interius nulla foras seueritatis sententia proicit. Nequaquam ferramenta per-
35 strepunt, quia nec quaelibet minima ultra iam flagella sentiuntur.

Quia ergo per malleum desuper uenientem caelestis pondus percussionis exprimitur, quid est quod Leuiathan iste malleum despicit, nisi quod supernae animaduersionis
40 ictus formidare contemnit ? Et quasi stipulam malleum deputat, quia ad iustae irae se pondera uelut contra leuissimos terrores parat. Vnde et adhuc expressius subditur :

23. a. Jr 50, 23 b. 1 R 6, 7

brisé et broyé le marteau de toute la terre[a] ? Comme s'il disait : Celui dont le Seigneur se sert comme d'un serviteur pour frapper les instruments qu'il veut former, qui peut évaluer dans quelle tempête, à l'heure du Jugement dernier, il le met en pièces dans la damnation éternelle ?

Mais, par le marteau est aussi figurée la punition céleste, ce qui est signifié par Salomon bâtissant le temple quand il est dit : *Lorsque la maison fut bâtie, c'est de pierres taillées et bien préparées qu'elle fut bâtie ; on n'y entendit ni marteau, ni cognée, ni aucun instrument de fer pendant sa construction*[b]. Que représentait donc cette maison, sinon la sainte Église où le Seigneur habite dans les cieux ? Pour la bâtir, les âmes des élus y sont transférées, telles des pierres bien polies. Et quand elle est bâtie dans les cieux, le marteau de la discipline n'y résonne plus, car nous ne pouvons y entrer que comme des pierres bien taillées et parfaites, afin d'être disposés au lieu qui convient selon le mérite. Ici-bas, nous sommes frappés du dehors, afin que nous arrivions là-haut sans défaut. Ici-bas, résonnent le marteau, la cognée et tous les outils métalliques qui servent à frapper. Mais dans la maison de Dieu, on n'entend aucun de leurs coups, parce que, dans l'éternelle patrie, tous les fracas dus aux chocs se taisent désormais. Là, jamais le marteau ne frappe, parce qu'aucune punition ne blesse. Jamais la cognée ne tranche, parce que ceux qui sont reçus à l'intérieur ne peuvent en être expulsés par nul arrêt sévère. Jamais les outils métalliques ne retentissent, puisque pas le moindre mal ne peut être désormais ressenti.

Et donc, si par le marteau qui vient d'en haut est figuré le poids de la punition céleste, que veut dire le fait que ce Léviathan méprise le marteau, sinon qu'il s'obstine à ne pas craindre les coups de la punition divine ? Et il considère le marteau comme de la paille, parce qu'il se prépare au poids de cette juste colère comme à un très léger sujet de crainte. C'est pourquoi il est ajouté avec plus d'insistance encore :

41,20 XIII, **24.** ***Et deridebit uibrantem hastam.*** Contra Leuiathan enim Dominus hastam uibrat, quia in eius interitu districtam minatur sententiam. Hastam quippe uibrare est aeternam ei mortem ex districta animaduersione praeparare. 5 Sed apostata spiritus auctorem uitae etiam cum sua morte despiciens, hastam uibrantem deridet, quia ex districto iudicio quicquid graue, quicquid horribile se praeuidet, pati non metuit ; sed quo se aeterna tormenta non posse euadere conspicit, eo in exercenda nequitia durior assurgit. Quem 10 cum plerique huius mundi sapientes in cunctis quae appetit tanta pertinacia, tanta formidine stringi considerant, corda sua ad famulatum eius tyrannidis inclinant, et omne quod Deo largiente sapiunt, hoc contra eum ad seruitium hostis illius inflectunt. Vnde et recte subiungitur :

41,21 XIV, **25.** ***Sub ipso erunt radii solis.*** In scriptura enim sacra cum figurate sol ponitur, aliquando Dominus, aliquando persecutio, aliquando de re qualibet manifestae uisionis ostensio, aliquando autem intellegentia sapientium 5 designatur.

Per solem quippe Dominus figuratur, sicut Sapientiae libro perhibetur, quod omnes impii in extremi die iudicii cognita sua damnatione dicturi sunt : *Errauimus a uia ueritatis, et lumen iustitiae non luxit nobis, et sol non est ortus* 10 *nobis*[a]. Ac si aperte dicant : Interni nobis luminis radius non refulsit. Vnde et Ioannes ait : *Mulier amicta sole, et luna sub pedibus eius*[b]. In sole enim illustratio ueritatis, in luna autem, quae menstruis suppletionibus deficit, mutabilitas temporalitatis accipitur. Sancta autem Ecclesia, quia superni luminis

25. a. Sg 5, 6 b. Ap 12, 1

Opiniâtreté de Léviathan

XIII, **24.** ***Et il rira de celui qui brandit la lance.*** Contre Léviathan, en effet, le Seigneur brandit la lance, parce qu'il le menace, à sa mort, d'une sévère condamnation. Brandir la lance, c'est lui préparer, par une juste punition, la mort éternelle. Mais cet esprit apostat, méprisant l'auteur de la vie en même temps que sa propre mort, se rit de celui qui brandit la lance, parce que, quelque pesant, quelque redoutable que puisse être ce qu'il attend d'un jugement sévère, il ne craint pas de le subir. Mais, considérant l'impossibilité d'échapper aux tourments éternels, il se dresse avec d'autant plus d'aprêté dans l'exercice de sa perversité. Et la plupart des sages de ce monde, le voyant possédé en tout ce qu'il ambitionne de faire par tant d'opiniâtreté et tant de terreur, inclinent leur cœur au service de sa tyrannie ; et toute la sagesse qu'ils ont reçue de Dieu, ils la tournent contre lui au service de cet ennemi. C'est pourquoi le texte ajoute avec raison : **41,20**

Sens divers du soleil

XIV, **25.** ***Les rayons du soleil seront au-dessous de lui.*** Dans l'Écriture sainte, quand le soleil est employé au sens figuré, il désigne parfois le Seigneur, parfois la persécution, parfois la vision claire et manifeste de quelque chose, parfois enfin l'intelligence des sages. **41,21**

Le soleil désigne le Seigneur, comme il est rapporté au Livre de la Sagesse, parce qu'au jour du Jugement, tous les impies diront en apprenant leur damnation : *Nous avons erré loin du chemin de la vérité, et la lumière de la justice n'a pas lui pour nous, et le soleil ne s'est pas levé pour nous*[a]. Comme s'ils disaient clairement : L'éclat de la lumière intérieure n'a pas brillé pour nous. C'est pourquoi Jean dit : *Une femme revêtue de soleil et ayant la lune sous ses pieds*[b]. Le soleil signifie l'illumination de la vérité ; la lune, qui croît et décroît chaque mois, la mutabilité des réalités temporelles. La sainte Église, parce qu'elle est enveloppée de splendeur par la lumière

15 splendore protegitur, quasi sole uestitur, quia uero cuncta temporalia despicit, lunam sub pedibus premit. Rursum sole persecutio designatur, sicut in euangelium Veritas dicit, quod nata sine radicibus semina orto sole aruerunt, quia uidelicet uerba uitae in corde terrenorum hominum 20 temporali momento uirentia, superueniente persecutionis ardore, siccantur[c]. Rursum sole manifestae uisionis ostensio designatur, sicut propheta Dominum cunctorum oculis apparentem denuntiat, dicens : *In sole posuit tabernaculum suum*[d]. Ac si diceret : Humanitatis assumptae sacramen-25 tum in lumine manifestae uisionis ostendit. Et sicut eidem prophetae diuina uoce per Nathan dicitur : *Tu fecisti in abscondito, ego uero faciam uerbum istud in conspectu omnis Israel, et in conspectu solis*[e]. Quid enim per conspectum solis, nisi cognitionem insinuat manifestae uisionis ? Rursum solis 30 nomine sapientium intellectus exprimitur, sicut in Apocalypsi scriptum est : *Quartus angelus effudit phialam suam in sole, et datum est illi aestu afficere homines et igni*[f]. Phialam uidelicet in sole effundere est persecutionis supplicia uiris sapientiae splendore fulgentibus irrogare : *Et datum* 35 *est illi ut afficeret homines aestu et igni*[g] ; quia dum sapientes uiri, cruciatibus uicti, male agendi errore tanguntur, illorum exemplo persuasi infirmi quique temporalibus desideriis inardescunt. Ruinae namque fortium augmenta praestant perditionibus infirmorum. Quia sole acumen sapientium de-40 signatur, per comparationem quoque a Salomone dicitur : *Sapiens ut sol permanet, stultus ut luna mutatur*[h].

Hoc ergo loco quid per solis radios nisi acumina sapientium demonstrantur ? Quia enim multi, qui in sancta Ecclesia luce sapientiae resplendere uidebantur, tunc uel per-

25. c. Cf. Mt 13, 6 d. Ps 18, 6 e. 2 Sm 12, 12 f. Ap 16, 8 g. Ap 16, 8 h. Si 27, 12

céleste, est comme vêtue de soleil, et parce qu'elle dédaigne tout ce qui est sujet au temps, elle tient la lune sous ses pieds. Le soleil peut aussi désigner la persécution, comme le dit la Vérité dans l'Évangile, parce que les semences levées sans racines se sont desséchées après le lever du soleil[c], ce qui veut dire que les paroles de vie, un bref moment verdoyantes dans le cœur des hommes terrestres, se dessèchent, quand survient la brûlure de la persécution. Une vision claire et manifeste peut aussi être désignée par le soleil ; ainsi le prophète, voulant annoncer l'apparition du Seigneur aux yeux de tous, déclare : *Dans le soleil, il a placé sa tente*[d]. Comme s'il disait : Le mystère de l'humanité qu'il a assumée, il le révèle dans la lumière d'une claire vision. Et aussi dans ces paroles que la voix de Dieu adresse par Nathan à ce même prophète : *Toi, tu as agi dans le secret, mais moi j'accomplirai cette parole à la face de tout Israël et à la face du soleil*[e]. Que veut-il dire par la face du soleil, sinon signifier la connaissance d'une claire vision ? Sous le nom de soleil est exprimée aussi l'intelligence des sages, comme il est écrit dans l'Apocalypse : *Le quatrième ange répandit sa coupe sur le soleil et il lui fut donné de brûler les hommes par l'ardeur du feu*[f]. Répandre sa coupe sur le soleil, c'est infliger les supplices de la persécution aux hommes qui brillent de la lumière de la sagesse ; *et il lui fut donné de brûler les hommes par l'ardeur du feu*[g], car, lorsque des hommes sages, vaincus par les tourments, sont trompés par l'erreur qui les pousse à agir mal, tous les faibles, persuadés par leur exemple, s'enflamment de désirs temporels. De fait, la chute des forts favorise la perdition des faibles. Que le soleil désigne l'intelligence des sages, la comparaison faite par Salomon le dit aussi : *Le sage demeure constant comme le soleil, le sot change comme la lune*[h].

Dans ce passage, que faut-il entendre par les rayons du soleil, sinon la finesse des sages ? Mais parce que beaucoup qui, dans la sainte Église, semblaient resplendir de la lumière de la sagesse, alors prisonniers de conseils persuasifs, ou terri-

45 suasionibus capti, uel minis territi, uel cruciatibus fracti, Leuiathan istius seditioni subiciunt, recte dicitur : *Sub ipso erunt radii solis*. Ac si aperte diceretur : Hi qui intra sanctam Ecclesiam per acumina sapientiae quasi radios uidebantur lucis aspergere, et per auctoritatem rectitudinis desuper re-
50 splendere, potestati Leuiathan istius iniqua se operatione substernunt ; ut non iam recta praedicando desuper luceant, sed ei peruerse obsequendo famulentur.

Solis ergo radii sub ipso sunt, cum nonnulli etiam docti uiri sapientiae suae acumina non libere agendo subleuant,
55 sed ad uestigia Leuiathan istius et peruersitate operis, et blandimento adulationis inclinant ; ut intellegentia, quae illis sicut sol desuper fuit ex caelesti munere, antiqui hostis pedibus substernatur ex terrena cupiditate. Vnde et nunc cum quisque sapientium atque doctorum pro commodo
60 uel gloria uitae temporalis per adulationis lapsum terrenis se potestatibus praue agentibus subicit, quasi sub uestigiis uenientis Antichristi solis se radiis sternit. Et uelut caeli lucem sibi Behemoth humiliat, dum per pestiferum assensum sapientium mentes calcat.

65 Totiens etiam Leuiathan istius pedibus se radii solis subdunt, quotiens hi qui doctrinae uidentur lumine resplendere, immoderato acumine praua in sacro eloquio sentiunt, peruersisque sensibus eius se erroribus substernunt, quia dum contra fidelia ueritatis praedicamenta se erigunt, Leuiathan
70 huius uestigiis falsa sentiendo famulantur.

fiés par des menaces, ou brisés par des tourments, se soumettent à la révolte de ce Léviathan, il est dit avec raison : *Les rayons du soleil seront au-dessous de lui.* Comme si l'on disait clairement : Ceux qui, à l'intérieur de la sainte Église, par la fine pointe de leur sagesse, semblaient répandre pour ainsi dire des rayons de lumière et, par l'autorité de leur droiture, resplendir d'en haut, se soumettent au pouvoir de ce Léviathan par leur conduite perverse ; ainsi, ils ne brillent plus désormais d'en haut en prêchant le bien, mais en suivant Léviathan dans le péché, ils deviennent ses esclaves.

Les rayons du soleil sont au-dessous de lui, lorsque quelques-uns, même savants, n'élèvent pas, en agissant librement, la fine pointe de leur sagesse, mais s'abaissent à suivre les traces de ce Léviathan, et par la perversité de leurs actions, et par des adulations flatteuses ; de la sorte, l'intelligence qui, tel un soleil, leur a été donnée d'en haut par une grâce céleste, se prosterne aux pieds de l'antique ennemi, du fait de leur concupiscence terrestre. C'est pourquoi, dès maintenant, lorsque l'un ou l'autre des sages ou des docteurs, en vue de quelque avantage ou de quelque gloire de la vie présente, se soumet, par le biais de la flatterie, aux puissances terrestres dont la conduite est vicieuse, c'est comme s'il se prosternait avec les rayons du soleil sous les pieds de l'Antichrist qui vient. Et c'est comme si Béhémoth rabaissait la lumière du ciel sous lui, lorsque, par leur consentement pernicieux, il piétine l'âme des sages.

Les rayons du soleil se mettent aussi sous les pieds de Léviathan, chaque fois que ceux qui semblent resplendir de la lumière de la doctrine ont, par un excès de finesse, des opinions erronées sur la sainte Écriture et se soumettent, du fait de leurs jugements pervers, aux erreurs du Léviathan, parce que, lorsqu'ils s'élevent contre les dogmes conformes à la vérité, ils suivent, en ayant des opinions erronées, les traces de ce Léviathan.

Totiens radii solis sub ipso sunt, quotiens docti quippe, et intellegentiae luce pollentes, uel despectis ceteris in elatione se erigunt ; uel summa quae sapiunt postponentes, sordidis carnis desideriis inquinantur ; uel obliti caelestium, ter-
75 rena ambiunt ; uel non reminiscentes quia terra sunt, de cognitione caelestium inaniter gloriantur. Vnde et recte ibi subiungitur :

41,21 XV, **26.** ***Sternet sibi aurum quasi lutum.*** Appellatione quippe auri in sacro eloquio aliquando diuinitatis claritas, aliquando splendor supernae ciuitatis, aliquando caritas, aliquando nitor gloriae saecularis, aliquando pulchritudo
5 sanctitatis accipitur.

Auri enim nomine ipsa intima diuinitatis claritas designatur, sicut in Canticorum canticis species sponsi describitur : *Caput eius aurum optimum* [a]. Quia enim caput Christi Deus [b], nil uero est in metallis auro fulgentius, sponsi caput
10 aurum dicitur, quia eius humanitas ex diuinitatis suae nobis claritate principatur. Rursum auri nomine splendor supernae ciuitatis accipitur, sicut hanc Ioannes se uidisse testatur, dicens : *Ipsa ciuitas auro mundo simile uitro mundo* [c]. Aurum namque ex quo illa ciuitas constat, simile uitro dicitur, ut
15 et per aurum clara, et per uitrum perspicua designetur. Rursum auri nomine caritas intimatur, sicut angelum quem sibi loqui idem Ioannes aspexit, ad mamillas zona aurea cinctum uidit [d], quia nimirum supernorum ciuium pectora dum poenali iam nequaquam timori subiecta sunt, atque
20 a se uicissim nulla scissione soluuntur, ex sola se caritate constringunt. Zonam quippe auream circa mamillas habere, est cunctos mutabilium cogitationum motus per solius iam amoris uincula restringere. Rursum auri nomine, nitor

26. a. Ct 5, 11 b. Cf. 1 Co 11, 3 c. Ap 21, 18 d. Cf. Ap 1, 13

Les rayons du soleil sont au-dessous de lui toutes les fois que des savants, ou des personnes brillant de la lumière de l'intelligence, se dressent avec orgueil en méprisant les autres, ou, négligeant leurs connaissances sublimes, se souillent des désirs impurs de la chair ; ou, oubliant les biens célestes, recherchent ceux de la terre ; ou, ne se rappelant pas leur condition terrestre, se vantent avec fatuité de leur connaissance des réalités célestes. Aussi le texte poursuit-il ici avec raison :

Sens divers de l'or

XV, **26.** ***Il fait son lit sur l'or comme si c'était de la boue.*** Dans l'Écriture sainte, on appelle « or » parfois l'éclat de la divinité, parfois la splendeur de la cité céleste, parfois la charité, parfois le brillant de la gloire séculière, parfois la beauté de la sainteté. **41,21**

Sous le vocable d'or est désigné l'éclat intérieur même de la divinité, de même que, dans le Cantique des cantiques, la beauté de l'époux est décrite : *Sa tête est d'or très fin*[a]. Puisque la tête du Christ est Dieu[b], et qu'il n'y a rien parmi les métaux de plus éclatant que l'or, la tête de l'époux est appelée or, parce que son humanité règne sur nous par l'éclat de sa divinité. Le nom d'or peut aussi signifier la splendeur de la cité céleste, comme Jean atteste l'avoir vue lorsqu'il dit : *La cité elle-même est d'or pur semblable à du verre pur*[c]. L'or dont cette cité est bâtie est dit semblable à du verre pour signifier qu'elle brille de l'éclat de l'or et qu'elle est transparente comme du verre. Sous le vocable d'or est aussi désignée la charité : le même Jean vit l'ange qui lui parlait avec une ceinture d'or serrée sur la poitrine[d], c'est-à-dire que les cœurs des citoyens célestes, dès lors qu'ils ne sont plus du tout soumis à la crainte d'un châtiment, ni séparés les uns des autres par aucune division, sont liés entre eux par la seule charité. Avoir une ceinture d'or autour de la poitrine, c'est réprimer toutes les pulsions des pensées changeantes désormais par les liens du seul amour. Sous le nom d'or est

gloriae temporalis exprimitur, sicut per prophetam dicitur : 25 *Calix aureus Babylon*[e]. Quid enim Babylonis nomine, nisi huius mundi gloria designatur ? Quae calix aureus dicitur, quia dum pulchra esse temporalia ostentat, stultas mentes in sua concupiscentia debriat, ut speciosa temporalia appetant, et inuisibilia pulchra contemnant. Hoc aureo calice prima 30 sponte sua Eua debriata est, de qua historia ueritatis dicit, quia cum uetitum lignum concupisceret, uidit quod esset pulchrum uisu, aspectuque delectabile et comedit[f]. Aureus ergo Babylon calix est, quia dum uisum exterioris pulchritudinis ostendit, sensum internae rectitudinis subtrahit. 35 Rursum auri nomine splendor sanctitatis accipitur, sicut iudaicum populum a splendore iustitiae ad nequitiae tenebras commutatum Ieremias deplorat dicens : *Quomodo obscuratum est aurum, mutatus est color optimus*[g] ? Sicut enim et superius diximus, aurum obscuratur, cum subsequentibus 40 iniquitatum tenebris, iustitiae pulchritudo deseritur. Color optimus mutatur, cum splendor innocentiae in foeditatem uertitur culpae.

27. Luti quoque nomine, in sacro eloquio aliquando terrenarum rerum multiplicitas, aliquando sordidum sapiens iniqua doctrina, aliquando autem desiderii carnalis illecebra designatur.

5 Per lutum quippe terrenarum rerum multiplicitas figuratur, sicut per Habacuc prophetam dicitur : *Vae ei qui multiplicat non sua ! Vsquequo aggrauat contra se densum lutum*[a] ? Denso enim se luto aggrauat, qui per auaritiam terrena multiplicans, peccati sui se oppressione coangustat. Rursum

26. e. Jr 51, 7 f. Cf. Gn 3, 6 g. Lm 4, 1
27. a. Ha 2, 6

aussi figuré le brillant de la gloire temporelle, comme il est dit par le prophète : *Babylone est une coupe d'or*[e]. Que représente ce nom de Babylone, sinon la gloire de ce monde ? Et si elle est appelée une coupe d'or, c'est qu'en montrant la beauté des biens temporels, elle enivre les esprits insensés de sa convoitise, en sorte qu'ils désirent les biens temporels qui ont bel aspect et méprisent les beautés invisibles. À cette coupe d'or, Ève, la première, de sa propre initiative, s'est enivrée : en effet, l'histoire de la vérité nous dit que, saisie de convoitise pour l'arbre défendu, elle vit que son fruit était beau à voir et délectable dans son aspect ; et elle en mangea[f]. Babylone est donc une coupe d'or, parce que, tandis qu'au dehors elle exhibe aux yeux sa beauté extérieure, elle fait perdre le sens de la rectitude intérieure. Sous le nom d'or, enfin, c'est la splendeur de la sainteté qui est parfois désignée, ainsi que Jérémie l'entend lorsqu'il déplore que le peuple juif soit passé de la splendeur de la justice aux ténèbres de l'iniquité et dit : *Comment l'or s'est-il terni, comment sa couleur éclatante a-t-elle été changée*[g] ? Car comme nous l'avons dit plus haut, l'or se noircit quand, les ténèbres des péchés venant ensuite, la beauté de la justice est abandonnée. Sa couleur éclatante change, lorsque la splendeur de l'innocence fait place à la flétrissure du péché.

Sens divers de la boue

27. Le mot boue désigne parfois dans la sainte Écriture l'abondance des biens terrestres, parfois une doctrine malsaine qui a le goût de ce qui est sordide, parfois aussi la séduction du désir charnel.

Ainsi la boue figure l'abondance des biens terrestres comme il est dit par le prophète Habacuc : *Malheur à celui qui amasse ce qui ne lui appartient pas ! Jusques à quand entasse-t-il sur lui de la boue épaisse*[a] ? Car il se charge d'un tas de boue celui qui, multipliant par avarice les biens terrestres, s'oppresse lui-même sous le poids de son péché. Le nom de boue peut

10 luti nomine doctrina sordidum sapiens designatur, sicut per eumdem prophetam Domino dicitur : *Viam fecisti in mari equis tuis, in luto aquarum multarum*[b]. Ac si diceret : Aperuisti iter praedicatoribus tuis inter doctrinas huius saeculi sordida et terrena sapientes. Per lutum quoque 15 desiderium sordidae uoluptatis exprimitur, sicut psalmista deprecans ait : *Eripe me de luto, ut non inhaeream*[c]. Luto quippe inhaerere, est sordidis desideriis concupiscentiae carnalis inquinari.

28. Hoc igitur loco aurum claritas sanctitatis accipitur, lutum uero uel terrenarum rerum auaritiam, uel prauarum contagia doctrinarum, uel sordes carnalium uoluptatum nil obstat intellegi. Quia enim multos Leuiathan iste, qui intra 5 sanctam Ecclesiam fulgore iustitiae resplendere uidebantur, tunc uel terrenarum rerum concupiscentia, uel errantis doctrinae contagio, uel carnalibus sibi uoluptatibus subicit, aurum sibi procul dubio quasi lutum sternit. Aurum enim quasi lutum sternere, est in quibusdam uitae munditiam per 10 illicita desideria conculcare ; ut hi etiam sordidis eius uestigiis seruiant, qui contra illum prius uirtutum splendore rutilabant. Antiquus itaque hostis aliis tunc sub specie sanctitatis illudit, alios autem per foeda uitia uitae carnalis intercipit. Sed tunc per haec aperte grassabitur, nunc autem multorum 15 cordibus occulte dominatur, sicut Paulus apostolus dicit : *Vt reueletur in suo tempore, nam mysterium iam operatur iniquitatis*[a]. Totiens igitur etiam nunc aurum sibi quasi lutum subicit, quotiens castitatem fidelium per carnis uitia

27. b. Ha 3, 15 c. Ps 68, 15
28. a. 2 Th 2, 6-7

aussi désigner une doctrine qui a le goût de ce qui est sordide, comme il est dit au Seigneur par le même prophète : *Tu as fait à tes chevaux un chemin dans la mer, dans la boue des grandes eaux*[b]. Comme s'il disait : Tu as ouvert une voie à tes prédicateurs au milieu des doctrines de ce siècle, qui n'ont de goût que pour ce qui est sordide et terrestre. Par la boue est aussi signifié le désir de sordides plaisirs, par exemple dans cette prière du psalmiste : *Tire-moi de la boue, de peur que je ne m'enfonce*[c]. Car s'enfoncer dans la boue, c'est se souiller des désirs sordides de la concupiscence charnelle.

Les vices de la chair

28. Ainsi donc, dans ce passage, l'or est l'équivalent de l'éclat de la sainteté ; quant à la boue, rien n'empêche de l'interpréter soit de l'avarice des biens terrestres, soit de la contagion des doctrines perverses, soit du caractère sordide des plaisirs charnels. Parce que beaucoup d'hommes, en effet, qui, à l'intérieur de la sainte Église, semblaient resplendir de l'éclat de la justice, ce Léviathan se les assujettit, ou bien par la cupidité des biens terrestres, ou par la contagion d'une doctrine erronée, ou encore par les plaisirs charnels, l'on peut dire assurément qu'il fait son lit sur l'or comme si c'était de la boue. Faire son lit sur l'or comme si c'était de la boue, c'est, pour certains, fouler aux pieds la pureté de la vie par des désirs illicites ; en sorte que se mettent à suivre ses traces sordides même ceux qui, s'opposant à lui, brillaient auparavant de la splendeur des vertus. Car l'antique ennemi en trompe alors certains sous prétexte de sainteté et en prend d'autres par surprise à l'occasion des vices honteux de la vie charnelle. A ce moment-là, il exercera ainsi ouvertement ses brigandages, mais, dès maintenant, il est en secret le maître de bien des cœurs, comme le dit l'apôtre Paul : *Afin qu'il apparaisse en son temps, car déjà s'opère le mystère d'iniquité*[a]. C'est pourquoi maintenant aussi il s'assujettit l'or comme de la boue, chaque fois qu'il fait son lit de la chasteté des

sternit. Totiens aurum uelut lutum calcat, quoties sensum
20 continentium per immunda desideria dissipat. Quod tunc
tanto uehementius peragit, quanto, suae perditae libertati
commissus, hoc quod appetit, effrenatius perpetrat.

29. Et fortasse quempiam moueat cur misericors Deus
fieri ista permittat, ut Leuiathan iste seu nunc per sugges-
tiones callidas, siue tunc per damnatum illum quem replet
hominem, uel solis sibi radios, id est doctos quosque
5 sapientesque subiciat, uel aurum, hoc est uiros sanctitatis
claritate fulgentes, quasi lutum sibi uitiis coinquinando
substernat. Sed citius respondemus quia aurum quod prauis
eius persuasionibus quasi lutum sterni potuerit, aurum
ante Dei oculos nunquam fuit. Qui enim seduci quando-
10 que non reuersuri possunt, quasi habitam sanctitatem ante
oculos hominum uidentur amittere ; sed eam ante Dei
oculos numquam habuerunt. Saepe namque homo multis
occulte peccatis inuoluitur, et in una aliqua uirtute magnus
uidetur. Quae ipsa quoque uirtus inanescens deficit, quia
15 dum innotescit hominibus, procul dubio laudatur, eiusque
laus inhianter appetitur. Vnde fit ut et ipsa uirtus ante Dei
oculos uirtus non sit, dum abscondit quod displicet, prodit
quod placet.

Quae itaque esse merita apud Dominum possunt, quando
20 et mala occulta sunt, et bona publica ? Plerumque enim,
sicut diximus, latet superbia, et castitas innotescit ; atque
ideo ostensa diu castitas circa uitae finem perditur, quia
cooperta superbia usque ad finem incorrecta retinetur. Alius
eleemosynis uacat, propria distribuit ; sed tamen multis in-

fidèles par les vices de la chair. Il piétine l'or comme de la boue chaque fois qu'il distrait la pensée des continents par des désirs impurs. Il agit alors avec d'autant plus de violence que, condamné à perdre sa liberté, il accomplit ce qu'il veut avec un emportement plus déréglé.

Les péchés cachés

29. Et peut-être quelqu'un sera-t-il troublé par le fait que Dieu miséricordieux permette qu'il en soit ainsi et que ce Léviathan, soit actuellement par les suggestions de sa ruse, soit lors des derniers temps par cet homme damné dont il prend possession, soumette les rayons du soleil que sont tous les doctes et les sages, ou fasse son lit de l'or que sont les hommes brillant de l'éclat de la sainteté, comme si c'était de la boue en les souillant de vices. Mais nous répondons bien vite que l'or dont il aura pu faire son lit comme si c'était de la boue par ses suggestions perverses, n'a jamais été de l'or aux yeux de Dieu. Car ceux qui peuvent être séduits sans retour, semblent peut-être aux yeux des hommes perdre une sainteté qu'ils possédaient, mais ils ne l'ont, en réalité, jamais eue aux yeux de Dieu. Car souvent un homme est impliqué secrètement dans une multitude de péchés, alors qu'il semble vénérable par quelque vertu isolée. Mais cette fameuse vertu elle-même s'évanouit dans le vide, car, en étant connue des hommes, elle en est incontestablement louée et cette louange est avidement désirée. Voilà pourquoi cette vertu elle-même n'en est pas une aux yeux de Dieu, tant qu'elle cache ce qui est déplaisant et étale ce qui plaît.

Voyons ! Quels peuvent être les mérites devant Dieu lorsque le mal est tenu secret, et le bien publié ? Souvent en effet, comme nous l'avons dit, la superbe se cache et la chasteté se fait connaître ; et cette chasteté, longtemps objet d'ostentation, est perdue vers la fin de la vie, parce que la superbe dissimulée est conservée sans être corrigée jusqu'au bout. Un autre s'adonne à l'aumône, il distribue ses biens,

25 iustitiis seruit, uel fortasse linguam in detractionibus exercet. Et fit plerumque ut is qui misericors fuerat iuxta uitae suae terminum rapacitatis et crudelitatis stimulis inardescat. Quod ualde iusto iudicio agitur, ut et perdat ante homines unde hominibus placuit, qui hoc unde Deo displicuit, 30 corrigere numquam curauit. Alius patientiae studet ; sed inuidere aliis, et seruare in corde malitiam non cauet, fit quandoque impatiens, quia diu latuit dolens. Hi itaque et per aliquid aurum sunt, et per aliquid lutum. Atque hoc aurum quasi lutum sternitur, quando occultis peccatis exigentibus, 35 etiam uirtus quae publice claruerat dissipatur. Sed operae pretium credimus si in his uirtutem superni ordinis subtilius perpendamus.

30. Saepe enim omnipotens Deus occulta eorum mala diu tolerat, et aperta eorum bona electorum suorum usibus profutura dispensat. Nam nonnulli mundum nequaquam funditus deserentes, non perseueraturi angustum iter ar- 5 ripiunt, sed ad quaerendam angustam uiam exemplo suo eos qui perseueraturi sunt accendunt [a]. Vnde plerumque contingit ut ipsum hoc quod bene uidentur uiuere, non sibi, sed solis potius electis uiuant, dum exemplis suis ad bene uiuendi studia perseueraturos alii non perseueraturi 10 prouocant. Saepe enim quosdam uidemus uiam ingredi, ad locum propositum festinare, quos alii quia euntes conspiciunt sequuntur ; eumdemque pariter locum petunt. Sed fit plerumque ut, irruente aliquo implicationis articulo,

30. a. Cf. Mt 7, 13-14

mais, par ailleurs, commet beaucoup d'injustices ou peut-être emploie sa langue à la médisance. Et il arrive souvent que celui qui avait été miséricordieux soit, à la fin de sa vie, brûlé des traits de la rapacité et de la cruauté. Cela advient par un très juste jugement, en sorte que celui-là perde devant les hommes ce par quoi il a plu aux hommes, lui qui ne s'est jamais soucié de corriger ce en quoi il a déplu à Dieu. Un autre s'applique à la patience ; mais il ne prend pas garde à sa jalousie envers autrui et à la malice conservée dans son cœur, il devient un jour impatient, parce qu'il a longtemps dissimulé ses plaintes. C'est pourquoi ceux-là sont de l'or par un aspect, et de la boue par un autre. Et cet or est comme un lit de boue lorsque, sous la pression des péchés cachés, même la vertu qui avait brillé publiquement s'évanouit. Mais nous croyons qu'il vaut la peine d'évaluer en eux avec plus de précision la puissance de l'ordre divin.

Vertu de l'exemple

30. Souvent, en effet, le Dieu tout-puissant tolère longtemps leurs mauvaises actions cachées et utilise leurs bonnes actions manifestes à l'usage et au profit des élus. Quelques-uns, en effet, sans néanmoins renoncer totalement au monde, s'engagent dans un chemin étroit où ils ne persévéreront pas, mais, par leur exemple, ils en enflamment d'autres à se mettre en quête de cette voie étroite dans laquelle eux persévéreront[a]. C'est ainsi que, très souvent, il arrive que cette vie même qu'on les voit mener conforme au bien, ils ne la mènent pas pour eux, mais plutôt pour les seuls élus, puisque, par leurs exemples, eux qui ne persévéreront pas incitent ceux qui persévéreront dans le zèle d'une vie conforme au bien. Nous en voyons souvent, en effet, s'engager dans un chemin et se hâter vers le but, et d'autres les suivre parce qu'ils les voient marcher, pour chercher, eux aussi, à atteindre le même but. Mais il advient la plupart du temps qu'un embarras se présentant à une certaine étape, ceux qui marchaient en tête

post se redeant qui praeibant, et hi ad locum perueniant
15 qui sequebantur. Ita nimirum sunt qui non perseueraturi uiam sanctitatis arripiunt. Idcirco enim uirtutis iter non peruenturi incohant, ut eis qui peruenturi sunt qua gradiantur ostendant. Quorum etiam casus, utilitate non modica, electorum profectibus seruit, quia illorum lapsum dum
20 conspiciunt, de suo statu contremiscunt ; et ruina quae illos damnat istos humiliat. Discunt enim in superni adiutorii protectione confidere, dum plerosque conspiciunt de suis uiribus cecidisse. Quando ergo bene agere uidentur reprobi, quasi planum iter electis sequentibus monstrant ; quando
25 uero in lapsum nequitiae corruunt, electis post se pergentibus quasi cauendam superbiae foueam ostendunt.

Eat ergo Leuiathan iste, et solis sibi radios subdat, atque aurum luti more subiciat. Scit omnipotens Deus ad electorum suorum solatium bene uti malo reproborum, quando
30 hi qui ad illum peruenturi sunt, et suis ad eum meritis proficiunt, et saepe in eo quod superbe sapiunt, alienis lapsibus corriguntur. Sed si haec Leuiathan agit in eis etiam quos claros aliqua uirtus ostendit, quid de illis facturus est quorum mens uel ex parte aliqua subleuata a terrenis concupiscentiis
35 non est ? Quos tamen diuinus sermo aperte exprimit, dum subiungit :

41,22 XVI, **31**. ***Feruescere faciet quasi ollam profundum mare.*** Quid per mare nisi uita saecularium, quid per profundum, nisi altae et abditae eorum cogitationes exprimuntur ? Quod profundum mare Leuiathan iste quasi ollam facit feruescere,

font demi-tour, et ceux qui suivaient parviennent au but. Il en est ainsi assurément de ceux qui embrassent la voie de la sainteté où ils ne persévéreront pas. De fait, ils s'engagent sur la route de la vertu, où ils ne parviendront pas, pour montrer le chemin à ceux qui y marcheront jusqu'au bout. Même leur chute sert, avec une utilité non négligeable, aux progrès des élus, parce qu'en voyant le faux-pas de ceux-là, ils tremblent alors au sujet de leur propre stabilité, et la chute, qui cause la perte des uns, garde les autres dans l'humilité. Ils apprennent, en effet, à mettre leur confiance dans la protection du secours divin, lorsqu'ils voient la plupart tomber en se fiant à leurs propres forces. Ainsi, quand les réprouvés semblent bien agir, ils indiquent pour ainsi dire un chemin facile aux élus qui les suivent, mais lorsqu'ils glissent sur la pente du péché, ils montrent en quelque sorte aux élus qui marchent derrière eux la fosse de la superbe qu'il faut éviter.

Qu'il vienne donc ce Léviathan, qu'il soumette les rayons du soleil, et qu'il assujettisse l'or comme de la boue ! Le Dieu tout-puissant sait, pour la consolation de ses élus, se servir bien de la méchanceté même des réprouvés, puisque ceux qui doivent parvenir jusqu'à lui progressent vers lui, et par leurs propres mérites, et souvent en étant corrigés par la chute des autres de leurs pensées orgueilleuses. Mais si Léviathan agit ainsi envers ceux-là mêmes qu'une certaine vertu fait remarquer, que fera-t-il pour ceux dont l'âme ne s'élève pas, si peu que ce soit, au-dessus des convoitises terrestres ? Ce sont pourtant eux que désigne clairement la parole divine, quand elle ajoute :

Les serviteurs de l'Antichrist

XVI, **31.** ***Il fera bouillir les profondeurs de la mer comme une marmite.*** Que signifie la mer, sinon la vie de ceux qui vivent dans le siècle, et sa profondeur, sinon leurs pensées secrètes et dissimulées ? Et ces profondeurs de la mer, Léviathan les fait bouillir comme une marmite, parce que, c'est bien certain,

41,22

5 quia nimirum constat, quod persecutionis extremae tempore contra electorum uitam studeat animos reproborum per flammam crudelitatis excitare. Tunc profundum mare quasi olla feruescit, cum corda dilectorum saeculi ualido ardore succendit ; et quae hoc pacis tempore intra suam malitiam 10 clausa latuerunt, tunc in aestum immanissimae persecutionis ebulliunt ; ac per abruptam crudelitatis apertae licentiam ea quae diu presserant odia antiqui liuoris exhalant. Quia autem pestifero errore persuasi, sic in istis famulantur Antichristo, ut tunc uerius praebere se aestiment obsequium Christo, 15 postquam dixit : *Feruescere faciet quasi ollam profundum mare*, apte subiunxit :

41,22 XVII, **32.** ***Ponet quasi cum unguenta bulliunt.*** Vnguenta quippe cum bulliunt, fragrantiam suauitatis reddunt. Quia ergo Leuiathan iste ita seducit corda reproborum, ut quicquid agunt ex iniquitate perfidiae pro ueritate rectae fidei se 5 agere suspicentur, quasi bene eis olet id quod zelo religionis exercent. Vnde in euangelio discipulis Veritas dicit : *Vt omnis qui interficit uos, arbitretur se obsequium praestare Deo*[a]. Igitur sicut olla feruent, dum crudeliter persequuntur ; sed apud eos ipsa persecutio unguentorum fragrantiam redolet, 10 dum mens eorum, uanis suspicionibus decepta, aestimat quia Deo obsequium persoluat. In scriptura enim sacra unguentorum odoribus opinio solet signari uirtutum. Vnde sponsa in Canticis canticorum sponsum desiderans dicit : *In odorem unguentorum tuorum currimus*[b]. Et unde Paulus

32. a. Jn 16, 2 b. Ct 1, 3

au temps de l'ultime persécution, il s'efforcera de ranimer dans l'âme des réprouvés la flamme de la cruauté contre la vie des élus. Et c'est alors que les profondeurs de la mer se mettent à bouillir comme une marmite, lorsqu'il enflamme d'une passion brûlante le cœur des amants de ce siècle, et que, ce qui en temps de paix est resté caché au sein de sa malice, sort dès lors en bouillonnant dans l'ardeur de la plus inhumaine persécution. Et, dans la brusque licence d'une cruauté manifeste, ils exhalent les haines nées de l'antique envie que, depuis longtemps, ils avaient retenues. Persuadés par une erreur néfaste, ils sont à ce point en ceux-là les serviteurs de l'Antichrist qu'ils s'imaginent plutôt rendre de la sorte hommage au Christ. C'est pourquoi, après avoir dit : *Il fera bouillir les profondeurs de la mer comme une marmite*, le texte a bien ajouté :

La réputation de vertu

XVII, **32.** ***Il la rendra comme des parfums en ébullition.*** Quand des parfums sont en ébullition, ils répandent une odeur suave. Et puisque ce Léviathan trompe tellement les cœurs des réprouvés qu'ils estiment travailler pour la vérité de la foi authentique en tout ce qu'ils entreprennent du fait de leur iniquité et de leur manque de foi, ce qu'ils accomplissent ainsi sous prétexte de zèle religieux a pour eux l'odeur d'un parfum. C'est pourquoi, dans l'Évangile, la Vérité dit aux disciples : *Quiconque vous fera mourir estimera rendre hommage à Dieu*[a]. C'est pourquoi ils sont bouillants comme une marmite lorsqu'ils persécutent avec cruauté, mais, pour eux, cette persécution elle-même exhale l'odeur des parfums, tandis que leur esprit, trompé par de vaines conjectures, estime qu'il rend hommage à Dieu. Dans l'Écriture sainte, en effet, la réputation de vertu est d'ordinaire figurée par l'odeur des parfums. Ainsi l'épouse du Cantique des cantiques, à la recherche de l'époux, dit : *Nous courons à l'odeur de tes parfums*[b]. Et, de même, l'apôtre Paul, sachant qu'il répan-

41,22

15 apostolus uirtutum laude fragrare se sciens, ait : *Christi bonus odor sumus Deo*[c]. Itaque quia Leuiathan iste ministros illius perditi uasis sui in crudelitatis opera sub opinione laudis et praetextu uirtutis intercipit, postquam dixit : *Feruescere faciet quasi ollam profundum mare*, recte mox subditur : *Ponet quasi*
20 *cum unguenta bulliunt*. Quod enim per crudelitatis incendium mare feruet, hoc in eorumdem iudicio qui excitantur falso nomine uirtutis ; ac si unguenta bulliant, ostendit, ut tanto atrociores ad crudelitatem fiant, quanto se etiam mereri praemia quasi pro zelo religionis existimant. Iustumque hoc
25 est diuino iudicio, ut qui pietatis uim perpendere et custodire neglegunt, suspicionis suae odore fallantur. Vnde et ad illusionis augmentum, eos crudelia perpetrantes signa quoque ac prodigia subsequuntur, sicut et recte subiungitur :

41,23 XVIII, **33.** ***Post eum lucebit semita.*** Post Leuiathan quippe semita lucere perhibetur, quia quaqua transit, admirationem nimiam ex miraculorum suorum claritate derelinquit, et siue per se, seu per ministros suos quolibet
5 prodeat, mendacibus signis coruscat[a]. Vnde et hoc quod iam saepe protulimus in euangelio Veritas dicit : *Surgent pseudochristi et pseudoprophetae ; et dabunt signa et prodigia, ita ut in errorem inducantur, si fieri potest, etiam electi*[b]. Semita igitur post Leuiathan lucet, quia quorum corda penetrat,
10 eorum opera prodigiis illustrat, ut nimirum tanto altius eorum mentes in erroris tenebras teneat, quanto per eos

32. c. 2 Co 2, 15
33. a. Cf. 2 Th 2, 9 b. Mt 24, 24

dait un parfum par sa réputation de vertu, affirme : *Nous sommes devant Dieu la bonne odeur du Christ*[c]. Et parce que ce Léviathan prend par surprise les serviteurs de celui-ci, qui est l'instrument de sa perdition, en vue d'actions de cruauté accomplies sous couvert de mérite et sous prétexte de vertu, après avoir dit : *Il fera bouillir les profondeurs de la mer comme une marmite*, il est ajouté aussitôt : *Il la rendra comme des parfums en ébullition.* Après avoir indiqué par la mer qui bout l'incendie de la cruauté, l'Écriture le montre sous l'image de parfums en ébullition, pour la condamnation de ces gens qui sont mis en branle par le faux nom de vertu, au point de devenir d'autant plus atroces dans leur cruauté qu'ils s'imaginent mériter des récompenses pour leur zèle religieux. Et c'est par un juste jugement de Dieu que ceux qui négligent de prendre en considération la valeur de la piété et de s'y conformer, sont abusés par le parfum trompeur qui est le leur. Et pour accroître leur illusion, ceux-là mêmes qui accomplissent des crimes atroces sont accompagnés de miracles et de prodiges, ainsi qu'il est bien dit dans la suite du texte :

Ruses de Léviathan

XVIII, **33.** ***Derrière lui le sentier répandra de la lumière.*** **41,23** Il est dit que le sentier répandra de la lumière derrière Léviathan, car partout où il passe, il laisse une admiration excessive pour l'éclat de ses miracles, et, que ce soit par lui-même ou par ses ministres, il brille, où qu'il aille, par des signes mensongers[a]. C'est pourquoi, ainsi que nous l'avons souvent remarqué, la Vérité dit dans l'Évangile : *Des pseudochrists et des pseudoprophètes se lèveront ; ils feront des miracles et des prodiges au point d'induire en erreur les élus eux-mêmes, si c'était possible*[b]. Ainsi le chemin répand de la lumière derrière Léviathan, parce que ceux dont il occupe le cœur, il fait briller par des prodiges leurs œuvres, au point de maintenir leurs esprits dans les ténèbres de l'erreur d'autant plus profondément que, par

foris quasi potentius lucem de miraculis ostentat. Sed sunt nonnulli qui in memoria et uerba prophetica, et euangelica praecepta retinentes, sciant et falsa esse signa quae exhibet, et
15 uera supplicia ad quae decipiens trahit. Horum corda Leuiathan iste, quia sanctitatis ostentatione non intercipit, in alia se eis illusione componit. Quosdam namque haec scientes, sed tamen praesentem uitam diligentes conspicit, quorum protinus mentibus uentura supplicia leuigat, finienda quan-
20 doque districtionis iudicia asserit ; et deceptos callide ad praesentes uoluptates rapit. Vnde et apte mox subditur :

41,23 XIX, **34.** ***Aestimabit abyssum quasi senescentem.*** Quod aeterna incomprehensibiliaque iudicia, abyssi soleant nomine designari, psalmista testatur dicens : *Iudicia tua abyssus multa*[a]. Senectus uero aliquando pro finis propinquitate
5 ponitur. Vnde ait apostolus : *Quod antiquatur et senescit, prope interitum est*[b]. Leuiathan itaque iste aestimabit abyssum quasi senescentem, quia reproborum corda sic fatuat, ut suspicionem eis de uenturo iudicio quod quasi finiatur infundat. Abyssum namque senescere aestimat, qui termi-
10 nari quandoque in suppliciis supernam animaduersionem putat. Igitur antiquus iste persuasor in membris suis, id est in mentibus iniquorum, futuras poenas leuigat, quas quasi certo fine determinat, ut eorum culpas sine termino correptionis extendat ; et eo magis hic peccata non finiant,
15 quo illic aestimant peccatorum supplicia finienda.

34. a. Ps 35, 7 b. He 8, 13

leur intermédiaire, au dehors, il semble avec plus de puissance faire montre de lumière par leurs miracles. Mais il y en a quelques-uns qui, gardant en mémoire à la fois les paroles des prophètes et les préceptes de l'Évangile, savent bien que tous les miracles qu'il montre sont faux, mais que, par contre, bien réels sont les supplices vers lesquels il entraîne par ces illusions. Ces gens-là, Léviathan, ne pouvant surprendre leur cœur par une apparence de sainteté, leur prépare d'autres séductions pour les tromper. Il en voit certains qui, sans ignorer cela, restent pourtant attachés à la vie présente : il s'empresse alors d'alléger dans leur esprit la pensée des supplices à venir, les persuade que la rigueur des jugements divins aura une fin, et, avec habileté, entraîne vers les plaisirs immédiats ceux qu'il a ainsi pris au piège. C'est pourquoi, à juste titre, le texte poursuit :

Illusion des réprouvés

XIX, **34.** ***Il considérera l'abîme comme vieillissant.*** Que le mot d'abîme désigne d'ordinaire les jugements éternels et incompréhensibles, le psalmiste l'atteste, quand il dit : *Tes jugements sont un abîme profond*[a]. Quant à la vieillesse, elle signifie parfois l'approche de la fin. Ainsi l'Apôtre affirme : *Ce qui est ancien et vieillissant est près de disparaître*[b]. Léviathan considérera donc l'abîme comme vieillissant, parce qu'il leurre le cœur des réprouvés au point de leur faire croire que le jugement futur doit avoir une fin. Il estime que l'abîme vieillit, celui qui s'imagine qu'un jour prendra fin dans les supplices la réprobation divine. Ainsi donc cet antique tentateur allège en ses membres – que sont les esprits des pécheurs – les peines futures qu'il limite comme par une fin certaine, de sorte qu'il prolonge leurs fautes sans que l'admonestation y mette un terme, et leurs péchés cessent d'autant moins aujourd'hui qu'ils estiment que plus tard les supplices des pécheurs doivent avoir une fin.

41,23

35. Sunt enim nunc etiam qui idcirco peccatis suis ponere finem neglegunt, quia habere quandoque finem futura super se iudicia suspicantur. Quibus breuiter respondemus : Si quandoque finienda sunt supplicia reproborum, quando-
5 que ergo finienda sunt et gaudia beatorum. Per semetipsam namque Veritas dicit : *Ibunt hi in supplicium aeternum, iusti autem in uitam aeternam* [a]. Si igitur hoc uerum non est quod minatus est, neque illud uerum est quod promisit. At inquiunt : Ideo aeternam poenam peccantibus minatus
10 est, ut eos a peccatorum perpetratione compesceret, quia creaturae suae aeterna supplicia minari debuit, non inferre. Quibus citius respondemus : Si falsa minatus est ut ab iniustitia corrigeret, etiam falsa est pollicitus ut ad iustitiam prouocaret. Et quis hanc eorum uesaniam toleret, qui dum
15 promissionibus suis reproborum supplicia finiri asserunt, assertione sua etiam electorum praemia remunerationesque confundunt ? Quis hanc eorum uesaniam toleret, qui conantur astruere uerum non esse, quod Veritas de aeterno igne minata est, et dum satagunt Deum perhibere miseri-
20 cordem, non uerentur praedicare fallacem ?

36. At inquiunt : Sine fine puniri non debet culpa cum fine. Iustus nimirum est omnipotens Deus, et quod non aeterno peccato commissum est, aeterno non debet puniri tormento. Quibus citius respondemus quod recte dicerent, si iudex
5 iustus districtusque ueniens, non corda hominum, sed facta pensaret. Iniqui enim ideo cum fine deliquerunt, quia cum

35. a. Mt 25, 46

1. L'objection de ces contradicteurs (la menace de damnation est fictive) et la réponse de Grégoire (alors les promesses de salut le sont aussi) se retrouvent littéralement dans les *Dialogues* (*Dial.* 4, 46, 1), écrits après les *Morales*. Cette discussion vient d'AUGUSTIN, *Enchiridion* 112.

Réfutation des objections

35. Il y en a, en effet, qui maintenant encore négligent de mettre un terme à leurs péchés, parce qu'ils s'imaginent que le jugement futur qui pèse sur eux aura une fin. Nous leur répondons d'un mot : Si les supplices des réprouvés doivent finir un jour, alors la joie des bienheureux doit également avoir une fin. Car la Vérité dit elle-même : *Ils s'en iront, ceux-ci à une peine éternelle, et les justes à la vie éternelle*[a]. Si ce dont elle a menacé n'est pas vrai, n'est pas vrai non plus ce qu'elle a promis. Mais ils rétorquent : Si les pécheurs ont été menacés de la peine éternelle, c'est pour les retenir de commettre des péchés, car Dieu a été obligé de menacer sa créature des supplices éternels, mais non pas de les lui infliger. Ce à quoi nous répondons aussitôt : Si les menaces pour corriger de l'injustice sont fausses, les promesses pour encourager à la justice sont fausses aussi. Et qui donc supporterait l'extravagance de ceux qui, tout en affirmant par leurs promesses que les supplices des réprouvés ont une fin, nient par là même les récompenses qui gratifient les élus ? Oui, qui supporterait l'extravagance de ceux qui cherchent à démontrer que ne sont pas vraies les menaces de la Vérité au sujet du feu éternel et qui, s'efforçant de persuader que Dieu est miséricordieux, ne craignent pas d'affirmer qu'il est trompeur[1] ?

36. Mais, disent-ils, une faute qui a une fin ne doit pas être punie sans fin. Dieu tout-puissant est juste assurément et ne peut punir d'un tourment éternel ce qui a été commis à l'occasion d'un péché qui n'est pas éternel[2]. Nous leur répondons aussitôt qu'ils auraient raison si le Juge juste et sévère, lors de sa venue, examinait, non pas le cœur des hommes, mais leurs actions. Les méchants, en effet, n'ont fini

2. Même objection chez AUGUSTIN, *Ciu. Dei* 21, 11, où cependant la réponse est différente.

fine uixerunt. Voluissent quippe sine fine uiuere, ut sine fine potuissent in iniquitatibus permanere. Nam magis appetunt peccare quam uiuere ; et ideo hic semper uiuere cupiunt, ut
10 numquam desinant peccare, cum uiuunt. Ad districti ergo iudicis iustitiam pertinet, ut numquam careant supplicio, quorum mens in hac uita numquam uoluit carere peccato ; et nullus detur iniquo terminus ultionis, quia quandiu ualuit, habere noluit terminum criminis.

37. At inquiunt : Nullus iustus crudelitatibus pascitur, et delinquens seruus a iusto domino idcirco caedi praecipitur, ut a nequitia corrigatur. Ad aliquid ergo caeditur cum non eius dominus cruciatibus delectatur. Iniqui autem gehennae
5 ignibus traditi quo fine semper ardebunt ? Et quia certum est quod pius atque omnipotens Deus non pascitur cruciatibus iniquorum, cur cruciantur miseri, si non expiantur ? Quibus citius respondemus quod omnipotens Deus, quia pius est, miserorum cruciatu non pascitur ; quia autem iustus
10 est, ab iniquorum ultione in perpetuum non sedatur. Sed iniqui omnes aeterno supplicio, et quidem sua iniquitate, puniuntur ; et tamen ad aliquid concremantur, scilicet ut iusti omnes et in Deo uideant gaudia quae percipiunt, et in istis respiciant supplicia quae euaserunt, ut tanto in aeternum
15 magis diuinae gratiae debitores se esse cognoscant, quanto in aeternum mala puniri conspiciunt quae eius adiutorio uitare potuerunt.

38. At inquiunt : Et ubi est quod sancti sunt, si pro inimicis suis, quos tunc ardere uiderint, non orabunt, quibus

1. Conception utilitaire des peines, d'origine platonicienne selon AUGUSTIN, *Ciu. Dei* 21, 13. Le même Augustin notait déjà que la vue du supplice des méchants incite les justes sauvés à rendre grâces (*Ciu. Dei* 21, 12).

de pécher que le jour où ils ont fini de vivre. Ils auraient voulu vivre sans fin, afin de pouvoir persévérer sans fin dans leur iniquité. Ils préfèrent, en effet, pécher plutôt que vivre. Et ils désirent vivre toujours en ce monde afin de ne jamais cesser de pécher tant qu'ils vivent. Il appartient donc à la justice d'un juge sévère que jamais ne manque le supplice pour ceux dont l'âme n'a jamais voulu manquer une occasion de pécher en cette vie ; et que nul terme ne soit mis à la punition du pécheur, puisque celui-ci, aussi longtemps qu'il l'a pu, a refusé de mettre un terme à son crime.

37. Mais ils insistent : Aucun juste ne se repaît de cruautés, et un serviteur fautif n'est condamné par un maître juste à être battu que pour être corrigé de sa méchanceté. C'est le but de son châtiment, et son maître ne prend pas plaisir à le voir souffrir. Mais à quel dessein les pécheurs, livrés au feu de la géhenne, y brûleront-ils toujours ? Et, puisqu'il est certain que Dieu, bon et tout-puissant, ne se repaît pas des tourments des pécheurs, pourquoi ces malheureux sont-ils torturés s'ils ne peuvent expier leurs crimes [1] ? Nous leur répondons aussitôt que certes le Dieu tout-puissant ne peut, dans sa bonté, se repaître des tourments de ces malheureux, mais, dans sa justice, il n'est pas apaisé par le châtiment sans fin des pécheurs. D'ailleurs, c'est bien à cause de leur propre péché que tous les pécheurs sont châtiés du supplice éternel ; il existe pourtant aussi un autre motif à ce supplice du feu, c'est afin que tous les justes, d'une part, voient les joies qu'ils goûtent en Dieu, et d'autre part, en ces malheureux, considèrent les supplices auxquels eux-mêmes ont échappé. Aussi se reconnaissent-ils éternellement d'autant plus redevables envers la grâce divine qu'ils voient puni éternellement le mal qu'ils ont pu éviter avec son aide.

38. Mais ils disent encore : Et en quoi sont-ils saints s'ils ne prient pas pour leurs ennemis, qu'ils auront vus brûler, alors

utique dictum est : *Pro inimicis uestris orate*[a] ? Sed citius respondemus : Orant pro inimicis suis eo tempore, quo
5 possunt ad fructuosam paenitentiam eorum corda conuertere, atque ipsa conuersione saluare. Quid enim aliud pro inimicis orandum est, nisi hoc quod ait apostolus : *Vt det illis Deus paenitentiam, et resipiscant a diaboli laqueis, a quo capti tenentur, ad ipsius uoluntatem*[b] ? Et quomodo pro
10 illis tunc orabitur, qui iam nullatenus possunt ad iustitiae opera ab iniquitate commutari. Eadem itaque causa est cur non oretur tunc pro hominibus aeterno igne damnatis, quae nunc etiam causa est ut non oretur pro diabolo angelisque eius aeterno supplicio deputatis. Quae nunc etiam causa
15 est, ut non orent sancti homines pro hominibus infidelibus impiisque defunctis, qui de eis utique quos aeterno deputatos supplicio iam nouerunt ante illum iudicis iusti conspectum orationis suae meritum cassari refugiunt. Quod si nunc quoque uiuentes iusti mortuis et damnatis iniustis
20 minime compatiuntur, quando adhuc aliquid iudicabile de sua carne se perpeti etiam ipsi nouerunt, quanto districtius tunc iniquorum tormenta respiciunt, quando, ab omni uitio corruptionis exuti, ipsi iam iustitiae uicinius atque artius inhaerebunt ? Sic quippe eorum mentes per hoc quod
25 iustissimo iudici inhaerent, uis districtionis absorbet, ut omnino eis non libeat quicquid ab illius internae regulae subtilitate discordat.

Sed quia, suborto occasionis articulo, haec contra Origenistas breuiter diximus, ad eum quem praetermisimus expo-
30 nendi ordinem recurramus. Postquam misericors Dominus

38. a. Mt 5, 44 b. 2 Tm 2, 25-26

1. Cet argument des « miséricordieux » et sa réfutation sont pris à AUGUSTIN, *Ciu. Dei* 21, 18, 1 et 21, 24, 1-2. – En 543, sous le pontificat de Vigile, neuf propositions d'Origène ont été condamnées par l'empereur Justinien (DENZINGER, *Enchiridion Symbolorum* 203), et Origène figurera encore, ainsi que son disciple Évagre, dans la liste des hérétiques condamnés

qu'il leur a été dit : *Priez pour vos ennemis* [a] ? Nous répondons aussitôt : Ils prient pour leurs ennemis tant qu'ils peuvent convertir leurs cœurs à une pénitence efficace et les sauver par cette conversion elle-même. Que faut-il implorer pour ses ennemis, sinon, comme le dit l'Apôtre : *Que Dieu leur accorde la pénitence, qu'ils se dégagent des filets du diable qui les retient captifs, asservis à sa volonté* [b] ? Mais comment prier pour eux, alors qu'il leur est désormais impossible de passer de l'iniquité à des œuvres de justice ? La raison pour laquelle nous ne prierons pas alors pour les hommes condamnés au feu éternel est la même qui nous retient à présent de prier pour le diable et ses anges voués au supplice éternel. Et c'est encore pourquoi les hommes saints ne prient pas pour les défunts sans foi et impies : ils évitent ainsi de rendre vain aux yeux du juste Juge le mérite de leur prière pour ceux qu'ils savent voués au supplice éternel. Et si déjà, de leur vivant, les justes n'ont pas la moindre compassion pour ceux qui sont morts dans l'injustice et damnés, alors qu'eux-mêmes sont conscients de ressentir encore quelque chose de condamnable en leur propre chair, avec combien plus de sévérité considèrent-ils les tourments des impies lorsque, dépouillés de tout vice lié à la corruption, eux-mêmes adhéreront désormais de façon plus intime et plus étroite à la justice. Ainsi, du fait qu'elles adhèrent étroitement au Juge parfaitement juste, la puissance du Jugement absorbe entièrement leurs âmes, en sorte qu'il leur est impossible d'être en désaccord en quoi que ce soit avec la sagesse profonde de cette disposition.

Mais, après avoir dit cela brièvement contre les origénistes, l'occasion s'étant présentée, revenons au commentaire dont nous avons interrompu le développement [1]. Après avoir

par le concile de Latran en 649 (can. 18, DENZINGER, *Ench. Symb.* 271). Sur les débuts de cette querelle en Terre Sainte (393-405), voir A. DE VOGÜÉ, *Histoire littéraire du mouvement monastique (série latine),* t. III, ch. I, p. 15-90.

callida machinamenta Leuiathan istius indicauit, aperte praedicens omne quod electos exterius uehementer opprimit, omne quod interius suggestione sua reprobis blandienter infundit, mox immanitatem uirtutis illius breuiter insinuans
35 subdit :

41,24 XX, **39.** ***Non est super terram potestas quae comparetur ei.*** Potestas eius super terram cunctis eminentior perhibetur, quia etsi actionis suae merito infra homines cecidit, omne tamen humanum genus naturae angelicae conditione trans-
5 cendit. Quamuis enim internae felicitatis beatitudinem perdidit, naturae tamen suae magnitudinem non amisit, cuius adhuc uiribus humana omnia superat, licet sanctis hominibus meritorum suorum deiectione subiaceat. Vnde et eisdem sanctis contra hunc decertantibus eo retributionis suae
10 meritum crescit, quo ille ab eis uincitur qui per naturae potentiam quasi iure se hominibus superesse gloriatur. Sequitur :

41,24 XXI, **40.** ***Qui factus est ut nullum timeret.*** Sic quidem per naturam factus est, ut conditorem suum caste timere debuisset, timore uidelicet sobrio, timore securo ; non timore, quem foras caritas mittit[a], sed timore, qui in saeculum
5 saeculi permanet[b], id est quem caritas gignit. Aliter enim timet coniugem uxor amans, aliter timet dominum ancilla peccans. Sic ergo iste fuerat conditus, quatenus timore laeto auctorem suum et amans metueret, et metuens amaret. Sed sua peruersitate talis factus est, ut nullum timeret. Ei quippe

40. a. Cf. 1 Jn 4, 18 b. Cf. Ps 18, 10

montré les machinations rusées de ce Léviathan, prédisant ouvertement toutes ses dures oppressions à l'extérieur contre les élus, toutes ses doucereuses suggestions répandues à l'intérieur dans le cœur des réprouvés, le Seigneur miséricordieux, pour indiquer en peu de mots la cruelle et monstrueuse puissance de ce misérable, ajoute aussitôt :

Puissance de Léviathan

XX, **39.** ***Il n'y a sur terre aucune puissance comparable à la sienne.*** On déclare que sa puissance est la plus grande qui soit sur la terre, car, bien qu'il soit tombé au-dessous des hommes quant au mérite de ses actions, il surpasse néanmoins tout le genre humain par la condition de sa nature angélique. En effet, bien qu'il ait perdu la félicité du bonheur intérieur, il a gardé la grandeur de sa nature, par la puissance de laquelle il l'emporte sur toutes les choses humaines, bien que, par la perte de ses mérites personnels, il soit au-dessous des hommes saints. Aussi, pour ces mêmes saints, en guerre contre lui, le mérite de leur récompense est d'autant plus grand que celui-là est vaincu par des hommes qu'il se glorifie de dépasser, comme de droit, par la puissance de sa nature. Le texte poursuit : **41,24**

Orgueil de Léviathan

XXI, **40.** ***Il a été fait pour ne craindre personne.*** Oui, par nature, il a été fait avec le devoir de craindre chastement son Créateur, c'est-à-dire avec une crainte mesurée, une crainte confiante, non pas cette crainte qu'expulse au dehors la charité [a], mais celle qui demeure pour les siècles des siècles [b], c'est-à-dire la crainte que fait naître la charité. Une épouse aimante, en effet, craint son époux tout autrement que la servante en faute ne craint son maître. Ce misérable avait donc été créé avec une crainte heureuse, de manière à redouter son auteur en l'aimant et à l'aimer en le redoutant. Mais, par sa perversité, il s'est mis à ne plus craindre personne, au point de **41,24**

10 a quo conditus fuerat subesse despexit. Ita enim Deus super omnia est, ut ipse sub nullo sit.

Leuiathan uero iste eius celsitudinis culmen aspiciens, ius peruersae libertatis appetiit, ut et praeesset ceteris, et nulli subesset, dicens : *Ascendam super altitudinem nubium, et* 15 *similis ero Altissimo*[c]. Cuius eo ipso similitudinem perdidit, quo esse ei superbe similis in celsitudine concupiuit. Qui enim caritatem eius imitari debuit, subditus, ambiit eius celsitudinem ; et hoc quod imitari poterat, amisit elatus. Celsus nimirum esset, si ei qui ueraciter celsus est, inhaerere 20 uoluisset. Celsus esset, si participatione uerae celsitudinis contentus fuisset. Sed dum priuatam celsitudinem superbe appetiit, iure perdidit participatam.

Relicto enim eo cui debuit inhaerere principio, suum sibi appetiit quodammodo esse principium. Relicto eo qui 25 uere illi sufficere poterat, se sibi sufficere posse iudicauit, et tanto magis infra se cecidit, quanto magis se contra gloriam sui conditoris erexit. Nam quem exaltabat libera seruitus, deiecit captiua libertas. Qua libertate nunc ut nullum timeat effrenatur, sed ipsa grauiter effrenatione restringitur. 30 Superno enim iudicio cuncta mirabiliter ordinante, uinxit illum libertas quam appetiit, quia nunc omnimodo non timens omnibus suppliciis subiacet, qui elementis etiam superesse poterat, si unum quem debuit timere uoluisset. Vnum profecto timeret omnia possidens, qui nunc unum 35 non timens omnia patitur.

40. c. Is 14, 14

refuser même de se soumettre à celui qui l'avait créé. Or, Dieu est tellement au-dessus de tout qu'il lui est impossible d'être au-dessous de qui que ce soit.

Mais voilà que ce Léviathan, élevant les yeux vers le sommet de cette grandeur, convoita le droit à une liberté perverse qui le mît au-dessus de tous, sans le soumettre à personne. Il dit alors : *Je monterai au sommet des nuages, et je serai semblable au Très-Haut*[c]. Et il perdit sa ressemblance avec lui, du fait qu'il désira, dans son orgueil, lui être semblable en grandeur. Au lieu d'imiter avec soumission sa charité, ainsi qu'il le devait, il brigua sa grandeur ; de la sorte, ce qu'il aurait pu imiter lui échappa du fait de son orgueil. Car il eût été grand, s'il avait consenti à adhérer à celui qui est vraiment grand. Il eût été grand, s'il s'était contenté de participer à la véritable grandeur. Mais, en convoitant dans sa superbe une grandeur personnelle, il perdit ainsi celle à laquelle il avait le droit de prendre part.

Ayant abandonné celui auquel il aurait dû s'attacher comme à son principe, il revendiqua en quelque sorte d'être lui-même son propre principe. Abandonnant celui qui pouvait véritablement lui suffire, il imagina pouvoir se suffire à lui-même. Et il tomba ainsi d'autant plus au-dessous de lui-même qu'il chercha davantage à se dresser contre la gloire de son Créateur. Car celui que grandissait une libre servitude fut jeté bas par une liberté qui l'a rendu captif. Par cette liberté, il est actuellement débridé au point de ne craindre personne, mais il est enchaîné lourdement par ce dérèglement lui-même. Par le jugement d'en haut qui ordonne admirablement toutes choses, cette liberté qu'il a convoitée a triomphé de lui, puisque maintenant, ne craignant plus rien, il est soumis à tous les supplices, lui qui aurait pu dominer même les éléments, s'il avait consenti à craindre le seul qu'il aurait dû craindre. Le craignant, lui seul, il eût été maître de tout, mais ne le craignant pas, lui seul, il endure maintenant toutes les souffrances.

41. Factus est ergo ut nullum timeret, nullum uidelicet, quia nec Deum, sed neque hoc quod passurus est metuit. Cui felicius nimirum fuerat timendo uitare supplicia quam non timendo tolerare. Appetitum itaque celsitudinis uer-
5 tit in rigorem mentis, ut iam per duritiam se male esse non sentiat, qui praeesse per gloriam quaerebat. Nam quia ius quaesitae potestatis non obtinuit, quasi quoddam superbiae suae remedium insaniam insensibilitatis inuenit ; et quia prouectu transgredi cuncta non potuit, despectu se contra
10 cuncta praeparauit. Cuius adhuc superbia studiose describitur, cum protinus subinfertur :

41,25 XXII, **42.** ***Omne sublime uidet.*** Id est, cunctos uelut infra se positos quasi de sublimi respicit, quia dum per intentionem contra auctorem nititur, aestimare sibi quemlibet similem dedignatur. Quod apte etiam eius membris congruit, quia
5 omnes iniqui per tumorem cordis elati cunctos quos cernunt superbiae fastu despiciunt ; et si quando exterius uenerantur, intus tamen in secreto cordis, ubi apud se sua aestimatione magni sunt, cunctorum sibi uitam meritumque postponunt, eosque infra se esse respiciunt, quia per elatam cogitationem
10 cordis in cuiusdam se altitudinis arce posuerunt. Quibus bene per prophetam dicitur : *Vae qui sapientes estis in oculis uestris, et coram uobismetipsis prudentes* [a]. Hinc etiam Paulus ait : *Nolite prudentes esse apud uosmetipsos* [b]. Hinc ad Saulem diuina increpatione dicitur : *Nonne cum esses paruulus in oculis*
15 *tuis, caput te constitui in tribubus Israel* [c] *?* Paruulus quippe in oculis suis est, qui in eo quod semetipsum considerat,

42. a. Is 5, 21 b. Rm 12, 16 c. 1 S 15, 17

41. Il s'est donc mis à ne craindre personne, absolument personne, parce qu'il n'a redouté ni Dieu, ni ce qu'il aurait à souffrir. Il aurait été préférable pour lui d'éviter, par la crainte, les supplices, plutôt que de les souffrir faute de les craindre ! Oui, il a transformé son appétit de grandeur en insensibilité, en sorte que maintenant, dans son endurcissement, il ne se rend plus compte qu'il est malheureux, lui qui cherchait à régner par vaine gloire. Comme il n'a pu, en effet, obtenir le privilège de la puissance qu'il convoitait, il a découvert comme remède à son orgueil, un fol endurcissement ; et, comme il a été incapable de s'élever, par ses efforts, au-dessus de tout, il s'est préparé à s'opposer à tout par le mépris. Sa superbe est d'ailleurs décrite avec soin, lorsqu'il est ajouté aussitôt :

Humilité de David

41,25

XXII, **42.** ***Il voit tout d'en haut.*** C'est-à-dire : Il jette de haut les yeux, en quelque sorte, sur tous comme s'ils étaient placés au-dessous de lui, parce que, dirigeant son esprit contre le Créateur, il ne daigne estimer personne comme son semblable. Cela est vrai aussi de ses membres, parce que tous les impies, le cœur gonflé d'orgueil, méprisent tous les autres et les regardent avec un orgueil hautain ; et si parfois ils donnent extérieurement des marques de respect, cependant, dans le secret de leur cœur, où ils sont remplis d'une grande estime d'eux-mêmes, ils se préfèrent à la vie et au mérite de tous les autres, et les considèrent comme bien au-dessous d'eux, parce que, par les pensées remplies d'orgueil de leur cœur, ils se sont hissés au sommet d'une sorte de tour. C'est à eux que le prophète a dit avec raison : *Malheur à vous qui vous croyez des sages et vous estimez très intelligents*[a]. A ce propos, Paul aussi dit : *Ne vous complaisez pas dans votre propre intelligence*[b]. Et à Saül il est reproché par Dieu : *Quand tu étais petit à tes propres yeux, ne t'ai-je pas mis à la tête des tribus d'Israël*[c] *?* Il est petit à ses propres yeux celui, qui, considérant ce qu'il est

imparem se alienis meritis pensat. Nam quasi grandem se conspicit, quisquis se super aliena merita elatione cogitationis extendit. Saul autem reprobus in bono quod coeperat
20 non permansit, quia fastu susceptae potestatis intumuit. At contra, Dauid semper de se humilia sentiens, eiusdemque Saul se comparationi postponens, postquam feriendi locum repperit, et pepercit eidem saeuienti aduersario, humili se professione prostrauit, dicens : *Quem persequeris, rex Israel ?*
25 *Quem persequeris ? Canem mortuum, et pulicem unum* [d]. Et certe iam unctus in regem fuerat, iam exorante Samule, et cornu super se oleum fundente didicerat quod eum diuina gratia, Saule reprobato, ad regni gubernacula possidenda seruabat [e] ; et tamen persequenti aduersario mente humili se
30 substernebat, cui diuino iudicio praelatum se esse nouerat. Illi itaque se humiliter postponebat cui per electionis gratiam incomparabiliter nouerat se esse meliorem.

Discant ergo quomodo humiliari proximis debeant, qui adhuc quo loco apud Deum habeantur nesciunt, si sic se
35 electi etiam illius humiliant, quibus iam se per interna iudicia antepositos deprehendunt.

43. Hoc autem esse proprium specimen electorum solet, quod de se semper sentiunt infra quam sunt. Hinc namque ab eodem Dauid dicitur : *Si non humiliter sentiebam, si exaltaui animam meam* [a]. Hinc Salomon ad sapientiam paruulos
5 uocat, dicens : *Si quis est paruulus, ueniat ad eam* [b]. Qui enim necdum semetipsum despicit, humilem Dei sapientiam non apprehendit. Hinc in euangelio Dominus dicit : *Confiteor tibi, Domine pater caeli et terrae, quia abscondisti haec*

42. d. 1 S 24, 15 e. Cf. 1 S 16, 13
43. a. Ps 130, 2 b. Pr 9, 4

en lui-même, s'estime inférieur aux autres en mérites. Mais il se regarde comme grand, celui qui s'élève par l'orgueil de ses pensées au-dessus des mérites d'autrui. Saül fut réprouvé pour n'avoir pas persévéré dans le bien qu'il avait commencé, parce qu'il s'enfla avec orgueil du pouvoir qu'il avait reçu. David, au contraire, ayant toujours d'humbles sentiments de lui-même et s'estimant inférieur à ce même Saül, après avoir eu l'occasion de le frapper et avoir cependant épargné cet ennemi qui sévissait contre lui, se prosterna dans cette déclaration d'humilité : *Qui, persécutes-tu, roi d'Israël ? Oui, qui persécutes-tu ? Un chien crevé et une simple puce*[d]. Et, bien certainement, il avait déjà reçu l'onction royale, car déjà il avait appris, par la prière de Samuel et la corne d'huile répandue sur sa tête, que, Saül ayant été réprouvé, la grâce divine le mettait à part pour posséder le gouvernement du royaume[e] ; et cependant, il se prosternait d'un cœur humble devant cet adversaire qui le persécutait, auquel il se savait préféré au jugement de Dieu. Et ainsi, humblement, il se plaçait au-dessous de celui sur lequel il savait avoir l'incomparable avantage d'une grâce d'élection.

Qu'ils apprennent donc le devoir de s'humilier vis-à-vis de leur prochain, ceux qui ignorent encore quel rang ils ont devant Dieu, alors que s'humilient ainsi ses élus devant ceux-là mêmes auxquels ils se savent préférés par un jugement secret.

Humilité des élus

43. C'est la marque propre des élus que de s'estimer toujours inférieurs à ce qu'ils sont. De là vient qu'il est dit par ce même David : *Si je n'avais pas d'humbles sentiments, si j'exaltais mon âme*[a]. De là vient que Salomon invite les petits à la sagesse par ces mots : *S'il y quelqu'un de petit, qu'il vienne à elle*[b]. Car celui qui ne se méprise pas lui-même ne comprend pas l'humble sagesse de Dieu. De là vient que le Seigneur dit dans l'Évangile : *Je te bénis, Père, Seigneur du ciel et de la terre,*

a sapientibus et prudentibus, et reuelasti ea paruulis[c]. Hinc
10 rursum psalmista ait : *Custodiens paruulos Dominus*[d]. Hinc magister gentium dicit : *Facti sumus paruuli in medio uestrum*[e]. Hinc discipulos admonens, ait : *Superiores sibi inuicem arbitrantes*[f]. Nam quia iniquus quisque inferiorem se omnem quem cogitat putat, e diuerso iustus studeat ut su-
15 periorem quemlibet proximum attendat. Ac ne dum se alii alter humiliat, iret alteri in elatione, bene utramque partem admonuit, dicens : *Superiores sibi inuicem arbitrantes*[g], ut in cogitationibus cordis et ego illum mihi praeferam, et uicissim ille me sibi, ut cum ab utraque parte cor inferius pre-
20 mitur, nullus ex impenso honore subleuetur.

44. Sed hanc humilitatis formam reprobi, quia Leuiathan huius membra sunt, uel cognoscere, uel tenere contemnunt ; quia etsi quando se humiles specie tenus ostendunt, humilitatis uim seruare intrinsecus neglegunt. Quibus saepe
5 accidit ut si quando unum quodlibet bonum uel minimum faciant, a malis suis omnibus respectum mentis protinus auertant ; atque hoc quod uel extremum bonum fecerint, tota intentione semper inspiciant ; et ex eo iam se quasi sanctos aspiciunt, obliti malorum omnium quae
10 commiserunt, unius sui tantummodo boni memores, quod fortasse facere nec perfecte potuerunt, sicut euenire contra electis solet ; ut cum multarum uirtutum gratia polleant, unum eos uel tenuissimum uitium ualde defatigans pulset, quatenus dum ex quadam parte sese infirmari considerant,

43. c. Mt 11, 25 d. Ps 114, 6 e. 1 Th 2, 7 f. Ph 2, 3 g. Ph 2, 3

d'avoir caché cela aux sages et aux habiles et de l'avoir révélé aux tout-petits[c]. De là vient qu'à son tour, le psalmiste dit : *Le Seigneur garde les petits*[d]. De là vient que le docteur des Gentils dit : *Nous nous sommes faits petits au milieu de vous*[e]. De là vient qu'il exhorte ainsi ses disciples : *Que chacun juge l'autre supérieur à lui*[f]. Car, si tous les impies estiment inférieurs à eux tout homme auquel ils pensent, que le juste s'applique à l'inverse à considérer n'importe quel homme qui est son prochain comme supérieur. Et, pour éviter que, lorsque l'un s'humilie devant un autre, celui-ci n'en conçoive de l'orgueil, l'Apôtre les avertit sagement tous deux : *Que chacun juge l'autre supérieur à lui-même*[g], en sorte que, dans le fond du cœur, je préfère celui-là à moi-même, et lui, en retour, me préfère à lui-même. Ainsi, lorsque, d'un côté comme de l'autre, le cœur s'humilie profondément, nul ne s'élève à partir des honneurs qu'on lui rend.

Orgueil des réprouvés

44. Mais cette forme d'humilité, les réprouvés, parce qu'ils sont membres de ce Léviathan, dédaignent de l'apprendre ou de la pratiquer. Peut-être se montrent-ils parfois humbles en apparence seulement, mais ils se soucient fort peu de pratiquer intérieurement la vertu d'humilité. Aussi leur arrive-t-il souvent, s'ils font quelque bien, si mince soit-il, de détourner aussitôt le regard de leur esprit de toutes leurs mauvaises actions, et de fixer toute leur attention sans cesse sur ce bien minuscule qu'ils ont pratiqué. Dès lors, se considérant déjà comme des saints, ils oublient toutes les mauvaises actions qu'ils ont commises, pour ne se souvenir que de cette unique bonne action, que peut-être ils n'ont même pas accomplie parfaitement, alors que c'est le contraire qui se produit d'ordinaire pour les élus : alors qu'ils sont riches de la grâce de nombreuses vertus, un seul vice, même le plus léger, les épuisant à l'extrême, suffit à les troubler au point que, se voyant faibles sous un certain angle, ils ne tirent aucun orgueil

15 de his uirtutibus in quibus praeualent se minime extollant; dumque de infirmitate trepidant, hoc quoque ubi fortes sunt humilius seruant. Saepe ergo reprobi per hoc quod unum uel minimum bonum suum incaute conspiciunt, mala multa et grauia in quibus demersi sunt non agnoscunt. Et saepe electi 20 per hoc quod ad tenuissimum malum suum infirmari trepidant, mira dispensatione agitur, ut magna bona ad quae prouecti sunt, non amittant.

45. Iusti itaque et occulti examinis mensura disponitur, ut istos et mala adiuuent, illos et bona grauent; dum et isti ad prouectum boni utuntur leuibus malis, et illi ad augmentum mali utuntur minimis bonis. Isti quippe inde perfectius in 5 bono proficiunt, unde de malo temptantur; illi autem inde ad maius malum deficiunt, unde de bono gloriantur. Sic itaque male bono utitur reprobus, et bene malo utitur probus; sicut saepe contingit ut alius ex cibo salutifero inordinate sumpto pestem languoris incurrat; alius, ueneno serpentis 10 in medicamine ordinatae confectionis adhibito, languoris molestiam uincat. Ille ergo quia cibo salutifero uti recte noluit, inde perniciose moritur, unde alii salubriter uiuunt; iste autem quia ueneno serpentis caute uti studuit, inde salubriter uiuit, unde alii perniciose moriuntur. Venenum uero 15 serpentis non ipsam nequitiam, sed suggestionem nequitiae dicimus, qua nolentes saepe renitentesque temptamur. Quod tunc in medicamine uertitur cum mens uirtutibus erecta

des vertus où ils excellent. Et tandis qu'ils sont inquiets de leur faiblesse, ils conservent d'autant plus humblement ce qui fait leur force. Souvent donc les réprouvés, en considérant imprudemment l'unique et minuscule bien qu'ils font, ne prennent pas conscience des maux dans lesquels ils sont plongés, et qui sont nombreux et considérables. Parce que souvent les élus craignent d'être affaiblis par leur plus petit péché, il se produit par une admirable disposition qu'ils ne perdent pas les grands biens auxquels ils sont parvenus.

Progresser dans le bien

45. Il advient, de la sorte, que, par une juste et mystérieuse disposition de la Providence, le mal profite aux uns, tandis que le bien appesantit les autres, car les premiers se servent d'un mal léger pour progresser dans le bien, alors que les seconds se servent du peu de bien qu'ils font pour accroître le mal. Les uns progressent dans le bien de façon d'autant plus parfaite qu'ils sont tentés par le mal, et les autres s'enfoncent d'autant plus dans le mal qu'ils se glorifient du bien. C'est ainsi que le réprouvé use mal d'un bien, et le juste use bien d'un mal. De même, il arrive parfois que quelqu'un, pour avoir absorbé avec excès une nourriture cependant salubre, tombe dans une maladie pernicieuse, alors qu'un autre, à qui l'on a prescrit le venin d'un serpent dans un remède préparé selon les règles de l'art, triomphe de la maladie qui le tourmente. Le premier donc, qui n'a pas voulu user correctement d'une nourriture salubre, subit une mort funeste à cause de ce mets grâce auquel d'autres vivent en bonne santé ; le second, qui a eu soin d'user avec précaution du venin de serpent, vit en bonne santé grâce à ce venin à cause duquel d'autres subissent une mort funeste. Ce que nous appelons venin de serpent, ce n'est pas l'iniquité elle-même, mais la suggestion de l'iniquité, par laquelle nous sommes souvent tentés, alors même que nous nous y refusons et y opposons de la résistance. Ce poison se transforme en remède, lorsque

conspectis contra se temptationibus humiliatur. Iniqui igitur atque ab approbatione interni examinis reprobi, quaelibet opera faciant, in quibuslibet uirtutibus enitescant, humilitatis sensum penitus ignorant ; quia nimirum Leuiathan huius membra sunt, de quo superna uoce dicitur : *Omne sublime uidet*, quia non solum per semetipsum, sed per eorum quoque corda quos ceperit quasi de sublimi cunctos inferius despicit.

46. Notandum uero quod Leuiathan iste, qui per corpoream bestiam designatur, sublime uidere describitur, quia uidelicet cordis superbia cum exterius usque ad corpus extenditur, prius per oculos indicatur. Ipsi quippe per fastum tumoris inflati, quasi ex sublimi respiciunt, et quo se deprimunt, altius extollunt. Nisi enim superbia per oculos quasi per quasdam se fenestras ostenderet, nequaquam Deo psalmista dixisset : *Populum humilem saluum facies, et oculos superborum humiliabis*[a]. Nisi se superbia per oculos funderet, Salomon quoque de Iudaeae elatione non diceret : *Generatio cuius excelsi sunt oculi, et palpebrae eius in alta subrectae*[b]. Quia ergo per corporeum animal Leuiathan iste signatur, et superbia usque ad corpus prodiens apertius oculis principatur, antiquus hostis quasi de sublimi omnes uidere describitur. Sed quia multa de ostendendo humani generis inimico prolata sunt, ualde mens appetit, ut in fine locutionis dominicae, unum aliquid manifestius exprimatur, unde membra illius breui nobis designatione monstrentur. Sequitur :

46. a. Ps 17, 28 b. Pr 30, 13

l'âme qui se dressait à la vue de ses vertus, s'humilie devant les tentations qu'elle voit se lever contre elle. Par conséquent, les impies privés de l'approbation de leur concience, quelque bien qu'ils fassent et de quelque vertu qu'ils brillent, ont une ignorance profonde du sentiment d'humilité. Ils sont, en effet, membres de ce Léviathan dont la voix divine a dit : *Il voit tout d'en haut*. Car, non seulement par lui-même, mais par les cœurs de tous ceux qu'il aura saisis, il regarde de haut tous les autres comme inférieurs à lui.

Les fenêtres de l'orgueil

46. Il faut remarquer que ce Léviathan, représenté ici sous l'image corporelle d'une bête, est décrit comme voyant avec hauteur, c'est-à-dire que la superbe du cœur, lorsqu'elle s'étend au dehors jusqu'au corps, se manifeste d'abord par les yeux. Ceux-ci, en effet, gonflés par le dédain de l'orgueil, regardent tout comme d'une hauteur, et ils s'élèvent d'autant plus haut qu'ils s'abaissent. Si la superbe ne se manifestait par les yeux comme par des fenêtres, le psalmiste n'eût jamais dit à Dieu : *Tu sauveras le peuple humble et tu humilieras les yeux des superbes*[a]. Si la superbe ne se répandait par les yeux, Salomon, lui non plus, ne dirait pas, en parlant de l'orgueil de la Judée : *Engeance aux regards altiers et aux paupières hautaines*[b]. Puisque donc ce Léviathan est figuré ici par un animal corporel et que l'orgueil gagnant le corps règne plus ouvertement sur les yeux, l'antique ennemi est décrit voyant tout le monde comme de haut. Mais maintenant que beaucoup de choses ont été dites pour montrer cet ennemi du genre humain, notre esprit éprouve le vif désir qu'à la fin du discours du Seigneur, une seule chose soit exprimée avec plus de clarté et que, d'un mot bref, on nous présente ses membres. Le texte poursuit :

41,25 XXIII, 47. ***Ipse est rex super uniuersos filios superbiae.*** Vt Leuiathan iste in cunctis quae superius dicta sunt caderet, sola se superbia perculit. Neque enim per tot illos uitiorum ramos aresceret, nisi per hanc prius in radice putruisset. 5 Scriptum namque est : *Initium omnis peccati superbia*[a]. Per hanc enim ipse succubuit, per hanc se sequentem hominem strauit. Eo etenim telo salutem nostrae immortalitatis impetiit, quo uitam suae beatitudinis exstinxit. Sed idcirco hanc Dominus fini suae locutionis inseruit, ut cum post mala 10 omnia Leuiathan istius superbiam diceret, quid esset malis omnibus deterius indicaret. Quamuis etiam per hoc quod in imo ponitur uitiorum radix esse monstratur. Sicut enim inferius radix tegitur, sed ab illa rami extrinsecus expanduntur, ita se superbia intrinsecus celat, sed ab illa protinus 15 aperta uitia pullulant. Nulla quippe mala ad publicum prodirent, nisi haec mentem in occulto constringeret. Haec est quae Leuiathan istius sensum feruescere sicut ollam facit. Vnde et humanas mentes in quodam feruore insaniae concutit, sed per aperta opera qualiter concussi animum euertat 20 ostendit. Intus namque prius ebullit in elatione, quod fora postmodum spumat in opere.

48. Sed quia occasio de superbiae disputatione se praebuit, debemus hanc subtilius sollicitiusque discutere, atque ad humanas mentes quanta uel qualis ueniat, et quibus qualiter subripiat, demonstrare.

47. a. Si 10, 15

La racine des vices

XXIII, 47. ***Il est roi sur tous les fils d'orgueil.*** Si ce Léviathan est tombé dans tout ce dont nous avons parlé plus haut, c'est qu'il fut blessé par la superbe, et elle seule. Et, en effet, il ne se serait pas desséché en tous ces rameaux de vices, si d'abord il n'avait, à cause de la superbe, pourri jusqu'à la racine. Car il est écrit : *La superbe est le commencement de tout péché*[a]. De fait, à cause de la superbe, lui-même est tombé, à cause de la superbe, il a entraîné à sa suite l'homme dans sa chute. Il a attaqué notre salut éternel par le même trait qui a éteint en lui la vie bienheureuse. Mais le Seigneur a réservé la superbe pour la fin de son discours et n'en a parlé qu'après tous les défauts de ce Léviathan, afin de nous signaler en quoi elle est le pire de tous les vices. D'ailleurs, le fait qu'elle soit placée tout en bas montre qu'elle est la racine des vices. De même, en effet, que la racine est cachée en dessous, mais que des rameaux issus d'elle poussent au dehors, ainsi la superbe se dissimule à l'intérieur, mais, aussitôt, des vices venant d'elle pullulent à l'extérieur. Car aucun vice ne surgirait au dehors si, dans le secret, elle n'avait enchaîné l'âme. Oui, c'est elle qui fait bouillir comme une marmite l'esprit de ce Léviathan. Voilà pourquoi elle agite aussi l'âme des hommes dans une sorte de bouillonnement de folie, tandis que, par des actions manifestes, elle révèle combien est troublée l'âme de celui qu'elle bouleverse. C'est d'abord au dedans, en effet, que bouillonne dans l'orgueil ce qui écume ensuite au dehors dans les actes.

41,25

Tyrannie de la superbe

48. Mais puisque l'occasion s'est présentée de traiter de la superbe, nous devons examiner celle-ci avec plus de soin et d'attention, et montrer dans quelle proportion elle atteint le cœur des hommes ou sous quelle forme, et qui sont ceux qu'elle surprend et de quelle manière.

5 Alia quippe uitia eas solummodo uirtutes impetunt quibus ipsa destruuntur ; ut uidelicet ira patientiam, gastrimargia abstinentiam, libido continentiam expugnet. Superbia autem, quam uitiorum radicem diximus, nequaquam unius uirtutis exstinctione contenta, contra cuncta animae 10 membra se erigit ; et quasi generalis ac pestifer morbus corpus omne corrumpit, ut quicquid illa inuadente agitur, etiam si esse uirtus ostenditur, non per hoc Deo, sed soli uanae gloriae seruiatur. Quasi enim tyrannus quidam obsessam ciuitatem intercipit, cum mentem superbia irrumpit, et quo 15 ditiorem quemque ceperit eo in dominio durior exsurgit, quia quo amplius res uirtutis sine humilitate agitur, eo latius ista dominatur.

Quisquis uero eius in se tyrannidem captiua mente susceperit, hoc primum damnum patitur, quod, clauso cordis 20 oculo, iudicii aequitatem perdit. Nam cuncta quae ab aliis uel bene geruntur displicent, et sola ei quae ipse uel praue egerit placent. Semper aliena opera despicit, semper miratur quod facit, quia et quicquid egerit, egisse se singulariter credit ; atque in eo quod exhibet per gloriae cupiditatem, 25 sibimetipsi fauet per cogitationem ; et cum se in cunctis transcendere ceteros aestimat, per lata cogitationum spatia secum deambulans, laudes suas tacitus clamat. Nonnumquam uero ad tantam elationem mens ducitur, ut in eo quod tumet, etiam per ostentationem locutionis effrenetur.

30 Sed tanto facilius ruina sequitur, quanto apud se quisque impudentius exaltatur. Hinc enim scriptum est : *Ante ruinam exaltatur cor*[a]. Hinc per Danielem dicitur : *In aula Babylonis deambulabat rex, responditque, et ait : « Nonne haec est Babylon magna, quam ego aedificaui in domum regni, in*

48. a. Pr 16, 18 ; cf. Pr 18, 12

D'autres vices attaquent seulement les vertus par lesquelles eux-mêmes sont anéantis : ainsi, par exemple, la colère s'attaque à la patience, la gloutonnerie à la tempérance, l'impureté à la continence. Mais la superbe, que nous avons appelée la racine des vices, ne se contentant pas du tout d'anéantir une seule vertu, se dresse contre tous les membres de l'âme, et comme une maladie généralisée et infectieuse, elle attaque le corps entier, de sorte que tout ce qui s'accomplit lors de son invasion, même si cela semble vertueux, n'est pas pour cela au service de Dieu, mais de la seule vaine gloire. Comme un tyran isole la ville qu'il assiège, ainsi la superbe, lorsqu'elle fait irruption dans l'âme ; et, plus est riche celui dont elle s'est emparée, plus durement s'élève son empire sur lui, parce que, plus est grand le nombre des actes de vertu accomplis sans humilité, plus s'étend la domination de la superbe.

Or, le premier dommage dont souffre celui qui s'est soumis avec une âme captive à cette tyrannie, est de perdre, ayant fermé l'œil de son cœur, l'équité de son jugement. En effet, tout ce que font les autres, même en bien, lui déplaît et il n'est satisfait que de ce qu'il accomplit lui-même, serait-ce en mal. Toujours il méprise les actions d'autrui et toujours il admire ce qu'il fait, car il s'imagine, en tout ce qu'il a fait, avoir agi de manière exemplaire ; et, dans ce dont il fait montre par désir de gloire, il s'applaudit lui-même en pensée. Et, comme il estime surpasser tous les autres en tout, déambulant avec lui-même dans les larges espaces de ses pensées, il chante en silence ses propres louanges. Parfois, cependant, l'esprit en arrive à une si grande vanité qu'il manifeste sans frein, jusque dans ses paroles, l'orgueil qui le gonfle.

Mais la chute suit d'autant plus facilement que l'on s'élève à ses propres yeux avec plus d'impudence. A ce propos, en effet, il est écrit : *Le cœur s'exalte avant la ruine* [a]. Et Daniel dit aussi : *Le roi se promenait sur la terrasse du palais de Babylone et il répondit et dit : « N'est-ce pas là cette grande Babylone que j'ai bâtie pour en faire ma résidence royale, par la force de ma*

35 *robore fortitudinis meae, in gloria decoris mei*[b] *?»* Sed hunc tumorem quam concita uindicta represserit, ilico adiunxit, dicens : *Cum adhuc sermo esset in ore regis, uox de caelo ruit : « Tibi dicitur, Nabochodonosor rex : "Regnum transiet a te, et ab hominibus te eicient, et cum bestiis ferisque erit habitatio* 40 *tua ; fenum quasi bos comedes, et septem tempora mutabuntur super te*[c]*."»* Ecce quia tumor mentis usque ad aperta uerba se protulit, patientia iudicis protinus usque ad sententiam erupit ; tantoque hunc districtius perculit, quanto eius se superbia immoderatius erexit ; et quia enumerando bona dixit 45 in quibus sibi placuit, enumerata mala in quibus feriretur, audiuit.

49. Sciendum uero est quod ipsa haec de qua tractamus elatio alios ex rebus saecularibus, alios uero ex spiritalibus possidet. Alter namque intumescit auro, alter eloquio, alter infirmis et terrenis rebus, alter summis caelestibusque uir- 5 tutibus ; una tamen eademque res ante oculos Dei agitur, quamuis ad humana corda ueniens in eorum obtutibus diuerso amictu pallietur. Nam cum is qui de terrena prius gloria superbiebat postmodum de sanctitate extollitur, nequaquam cor eius elatio deseruit, sed ad eum consueta ueniens, ut 10 cognosci nequeat, uestem mutauit.

50. Sciendum quoque est quod aliter haec praepositos atque aliter subditos temptat. Praelato namque in cogitationibus suggerit quia solo uitae merito super ceteros excreuit ; et si qua ab eo bene aliquando gesta sunt, haec importune

48. b. Dn 4, 26-27 c. Dn 4, 28-29

puissance et pour la gloire de ma majesté[b] *?* » Mais montrant avec quelle rapidité le châtiment a réprimé cette bouffée d'orgueil, le texte a ajouté aussitôt : *Ces paroles étaient encore dans la bouche du roi, quand une voix tomba du ciel : « C'est à toi qu'il est parlé, ô roi Nabuchodonosor : La royauté se retirera de toi ; d'entre les hommes tu seras chassé, avec les bêtes des champs et les bêtes sauvages sera ta demeure ; d'herbe, comme les bœufs, tu te nourriras et sept temps passeront sur toi*[c]. » Comme l'orgueil de son esprit se dévoila au dehors dans ses paroles, aussitôt la patience du juge éclata dans la sentence de condamnation. Et la sentence le frappa avec d'autant plus de rigueur que sa superbe s'était dressée avec plus d'excès. Ainsi, puisqu'en parlant il avait énuméré les biens dans lesquels il se glorifiait, il dût entendre l'énumération des maux dont il serait frappé.

Formes variées d'orgueil

49. Mais il faut savoir que cet orgueil dont nous traitons s'empare de certains par les biens temporels, mais d'autres par les biens spirituels. L'un, en effet, se gonfle à cause de son or, un autre pour son éloquence ; celui-ci pour de vulgaires biens terrestres, celui-là pour de sublimes vertus célestes. Il s'agit d'une seule et même chose aux yeux de Dieu, bien qu'en se présentant au cœur des hommes, à leurs yeux, le vice se revête d'habits différents. Ainsi, lorsque celui qui s'enorgueillissait d'abord de la gloire terrestre se vante ensuite de sa sainteté, l'orgueil n'a pas du tout quitté son cœur, mais se présentant à lui comme d'habitude, il a changé de vêtement pour n'être pas reconnu.

Orgueil du prélat...

50. Il faut encore savoir que l'orgueil tente de façon différente les supérieurs et les subordonnés. A l'esprit du prélat, il suggère que c'est par le seul mérite de sa vie qu'il s'est élevé au-dessus des autres ; et si, une fois ou l'autre, quelques bonnes

5 eius animo obicit; et cum hunc Deo singulariter placuisse insinuat, quo facilius suggesta persuadeat, ipsam ad testimonium potestatis traditae retributionem uocat, dicens quia nisi omnipotens Deus te his hominibus meliorem cerneret, omnes hos sub tuo regimine non dedisset; eiusque 10 mox mentem erigit, uiles atque inutiles eos qui subiecti sunt ostendit, ita ut nullum iam quasi dignum respiciat cui aequanimiter loquatur. Vnde et mox mentis tranquillitas in iram uertitur, quia dum cunctos despicit, dum sensum uitamque omnium sine moderatione reprehendit, tanto irrefrenatius se 15 in iracundiam dilatat, quanto eos qui sibi commissi sunt esse sibimet indignos putat.

51. At contra cum subiectorum cor superbia instigat, hoc summopere agere nititur, ut sua acta considerare funditus neglegant, et semper tacitis cogitationibus rectoris sui iudices fiant, qui dum in illo quod reprehendere debeant importune 5 respiciunt, in semetipsis quod corrigant numquam uident. Vnde et tanto atrocius pereunt, quanto a se oculos auertunt, quia in huius uitae itinere offendentes corruunt, dum alibi intendunt. Et quidem peccatores se asserunt, nec tamen tantum ut tam noxiae in regimine personae traderentur. Et 10 dum eius facta despiciunt, dum praecepta contemnunt, ad tantam usque insaniam deuoluuntur, ut Deum res humanas curare non aestiment, quia ei qui quasi iure reprehenditur esse se commissos dolent. Sicque dum contra rectorem

actions ont été accomplies par lui, il les présente de manière importune à son esprit et, quand il insinue que l'homme qu'il est a été singulièrement agréable à Dieu, pour le persuader plus facilement de ses suggestions, il fait appel à la notion même de récompense à preuve le pouvoir qui lui a été remis, en disant : Si Dieu tout-puissant ne te jugeait pas meilleur que ces hommes, il n'aurait pas confié tous ceux-là à ta conduite ; bientôt, il dresse son esprit, il lui présente comme sans valeur et incapables ceux qui lui sont soumis, en sorte qu'il finit par n'en voir aucun qui soit digne qu'on lui parle avec patience. Cette considération change bientôt en colère la tranquillité de son esprit car, tandis qu'il méprise tout le monde, tandis qu'il reprend sans mesure les opinions et la conduite de tous, il se laisse aller à l'irritation avec d'autant moins de retenue qu'il considère comme peu dignes de lui ceux qui lui sont confiés.

... et de ceux dont il a la charge

51. Or, de l'autre côté, lorsque la superbe excite le cœur des subordonnés, elle s'efforce avant tout de les détourner d'examiner à fond leurs actes, de sorte que toujours ils se font, sous l'effet de leurs pensées secrètes, les juges de leur supérieur ; mais tandis qu'ils envisagent à tort et à travers ce qu'ils auraient à lui reprocher, ils ne voient jamais ce qui en eux-mêmes serait à corriger. Ainsi périssent-ils de façon d'autant plus atroce qu'ils détournent les yeux d'eux-mêmes parce qu'ils trébuchent et tombent sur le chemin de cette vie, pendant qu'ils regardent ailleurs. Et certes, ils se reconnaissent pécheurs, mais pas au point cependant d'être ainsi confiés à la conduite d'une personne si malfaisante. Et tandis qu'ils regardent de haut son action, qu'ils méprisent ses ordres, ils sont précipités dans une telle folie qu'ils ne croient pas que Dieu se soucie des choses humaines, puisqu'ils souffrent d'être confiés à quelqu'un qui est, pour ainsi dire à bon droit, blâmé. Et, s'enorgueillissant ainsi contre leur supérieur, ils

superbiunt, etiam contra iudicia conditoris intumescunt,
15 et dum pastoris sui uitam diiudicant, ipsam quoque sapientiam omnia disponentis impugnant. Saepe autem rectoris sui dictis proterue obuiant, et eamdem uocis superbiam libertatem uocant. Sic quippe elatio se quasi pro rectitudine libertatis obicit, sicut saepe se et timor pro humilitate
20 supponit.

Nam sicut plerique reticent ex timore, et tamen tacere se aestimant ex humilitate, ita nonnulli loquuntur per impatientiam elationis, et tamen loqui se credunt per libertatem rectitudinis. Aliquando autem subditi proterua quae
25 sentiunt nequaquam produnt, et hi quorum loquacitas uix compescitur, nonnumquam ex sola amaritudine intimi rancoris obmutescunt. Qui per dolorem mentis procacitatis suae uerba subtrahentes, cum male loqui soleant, peius tacent, quia cum peccantes aliquid de correctione audiunt,
30 indignantes etiam responsionis uerba suspendunt. Cum his quando aspere agitur, saepe ad querelae uoces de hac ipsa asperitate prosiliunt. Cum uero eos magistri sui blande praeueniunt, de hac ipsa humilitate qua praeuenti sunt grauius indignantur ; et tanto eorum mens uastius accenditur, quanto
35 consideratius infirma iudicatur.

Hi nimirum, quia humilitatem, quae uirtutum mater est, nesciunt, usum sui laboris perdunt, etiamsi qua bona sint quae operari uideantur, quia surgentis fabricae robusta celsitudo non figitur, quae nequaquam per fundamenti
40 fortitudinem in petra solidatur. Soli ergo ruinae crescit quod aedificant, quia ante molem fabricae humilitatis fundamina

1. Humilité, mère des vertus. On pense en particulier à Cassien (*Inst.* 4, 39 ; 12, 33) et à saint Benoît (*RB* 7).

s'enflent même d'orgueil contre les jugements du Créateur, et en condamnant la vie de leur pasteur, ils s'attaquent aussi à la sagesse même de celui qui règle toutes choses. Souvent, en effet, ils contredisent effrontément les paroles de leur supérieur, et ils appellent liberté cet orgueil de la parole. C'est ainsi que l'orgueil se présente comme une intégrité inspirée par la franchise, de même que souvent la crainte se fait passer pour de l'humilité.

Beaucoup, en effet, se taisent par crainte et s'imaginent garder le silence par humilité ; de même, d'autres parlent avec l'impatience de l'orgueil et croient qu'ils parlent avec la franchise que donne l'intégrité. Parfois cependant les subordonnés ne manifestent absolument pas l'impudence qu'ils ont dans le cœur, et ces beaux parleurs dont on ne maîtrise que difficilement la verve, deviennent parfois muets du fait de l'aigreur d'une secrète rancune. Et ceux-là qui, dans l'amertume de leur cœur, s'abstiennent d'exprimer par des mots leur effronterie, eux qui d'habitude parlaient à tort et à travers, oui, ceux-là sont pires par leur silence, car, lorsqu'ils entendent une réprimande au sujet de leurs fautes, eh bien, c'est uniquement parce qu'ils sont indignés qu'ils se retiennent de répliquer. Avec ceux-là, si l'on agit sévèrement, souvent ils sortent de leurs gonds au sujet de cette sévérité et se plaignent à haute voix. Mais lorsque leurs maîtres les préviennent avec douceur, ils s'indignent encore plus de l'humilité même avec laquelle ils sont prévenus et leur esprit s'enflamme d'autant plus qu'on met plus de prudence à le juger fragile.

Ceux-là certainement, parce qu'ils ignorent l'humilité, qui est la mère des vertus [1], perdent le fruit de leur labeur, même si apparemment ils accomplissent des œuvres bonnes : en effet, on ne peut bâtir un édifice solide et élevé, si ses fondations ne sont pas établies sur la fermeté de la pierre. Ce qu'ils édifient ne s'élève donc que pour tomber en ruines, parce qu'avant de construire le bâtiment, ils n'ont pas veillé

non procurant. Quos bene ab intimis prodimus, si paucis in exterioribus ostendamus.

52. Cunctis namque superba apud se cogitatione tumentibus inest clamor in locutione, amaritudo in silentio, dissolutio in hilaritate, furor in tristitia, inhonestas in actione, honestas in imagine, erectio in incessu, rancor in responsione.
5 Horum mens semper est ad irrogandas contumelias ualida, ad tolerandas infirma, ab obediendum pigra, ad lacessendos uero alios importuna, ad ea quae facere et debet et praeualet ignaua, ad ea autem quae facere nec debet nec praeualet parata. Haec in eo quod sponte non appetit nullis exhortationibus
10 flectitur, ad hoc autem quod latenter desiderat quaerit ut cogatur, quia dum metuit ex desiderio suo uilescere, optat uim in ipsa sua uoluntate tolerare.

53. Igitur quia humanos animos aliter temptari ex rebus carnalibus, atque aliter ex spiritualibus diximus, audiant illi : *Omnis caro fenum, et gloria eius sicut flos feni*[a]. Audiant isti, quod quibusdam post miracula dicitur : *Nescio uos unde*
5 *sitis, discedite a me, omnes operarii iniquitatis*[b]. Audiant illi : *Diuitiae si affluant, nolite cor apponere*[c]. Audiant isti quia fatuae uirgines, quae cum uacuis uasculis ueniunt, ab internis nuptiis excluduntur[d]. Rursum, quia aliter temptari praelatos, atque aliter subditos praefati sumus, audiant illi quod per

53. a. Is 40, 6 ; cf. 1 P 1, 24 b. Lc 13, 27 c. Ps 61, 11 d. Cf. Mt 25, 12

1. Ces huit traits de l'homme orgueilleux font penser à Cassien, *Inst.* 12, 27, qui en énumère une demi-douzaine, en particulier le silence mauvais et la « démarche hautaine » (*incessus erectus*), la « réponse » amère et la rancœur.

aux fondations de l'humilité. Ceux-là, nous révélerons ce qu'ils sont en profondeur, si nous les montrons brièvement dans leurs manifestations extérieures.

Portrait de l'orgueilleux

52. En effet, chez tous ceux qui s'enflent intérieurement d'une pensée orgueilleuse, on rencontre[1] : des éclats de voix dans le discours, une amertume dans le silence, une absence de retenue dans la joie, une frénésie dans la tristesse, un manque de probité dans l'action, mais la probité dans les apparences, une fierté dans la démarche, une rancœur dans les réponses. Leur esprit est toujours vigoureux pour lancer des injures, mais faible pour les supporter, lent à obéir, toujours prêt à harceler les autres, sans énergie pour ce qu'il peut et doit faire, mais disponible pour ce qu'il ne peut ni ne doit faire. Vers ce qui ne l'attire pas spontanément, aucune exhortation ne peut l'incliner, mais à ce qu'il souhaite secrètement, il cherche à se faire contraindre, car, tandis qu'il craint d'être rabaissé du fait de son désir, il souhaite que sa propre volonté subisse une contrainte.

Exhortation à l'humilité

53. C'est pourquoi, puisque nous avons remarqué que les âmes des hommes sont tentées de façon différente par les biens de la chair et par ceux de l'esprit, que les uns écoutent : *Toute chair est comme l'herbe et sa beauté est celle de la fleur des champs*[a]. Que les autres écoutent ce qui est dit à certains, après qu'ils ont fait des miracles : *Je ne sais qui vous êtes, éloignez-vous de moi, vous tous qui commettez l'iniquité*[b]. Que les uns écoutent : *Aux richesses, quand elles s'accroissent, n'attachez pas votre cœur*[c]. Que les autres écoutent ceci : les vierges folles, qui viennent avec des vases vides, demeurent en dehors de la salle des noces[d]. Et encore, puisque nous avons dit plus haut que les supérieurs étaient tentés d'une manière et les subordonnés d'une autre, que les uns écoutent ce que dit un

10 quemdam sapientem dicitur : *Ducem te constituerunt ? Noli extolli, sed esto in illis quasi unus ex illis*[e]. Audiant isti : *Obedite praepositis uestris, et subiacete eis ; ipsi enim peruigilant quasi rationem reddituri pro animabus uestris*[f]. Audiant illi, cum de accepta potestate gloriantur, hoc quod Abrahae uoce
15 ardenti diuiti dicitur : *Memento, fili, quia recepisti bona in uita tua*[g]. Audiant isti, cum contra rectores suos in querelas prosiliunt, hoc quod murmuranti populo Moysi et Aaron uocibus respondetur : *Nec contra nos est murmur uestrum, sed contra Dominum. Nos enim quid sumus*[h] ? Audiant illi :
20 *Turbabuntur in conspectu eius patres orphanorum et iudices uiduarum*[i]. Audiant isti quod contra contumaciam subditorum dicitur : *Qui resistit potestati, Dei ordinationi resistit*[j]. Audiant simul omnes : *Deus superbis resistit, humilibus autem dat gratiam*[k]. Audiant omnes : *Immundus est*
25 *apud Deum omnis qui exaltat cor*[l]. Audiant omnes : *Quid superbit, terra et cinis*[m] ? Contra huius languoris pestem audiamus cuncti quod magistra Veritas docet dicens : *Discite a me, quia mitis sum et humilis corde*[n].

54. Ad hoc namque unigenitus Dei Filius formam infirmitatis nostrae suscepit, ad hoc inuisibilis, non solum uisibilis, sed etiam despectus apparuit, ad hoc contumeliarum ludibria, irrisionum opprobria, passionum tormenta tolerauit,
5 ut superbum non esse hominem doceret humilis Deus. Quanta ergo humilitatis uirtus est, propter quam solam ueraciter edocendam is qui sine aestimatione magnus est, usque ad passionem factus est paruus[a]. Quia enim originem perditionis nostrae se praebuit superbia diaboli, instru-

53. e. Si 32, 1 f. He 13, 17 g. Lc 16, 25 h. Ex 16, 8 i. Ps 67, 5-6 j. Rm 13, 2 k. Jc 4, 6 ; 1 P 5, 5 ; cf. Pr 3, 34 l. Pr 16, 5 m. Si 10, 9 n. Mt 11, 29
54. a. Cf. Ph 2, 6-8

sage : *Ils t'ont établi, pour être leur chef ? Ne t'en élève pas, mais sois au milieu d'eux comme l'un d'entre eux*[e]. Et que les autres écoutent ceci : *Obéissez à vos chefs, et soyez soumis à eux, car ils veillent sur vos âmes comme devant en rendre compte*[f]. Que les uns écoutent, lorsqu'ils se glorifient du pouvoir reçu, ce qui est dit par la voix d'Abraham au riche, tandis qu'il brûle : *Souviens-toi, mon fils, que tu as reçu des biens durant ta vie*[g]. Que les autres écoutent, lorsqu'ils s'emportent en récriminations contre leurs maîtres, ce qu'il est répondu au peuple qui murmure par la voix de Moïse et d'Aaron : *Ce n'est pas contre nous que vous murmurez, mais contre le Seigneur ; car nous, qui sommes-nous*[h] ? Que les premiers écoutent : *Ils seront troublés en face de lui, ces pères des orphelins et ces juges des veuves*[i]. Que les seconds écoutent ce qui est dit contre l'esprit de révolte des subordonnés : *Celui qui résiste au pouvoir, résiste aux ordres de Dieu*[j]. Qu'ils écoutent tous ensemble : *Dieu résiste aux superbes, mais il donne sa grâce aux humbles*[k]. Qu'ils écoutent tous : *Quiconque s'élève en son cœur, est impur aux yeux de Dieu*[l]. Qu'ils écoutent tous : *Pourquoi tant d'orgueil dans la terre et la cendre*[m] ? Pour guérir le fléau de cette maladie, écoutons tous l'enseignement de notre maîtresse, la Vérité, qui dit : *Apprenez de moi que je suis doux et humble de cœur*[n].

L'humilité rédemptrice

54. C'est pour cela que le Fils unique de Dieu a pris la forme de notre faiblesse ; c'est pour cela qu'invisible, il est apparu non seulement visible, mais même méprisé ; c'est pour cela qu'il a supporté outrages et affronts, opprobres et moqueries, tourments et les souffrances, afin qu'un Dieu humble apprenne à l'homme à n'être pas orgueilleux. Qu'elle est donc grande la vertu d'humilité, puisque pour l'enseigner, elle seule, en vérité, celui qui est d'une grandeur qu'on ne peut évaluer s'est fait petit jusqu'à endurer sa passion[a] ! Puisqu'en effet la superbe du diable s'est révélée être l'origine de notre perdi-

10 mentum redemptionis nostrae inuenta est humilitas Dei. Hostis quippe noster magnus inter omnia conditus, uideri super omnia uoluit elatus. Redemptor autem noster magnus manens super omnia, fieri inter omnia dignatus est paruus.

55. Sed melius et elationis causam detegimus, et fundamenta humilitatis aperimus, si breui commemoratione perstringimus quid mortis auctor, quid uitae conditor dicat. Ille namque ait : *In caelum conscendam*[a]; iste autem per 5 prophetam dicit : *Repleta est malis anima mea, et uita mea inferno appropinquauit*[b]. Ille dicit : *Supra astra caeli exaltabo solium meum*[c]; iste humano generi a paradisi sedibus expulso dicit : *Ecce uenio, et habitabo in medio tui*[d]. Ille dicit : *Sedebo in monte testamenti, in lateribus Aquilonis*[e]; iste 10 dicit : *Ego sum uermis, et non homo ; opprobrium hominum, et abiectio plebis*[f]. Ille dicit : *Ascendam super altitudinem nubium, similis ero Altissimo*[g]; iste : *Cum in forma Dei esset, non rapinam arbitratus est esse se aequalem Deo ; semetipsum exinaniuit, formam serui accipiens*[h]; et per membra sua lo- 15 quitur dicens : *Domine, quis similis tibi*[i] *?* Ille per membra sua loquitur, dicens : *Nescio Dominum, et Israel non dimitto*[j]. Iste per semetipsum dicit : *Si dixero quia non noui eum, ero similis uobis mendax ; sed noui eum, et sermonem eius seruo*[k]. Ille dicit : *Mea sunt flumina, et ego feci ea*[l]; iste dicit : *Non* 20 *possum a meipso facere quicquam*[m]; et rursum : *Pater meus in me manens, ipse facit opera*[n]. Ille regna omnia ostendens, dicit : *Tibi dabo potestatem hanc uniuersam et gloriam illorum, quia mihi tradita sunt, et cui uolo do illa*[o]; iste dicit : *Calicem quidem meum bibetis, sedere autem ad dexteram,*

55. a. Is 14, 13 b. Ps 87, 4 c. Is 14, 13 d. Za 2, 10 e. Is 14, 13 f. Ps 21, 7 g. Is 14, 14 h. Ph 2, 6-7 i. Ps 34, 10 j. Ex 5, 2 k. Jn 8, 55 l. Ez 29, 9 m. Jn 5, 30 n. Jn 14, 10 o. Lc 4, 6

tion, l'humilité de Dieu a été trouvée comme instrument de notre rédemption. Oui, notre ennemi, créé grand entre toutes les créatures, voulut paraître élevé au-dessus de toutes choses. Notre Rédempteur, au contraire, tout en demeurant grand au-dessus de tout, a daigné se faire petit parmi tous.

Orgueil du diable et humilité de Dieu

55. Mais nous dévoilons mieux la cause de l'orgueil et mettons au jour les fondements de l'humilité, si nous rappelons brièvement ce que dit l'auteur de la mort et ce que dit le créateur de la vie. Le premier déclare en effet : *Je monterai au ciel*[a]. Le second dit par la voix du prophète : *Mon âme est remplie de maux et ma vie est proche de l'enfer*[b]. Le premier dit : *Je dresserai mon trône au-dessus des astres du ciel*[c]. Le second dit au genre humain chassé du séjour du paradis : *Voici que je viens, et j'habiterai au milieu de toi*[d]. Le premier dit : *J'établirai mon siège sur la montagne du testament, du côté de l'Aquilon*[e]. Le second dit : *Moi, je suis un ver et non un homme, l'opprobre des hommes et l'abjection du peuple*[f]. Le premier dit : *Je monterai, au-dessus des plus hautes nuées, je serai semblable au Très-Haut*[g]. Le second : *Étant dans la forme de Dieu, il n'a pas cru que ce fût une usurpation de se faire l'égal de Dieu ; il s'est anéanti lui-même, prenant la forme de serviteur*[h] ; et parlant par ses membres, il dit : *Seigneur, qui est semblable à toi*[i] *?* Le premier parle par ses membres et dit : *Je ne connais pas le Seigneur et ne laisserai pas aller Israël*[j]. Le second dit par lui-même : *Si je dis que je ne le connais pas, je serai comme vous un menteur ; mais je le connais et je garde sa parole*[k]. Le premier dit : *Les fleuves sont à moi, et c'est moi qui les ai faits*[l]. Le second dit : *Je ne puis rien faire de moi-même*[m]. Et encore : *Mon Père demeure en moi, et lui-même accomplit les œuvres*[n]. Le premier, montrant tous les royaumes, dit : *Je te donnerai toute cette puissance et la gloire de ces royaumes, car elle m'a été remise et je la donne à qui je veux*[o]. Le second dit : *Certes vous boirez à mon calice, mais*

25 *uel ad sinistram meam, non est meum dare uobis, sed quibus paratum est a Patre meo*[p]. Ille dicit : *Eritis sicut dii, scientes bonum et malum*[q] ; iste dicit : *Non est uestrum nosse tempora uel momenta quae Pater posuit in sua potestate*[r]. Ille ut uoluntas diuina despici, et ut possit propria suaderi, dicit :
30 *Cur praecepit uobis Deus ut non comederetis ex omni ligno paradisi*[s] *?* Et paulo post : *Scit enim Deus, quod in quocumque die comederitis ex eo, aperientur oculi uestri*[t] ; iste dicit : *Non quaero uoluntatem meam, sed uoluntatem eius qui misit me*[u]. Ille per membra sua loquitur, dicens : *Nullum pratum sit quod*
35 *non pertranseat luxuria nostra ; coronemus nos rosis antequam marcescant, ubique relinquamus signa laetitiae nostrae*[v] ; iste membris suis praenuntiat, dicens : *Plorabitis et flebitis uos, mundus autem gaudebit*[w]. Ille nihil aliud mentes sibi subditas docet quam celsitudinis culmen appetere, cuncta aequalia
40 mentis tumore transcendere, societatem omnium hominum alta elatione transire, ac sese et contra potentiam conditoris erigere ; sicut de eisdem per psalmistam dicitur : *Transierunt in dispositionem cordis, cogitauerunt et locuti sunt nequitias, iniquitatem in excelso locuti sunt*[x] ; iste ad sputa, ad palmas,
45 ad colaphos, ad spineam coronam, ad crucem, ad lanceam, atque ad mortem ueniens, membra sua admonet, dicens : *Si quis mihi ministrat, me sequatur*[y].

56. Quia igitur Redemptor noster corda regit humilium, et Leuiathan iste rex dicitur superborum, aperte cognoscimus quod euidentissimum reproborum signum superbia est, at contra humilitas electorum. Cum ergo quam quisque habeat

55. p. Mt 20, 23 q. Gn 3, 5 r. Ac 1, 7 s. Gn 3, 1 t. Gn 3, 5 u. Jn 5, 30 v. Sg 2, 8-9 w. Jn 16, 20 x. Ps 72, 7-8 y. Jn 12, 26

siéger à ma droite et à ma gauche, ce n'est pas à moi de vous le donner, mais c'est pour ceux à qui mon Père l'a destiné[p]. Le premier dit : *Vous serez comme des dieux, connaissant le bien et le mal*[q]. Le second dit : *Il ne vous appartient pas de connaître les temps et les moments que le Père a fixés de sa seule autorité*[r]. Le premier, pour que la volonté divine soit méprisée, et afin de persuader ce qui dépend de la sienne, dit : *Pourquoi Dieu vous a-t-il enjoint de ne pas manger de tous les fruits du paradis*[s] *?* Et, peu après : *Dieu sait, en effet, que le jour où vous en mangerez, vos yeux s'ouvriront*[t]. Le second dit : *Ce n'est pas ma volonté que je cherche, mais la volonté de celui qui m'a envoyé*[u]. Le premier, parlant par ses membres, dit : *Qu'il n'y ait aucun pré qui échappe à nos voluptés, couronnons-nous de roses avant qu'elles ne se fanent, laissons partout des traces de notre liesse*[v]. Le second prédit à ses membres : *Vous pleurerez et vous gémirez, mais le monde sera dans la joie*[w]. Le premier n'enseigne rien d'autre aux esprits qui lui sont soumis que d'aspirer au sommet de l'élévation, de surpasser, l'esprit gonflé d'orgueil, tous leurs égaux, de dépasser par une arrogance hautaine la société humaine dans son ensemble ; et, de plus, de se dresser eux-mêmes contre la puissance du Créateur, ainsi qu'il est dit à leur sujet par le psalmiste : *Ils en sont venus à cette disposition du cœur de penser le mal et de le dire, de dire l'iniquité jusque dans les lieux les plus élevés*[x]. Le second, alors qu'il s'offre aux crachats, aux soufflets, aux coups, à la couronne d'épines, à la croix, à la lance et à la mort, exhorte ses membres, en disant : *Si quelqu'un me sert, qu'il me suive*[y].

56. Puisque donc notre Rédempteur gouverne le cœur des humbles, tandis que ce Léviathan est appelé roi des superbes, nous connaissons par là clairement que la marque la plus évidente des réprouvés est la superbe, tandis qu'à l'inverse, l'humilité est celle des élus. Donc, lorsqu'on reconnaît laquelle des deux se trouve en quelqu'un, il est facile de décou-

5 agnoscitur, sub quo rege militet inuenitur. Vnusquisque enim quasi quemdam titulum portat operis, quo facile ostendat sub cuius seruiat potestate rectoris. Vnde et per euangelium dicitur : *Ex fructibus eorum cognoscetis eos*[a]. Ne igitur nos Leuiathan istius membra uel mira faciendo fallerent, aper-
10 tum signum Dominus quo deprehendi ualeant demonstrauit, dicens : *Ipse est rex super uniuersos filios superbiae*[b]. Qui etsi quando fictam speciem humilitatis assumunt, semetipsos tamen celare in omnibus nequaquam possunt, quia eorum superbia diu latere non sustinens, cum ex alia tegitur, ex alia
15 actione denudatur. Qui uero sub rege humilitatis militant, semper pauidi ; atque ex omni latere circumspecti, aduersum iacula elationis pugnant, et quasi contra uenientes ictus solum magis in suo corpore oculum custodiunt, dum in semetipsis principaliter humilitatem tuentur.

56. a. Mt 7, 16 ; 7, 20 b. Jb 41, 25

vrir sous quel roi il sert. Chacun, en effet, porte, comme un insigne, le comportement qui permet de voir aisément au pouvoir de quel maître il est assujetti. C'est ainsi qu'il est dit dans l'Évangile : *Vous les reconnaîtrez à leurs fruits*[a]. C'est pourquoi, de peur que les membres de ce Léviathan ne nous induisent en erreur, en faisant, par exemple, des miracles, le Seigneur nous a montré un signe évident pour les démasquer, en disant : *Il est roi sur tous les fils d'orgueil*[b]. Et même si parfois ils prennent l'apparence feinte de l'humilité, ils ne peuvent aucunement se cacher, car leur superbe ne souffre pas de demeurer longtemps secrète : dissimulée par un acte, elle se découvre par un autre. Mais ceux qui servent sous le roi d'humilité, toujours sur leurs gardes et attentifs de tout côté, combattent les traits de l'orgueil, et, voyant pour ainsi dire venir les coups, ils protègent de préférence dans leur corps, l'œil seulement, tandis qu'en eux ils cherchent à défendre avant tout l'humilité.

LIBER TRIGESIMVS QUINTVS

1. Quia iste ultimus huius operis liber est, et, locis difficilioribus pertractatis, minus obscura sunt quae supersunt, libet hunc indulgentius remissiusque transcurrere. Velut emenso enim magno mari, iam litus cernimus, et intentionis
5 nostrae uela deponentes, non eodem quo prius impetu ducimur, sed tamen adhuc ex impulsione pristini flatus imus. Quasi anxietatis nostrae uentus cecidit, sed tamen eius uis iam seipsa tranquillior usque ad stationem nos litoris impellit. Igitur postquam fideli famulo Dominus Leuiathan
10 hostis eius quam sit et fortis et callidus ostendit, dum uires illius subtiliter fraudesque patefecit, beatus Iob ad utraque respondit, dicens :

42,2 I, **2.** ***Scio quia omnia potes, et nulla te latet cogitatio.*** Contra immanes quippe uires eius intulit : *Scio quia omnia potes* ; contra occultas uero machinationes illius subiunxit : *Et nulla te latet cogitatio*. Vnde et mox eidem Leuiathan
5 exprobrat, dicens :

42,3 ***Quis est iste qui celat consilium absque scientia ?*** Absque scientia enim Leuiathan celat consilium ; quia quamuis

LIVRE 35

1. Parce que ce Livre est le dernier de l'ouvrage et que, les passages les plus difficiles ayant été expliqués, ceux qui restent sont moins obscurs, nous pouvons le parcourir avec plus de facilité, et de manière plus détendue. Ainsi, après avoir traversé une mer immense, nous apercevons maintenant le rivage et, pliant les voiles de notre attention, nous ne sommes pas poussés par le même élan qu'auparavant, mais nous avançons cependant encore, grâce au souffle de notre impulsion initiale. Le vent de notre effort anxieux est pour ainsi dire tombé, mais c'est pourtant sa force, désormais plus tranquille, qui nous pousse jusqu'au mouillage du rivage. Ainsi, après que le Seigneur eut montré à son fidèle serviteur combien Léviathan, son ennemi, était fort et rusé, après qu'il lui eut découvert en détail sa force et ses ruses, le bienheureux Job répondit à cette double révélation :

Force et ruse de Léviathan

I, **2.** ***Je sais que tu peux tout, et aucune pensée ne t'est cachée.*** Contre les forces sauvages de ce personnage, il affirme : *Je sais que tu peux tout*. Contre ses machinations secrètes, il ajoute : *Et aucune pensée ne t'est cachée*. C'est pourquoi, aussitôt, il fait des reproches à Léviathan et lui dit : 42,2

Quel est celui-là qui cache ses desseins par manque d'intelligence ? C'est en effet par manque d'intelligence que Léviathan cache ses desseins, parce que, bien qu'il se dissi- 42,3

contra infirmitatem nostram multis fraudibus occultetur, protectoris tamen nostri sancta nobis inspiratione detegitur.
10 Absque scientia celat consilium, quia licet temptatos lateat, latere tamen protectorem non potest temptatorum. Igitur audita fortitudine et calliditate diaboli, audita etiam Creatoris nostri potentia, quae et illum ualenter reprimit, et nos misericorditer tegit, quaesumus, beate Iob, ut quae de temet-
15 ipso sentis nobis minime occultes. Sequitur :

II, **3.** ***Ideo insipienter locutus sum, et quae ultra modum***
42,3 ***excederent scientiam meam.*** Omnis humana sapientia quantolibet acumine polleat, diuinae sapientiae comparata, insipientia est. Omnia enim humana quae iusta, quae pulchra
5 sunt, Dei iustitiae et pulchritudini comparata, nec iusta nec pulchra sunt, nec omnino sunt. Beatus itaque Iob ea quae dixerat sapienter se dixisse crederet, si uerba superioris sapientiae non audiret. In cuius comparatione stultum est nostrum omne quod sapit. Et qui sapienter quidem locu-
10 tus hominibus fuerat, diuinas tamen sententias audiens, sapientius se cognoscit non esse sapientem. Hinc est quod Abraham inter uerba dominica nil se nisi puluerem uidit, dicens : *Loquar ad Dominum meum, cum sim puluis et cinis*[a]. Hinc est quod Moyses omni Aegyptiorum sapientia
15 instructus, ex quo loquentem Dominum audiuit, impeditioris et tardioris linguae se esse deprehendit, dicens : *Obsecro, Domine, non sum eloquens ; ab heri enim et nudiustertius, ex quo locutus es ad seruum tuum, impeditioris et tardioris linguae sum*[b]. Hinc est quod Isaias, postquam
20 sedentem Dominum super solium excelsum atque eleuatum uidit ; postquam Seraphim duabus alis faciem, duabus

3. a. Gn 18, 27 b. Ex 4, 10

mule sous de nombreuses ruses contre notre faiblesse, il nous est découvert par la sainte inspiration de notre protecteur. C'est par manque d'intelligence qu'il cache ses desseins, parce que, bien qu'il les dissimule à ceux qui sont tentés, il ne peut cependant les dissimuler au protecteur de ceux qui sont tentés. Et maintenant que nous avons appris la force et la malice du diable, mais aussi la puissance de notre Créateur qui le réprime avec force et nous protège dans sa miséricorde, nous te demandons, bienheureux Job, de ne pas nous laisser ignorer ce que tu penses de toi-même. Le texte poursuit :

Sagesse de Dieu

II, **3.** ***Oui, j'ai parlé comme un insensé de choses qui surpassaient infiniment ma connaissance.*** Toute la sagesse de l'homme, aussi pénétrante qu'elle puisse être, comparée à la sagesse de Dieu, n'est que folie. En effet, tout ce qui, dans l'homme, est juste, tout ce qui en lui est beau, comparé à la justice et à la beauté de Dieu, n'est ni juste, ni beau, et n'est rien du tout. C'est pourquoi le bienheureux Job pouvait croire que ce qu'il disait était énoncé avec sagesse, tant qu'il n'avait pas entendu les paroles de la Sagesse suprême, en comparaison de laquelle est insensé tout ce qui nous paraît sage. Mais lui qui avait parlé avec sagesse à des hommes, entendant les propos divins, reconnut, avec plus de sagesse encore, qu'il n'était point sage. De là vient qu'Abraham se rendit compte, alors que Dieu lui parlait, que lui-même n'était que poussière : *Parlerai-je à mon Seigneur, moi qui ne suis que poussière et cendre*[a] ? De là vient que Moïse, instruit de toute la sagesse des Égyptiens, alors qu'il entendit parler le Seigneur, reconnut qu'il avait la langue plus maladroite et pesante : *Je t'en prie, Seigneur, je ne suis pas éloquent. Depuis hier et avant-hier, depuis que tu as parlé à ton serviteur, j'ai la langue plus maladroite et plus pesante*[b]. De là vient qu'Isaïe, après avoir vu le Seigneur assis sur un trône très élevé, après avoir vu les Séraphins se voiler la face de deux ailes, se couvrir les pieds

42,3

uelare pedes, et duabus uolare conspexit; postquam id quod : *Sanctus, Sanctus, Sanctus Dominus Deus exercituum* [c], alter ad alterum clamaret audiuit; ad seipsum rediens, ait :
25 *Vae mihi quia tacui, quia uir pollutus labiis ego sum, et in medio populi polluta labia habentis ego habito* [d]. Moxque ipsam pollutionem unde cognouerit subdens, ait : *Et regem Dominum exercituum uidi oculis meis* [e]. Hinc etiam Ieremias diuina uerba audiens, uerba se non habere cognouit, dicens :
30 *A a a, Domine Deus, ecce nescio loqui, quia puer ego sum* [f]. Hinc Ezechiel loquens de quattuor animalibus, dicit : *Cum fieret uox supra firmamentum, quod erat supra caput eorum, stabant et submittebant alas suas* [g]. Quid enim per uolatum animalium, nisi euangelistarum atque doctorum sublimitas
35 designatur ? Vel quid sunt alae animalium, nisi sanctorum contemplationes eos ad caelestia subleuantes ? Sed cum fit uox supra firmamentum, quod super caput eorum est, stantes submittunt alas suas ; quia cum internam uocem supernae sapientiae audiunt, quasi uolatus sui alas deponunt ; quia
40 uidelicet ipsam Veritatis altitudinem minus se contemplari posse cognoscunt. Ad uocem ergo desuper uenientem alas deponere est cognita superna potentia, uirtutes proprias humiliare et consideratione Creatoris nihil de se aliud quam abiecta sentire. Sancti itaque uiri dum diuinitatis sententias
45 audiunt, quanto magis contemplando proficiunt, tanto amplius despiciendo quod sunt, aut nihil, aut prope nihil se esse cognoscunt.

Respondeat ergo diuinis sermonibus beatus Iob, et sapienter proficiens, stultum se esse deprehendat, dicens : *Insi-*
50 *pienter locutus sum, et quae ultra modum excederent scientiam meam*. Ecce tanto se amplius redarguit, quanto amplius proficit, et scientiam suam ultra modum excessisse se credidit,

3. c. Is 6, 3 d. Is 6, 5 e. Is 6, 5 f. Jr 1, 6 g. Ez 1, 25

de deux autres, et voler avec les deux dernières, après les avoir entendu clamer de l'un à l'autre : *Saint, saint, saint est le Seigneur, le Dieu des armées*[c], revint à lui et dit : *Malheur à moi, parce que je me suis tu : Je suis un homme aux lèvres souillées et j'habite au sein d'un peuple aux lèvres souillées*[d]. Et aussitôt il ajoute comment il a pris connaissance de cette souillure : *Et j'ai vu de mes yeux le roi et Seigneur des armées*[e]. C'est pour cela aussi que Jérémie, entendant les paroles divines, prit conscience qu'il ne pouvait plus parler et dit : *A, a, a, Seigneur Dieu, voici que je ne sais pas parler, car je suis un enfant*[f]. C'est pour cela qu'Ézéchiel dit à propos des quatre animaux : *Lorsqu'une voix s'élevait par-delà le firmament qui était au-dessus de leurs têtes, ils s'arrêtaient et repliaient leurs ailes*[g]. Que signifie le vol de ces animaux, sinon la sublimité des évangélistes et des docteurs ? Et les ailes de ces animaux, sinon la contemplation des saints qui les élève vers les réalités célestes ? Mais, quand s'élève une voix par-delà le firmament qui est au-dessus de leurs têtes, s'arrêtant, ils replient leurs ailes ; parce que, lorsqu'ils entendent la voix intérieure de la sagesse d'en haut, ils déposent, pour ainsi dire, les ailes de leur vol, car ils se reconnaissent incapables de contempler en elle-même l'élévation de la Vérité. Déposer ses ailes au son de la voix qui vient d'en haut, c'est, après avoir reconnu la puissance divine, rabaisser ses propres forces et ne se considérer soi-même à l'égard du Créateur qu'avec abjection. Ainsi, lorsque les hommes saints entendent les paroles de la divinité, plus ils progressent dans la contemplation, plus, méprisant ce qu'ils sont eux-mêmes, ils reconnaissent n'être rien ou presque rien.

Que le bienheureux Job réponde donc aux discours divins et, progressant en sagesse, qu'il comprenne qu'il est insensé, en disant : *J'ai parlé comme un insensé de choses qui surpassaient infiniment ma connaissance.* Voici qu'il se fait d'autant plus de reproches qu'il progresse davantage et il a cru avoir surpassé infiniment sa connaissance, parce que, dans

quia in uerbis Domini plus quam aestimauerat secreta eius sapientiae agnouit. Sequitur :

III, 4. ***Audi, et ego loquar ; interrogabo te, et responde mihi.*** Audire nostrum est sono aliunde uenienti aurem alio positam commodare. At contra Deo, cui extra nihil est, audire proprie est sub semetipso surgentia desideria nostra percipere. Ad Deum ergo, qui et tacentium corda cognoscit, loqui nostrum est non uocibus gutturis id quod sentimus prodere, sed promptis ad illum desideriis inhiare. Et quia ideo quisque interrogat, ut discere ualeat quod ignorat, homini Deum interrogare est in conspectu eius nescientem se cognoscere. Respondere autem Dei, est eum qui se humiliter nescientem cognouerit occultis inspirationibus erudire. Ait ergo beatus Iob : *Audi, et ego loquar*. Ac si diceret : Misericorditer desideria mea percipe, ut dum haec tua pietas percipiens adiuuat, ad te multipliciora consurgant. Bona quippe uota quotiens effectum percipiunt, multiplicantur. Vnde alias scriptum est : *Ego clamaui, quoniam exaudisti me*[a]. Non enim ait : Quia clamaui, exaudisti me ; sed : *Clamaui, quoniam exaudisti me*. Qui enim loquens exauditus fuerat, uotis proficientibus exauditus clamabat : *Interrogabo te, et responde mihi*. Ac si diceret : Nescientem me ex tuae scientiae contemplatione cognosco. Interroganti ergo responde, id est stultitiam propriam humiliter cognoscentem doce. Quia enim interrogaret ipse ex desiderio humilitatis, et Deum sibi respondere quaereret ex magisterio aspirationis, uerbis sequentibus declaratur. Interrogaturum quippe se perhibuit,

4. a. Ps 16, 6

les paroles du Seigneur, il a reconnu que les mystères de sa sagesse étaient plus profonds qu'il ne l'avait imaginé. Le texte poursuit :

Connaître Dieu

III, **4.** ***Écoute et je parlerai ; je vais t'interroger : réponds-moi.*** Écouter, pour nous, c'est adapter une oreille qui est ailleurs à un son qui vient d'autre part. Mais pour Dieu, au contraire, pour qui rien n'est à l'extérieur, écouter, c'est proprement accueillir nos désirs qui surgissent au-dessous de lui. Aussi, pour nous, parler à Dieu, qui connaît même le cœur de ceux qui se taisent, ce n'est pas exprimer par les sons de notre gorge ce que nous pensons, mais c'est aspirer à lui par de vifs désirs. Et puisque chacun n'interroge qu'afin d'apprendre ce qu'il ignore, pour l'homme, interroger Dieu, c'est, sous son regard, reconnaître qu'on ne sait pas. Mais pour Dieu, répondre, c'est instruire par de secrètes inspirations celui qui aura pris humblement conscience qu'il ne sait pas. Le bienheureux Job dit donc : *Écoute et je parlerai.* C'est comme s'il disait : Reçois avec miséricorde mes désirs, en sorte qu'avec le secours de ta bonté qui les accueille, ils s'élèvent ensemble vers toi, toujours plus nombreux. Les bons souhaits, en effet, chaque fois qu'ils obtiennent satisfaction, se trouvent multipliés. Ce qui fait dire ailleurs à l'Écriture : *J'ai crié parce que tu m'as exaucé*[a]. On ne dit pas : Parce que j'ai crié, tu m'as exaucé, mais bien : *J'ai crié parce que tu m'as exaucé.* Celui qui, ayant parlé, avait été exaucé, ses souhaits croissant du fait même qu'il avait été exaucé, criait : *Je t'interrogerai, réponds-moi.* Comme s'il disait : Par la contemplation de ta connaissance, je reconnais que je ne sais pas. Réponds donc à celui qui t'interroge, c'est-à-dire : Instruis celui qui humblement prend conscience de sa folie. Que lui, en effet, interrogeait par désir d'humilité et demandait à Dieu de lui répondre par l'enseignement de l'inspiration, c'est ce qu'expriment les paroles suivantes. Il s'est montré prêt à interroger, mais il n'ajoute aucune

42,4

sed nihil interrogando subiungit. Nam sola de se humilia sentiens, et quae misericorditer a Domino perceperit agnoscens, protinus subdit :

42,5 IV, **5.** ***Auditu auris audiui te, nunc autem oculus meus uidet te.*** His nimirum uerbis aperte indicat quia quanto uisus superior est auditu, tanto differt ab eo quod prius exstitit, et hoc quod postmodum per flagella profecit. Et quia interno 5 oculo ueritatis lumen magis conspexerat, humanitatis suae tenebras diiudicans plus uidebat. Vnde et sequitur :

42,6 V, **6.** ***Idcirco ipse me reprehendo.*** Quanto enim quisque minus uidet, tanto sibi minus displicet ; et quanto maioris gratiae lumen percipit, tanto amplius reprehensibilem se esse cognoscit. Cum enim intrinsecus subleuatur per omne 5 quod est, ad eam quam super se conspicit regulam congruere nititur. Et quia adhuc humana infirmitas praepedit, cernit quia ei ex non minima parte dissentit ; totumque ex se illi onerosum est, quod internae regulae conueniens non est. Quam regulam beatus Iob post flagella proficiens amplius 10 inscipit, et a semetipso in magna sui redargutione dissentit, dicens : *Idcirco ipse me reprehendo*. Sed quia nulla est cognitio reprehensionis, si non sequantur etiam lamenta paenitudinis, recte post reprehensionem subditur :

interrogation. En effet, ne se considérant lui-même qu'avec humilité et reconnaissant tout ce qu'il a reçu de Dieu par miséricorde, il ajoute aussitôt :

Contempler la vérité

IV, **5.** ***Je t'ai entendu de mon oreille, mais maintenant mon œil te voit.*** Par ces mots, assurément, il montre clairement que, autant la vue est supérieure à l'ouïe, autant diffère aussi de ce qui a précédé le progrès qu'il a par la suite accompli grâce à ses épreuves. Et, parce qu'avec l'œil intérieur, il avait contemplé davantage la lumière de la vérité, il voyait avec plus de discernement les ténèbres de sa condition humaine. C'est pourquoi le texte ajoute aussi : **42,5**

Se conformer à la règle

V, **6.** ***C'est pour cela que je me reprends moi-même.*** Moins quelqu'un se voit, moins il se déplaît à lui-même ; mais plus la lumière de la grâce qu'il reçoit est grande, plus il prend conscience qu'il mérite des reproches. Lorsqu'en effet, il s'élève intérieurement par tout ce qu'il est, il cherche à se conformer à cette règle qu'il aperçoit au-dessus de lui. Et, parce que la faiblesse humaine l'entrave encore, il constate que, pour une bonne part, il n'est pas en accord avec elle ; et c'est un poids pour lui que tout ce qui en lui ne se conforme pas à la règle intérieure. C'est cette règle que le bienheureux Job, après avoir progressé grâce à ses épreuves, examine plus soigneusement et il n'est pas en accord avec lui-même, lorsqu'il dit en se faisant de grands reproches : *C'est pour cela que je me reprends moi-même.* Mais puisqu'il ne peut y avoir de prise de conscience d'un blâme s'il ne s'ensuit aussi des pleurs de repentir, après les reproches, il est ajouté avec raison : **42,6**

42,6 VI, 7. ***Et ago paenitentiam in fauilla et cinere.*** In fauilla enim et cinere paenitentiam agere est, contemplata summa essentia, nihil aliud quam fauillam se cineremque cognoscere. Vnde et ciuitati reprobae in euangelio Dominus dicit : 5 *Si in Tyro et Sidone factae fuissent uirtutes quae factae sunt in uobis, olim in cilicio et cinere paenitentiam egissent*[a]. In cilicio quippe asperitas et punctio peccatorum, in cinere autem puluis ostenditur mortuorum. Et idcirco utrumque hoc adhiberi ad paenitentiam solet, ut in punctione cilicii 10 cognoscamus quid per culpam fecimus ; et in fauilla cineris perpendamus quid per iudicium facti sumus. Considerentur ergo in cilicio pungentia uitia, consideretur in cinere per mortis sententiam subsequens iusta poena uitiorum. Quia enim post peccatum carnis contumeliae surrexerunt, uideat 15 homo in asperitate cilicii superbiendo quid fecit, uideat in cinere usquequo peccando peruenit. Potest quoque cilicio ipsa per recordationem atque paenitentiam dolorum punctio designari. Nam hoc quod ait beatus Iob : *Ipse me reprehendo*, quasi quodam cilicio pungitur, dum in mente 20 sua asperis redargutionum stimulis confricatur. In cinere autem agit paenitentiam, quia ex primo peccato quid per iustum iudicium factus sit sollerter attendit, dicens : *Ago paenitentiam in fauilla et cinere*. Ac si aperte dicat : De nullo auctoris mei dono superbio, quia sumptus ex puluere, per 25 illatae mortis sententiam ad puluerem me redire cognosco.

8. Auditis igitur cunctis sermonibus Iob, cognitis etiam responsionibus amicorum, libet ad interni iudicis senten-

7. a. Mt 11, 21

Faire pénitence

VI, 7. ***Et je fais pénitence dans la poussière et la cendre.*** Faire pénitence dans la poussière et la cendre, c'est, par la contemplation de l'essence souveraine, connaître que l'on n'est rien d'autre que poussière et cendre. C'est pourquoi, à une ville réprouvée, le Seigneur dit, dans l'Évangile : *Si les miracles accomplis chez vous l'avaient été à Tyr et à Sidon, il y a longtemps qu'elles auraient fait pénitence sous le cilice et dans la cendre*[a]. Par le cilice est figuré le caractère rugueux et piquant des péchés et, par la cendre, la poussière des morts. On a coutume d'employer l'un et l'autre pour la pénitence, pour que, dans la piqûre du cilice, nous prenions conscience de ce que nous avons fait en péchant et que, dans la poussière de la cendre, nous prenions la mesure de ce que nous sommes devenus du fait du jugement. Considérons donc dans le cilice les vices qui nous piquent, considérons dans la cendre le juste châtiment des vices qui s'ensuit par la sentence de mort. Puisqu'en effet, c'est après le péché que les turpitudes de la chair ont surgi, que l'homme voie dans la rugosité du cilice ce qu'il a commis par orgueil, qu'il voie dans la cendre jusqu'où son péché l'a précipité. Mais on peut aussi entendre par le cilice cette piqûre des peines causées par le souvenir et la pénitence. Lorsque le bienheureux Job dit : *Je me reprends moi-même*, il est comme piqué par un cilice, alors qu'en son âme, il est à vif sous l'effet des rudes piquants de ses reproches. Et il fait pénitence dans la cendre, parce qu'il considère attentivement ce que, par un juste jugement, il est devenu depuis le premier péché, et il dit : *Je fais pénitence dans la poussière et la cendre.* Comme s'il disait clairement : Je ne me glorifie d'aucun don de mon Créateur, car, tiré de la poussière, je sais que, du fait de l'arrêt de mort qui a été prononcé, je dois retourner en poussière.

42,6

8. Après avoir entendu tous les discours de Job, après avoir pris connaissance aussi des réponses de ses amis, il convient de tourner le regard de notre esprit vers la sentence du juge

tiam spectationem mentis nostrae conuertere, eique dicere : Ecce Domine, utrasque in conspectu tuo disserentium partes
5 audiuimus ; et Iob quidem in hoc certamine uirtutis suae facta reuoluere, et amicos eius contra eum cognouimus tuae iustitiae gloriam defensare. Inter haec autem quid nostra mens sentiat agnoscis. Neque enim possumus eorum nos dicta reprehendere, quos defensioni tuae cognoscimus de-
10 seruire. Sed ecce assistunt partes, exspectant sententiam ; profer ergo, Domine, ex inuisibili regula subtilissimum tuae discretionis examen, et quis in contentione ista sit rectius locutus ostende. Sequitur :

VII, **9.** ***Postquam autem locutus est Dominus uerba haec ad Iob, dixit ad Eliphaz Themanitem : Iratus est furor meus in te, et in duos amicos tuos, quoniam non estis***
42,7 ***locuti coram me rectum, sicut seruus meus Iob.*** O Domine,
5 iudicii tui sententia indicat quantum a luce tuae rectitudinis caecitas nostra discordat. Ecce te iudice beatum Iob uictorem cognoscimus, quem in te peccasse loquendo credebamus. Te iudice addicti sunt, qui beati Iob se merita transcendere pro te loquendo crediderunt. Quia igitur ex diuina sententia
10 quid de partibus aestimemus agnouimus, nunc eiusdem sententiae paulo subtilius uerba pensemus. Quomodo enim superius beatus Iob reprehenditur, si in comparatione eius rectitudinis amici illius nequaquam coram Domino rectum locuti memorantur ? An adhuc illa de eo sententia confir-
15 matur, qua antiquo hosti dicitur : *Vidisti seruum meum Iob, quod non sit ei similis super terram* [a]. Sed quid est hoc, quod et laudatur hosti, et in seipso reprehenditur ; in se autem ipso

9. a. Jb 1, 8 ; 2, 3

intérieur et de lui dire : Voici, Seigneur, que nous avons entendu les deux parties discuter en ta présence ; et, dans cette contestation, nous avons écouté Job rappeler ses actes de vertu et ses amis s'opposer à lui pour défendre la gloire de ta justice. Entre ces deux points de vue, cependant, quel est notre sentiment, tu le sais. Car nous ne pouvons blâmer les dires de ceux que nous savons à ton service pour te défendre. Or voici que se tiennent devant toi les deux parties, elles attendent ton jugement ; énonce donc, Seigneur, conformément à ta règle invisible, la pesée rigoureusement exacte de ton discernement, et montre-nous qui, dans cette discussion, a parlé avec plus de rectitude. Le texte poursuit :

Les amis de Job condamnés

VII, **9.** ***Après qu'il eut ainsi parlé à Job, le Seigneur s'adressa à Eliphaz le Thémanite : « Ma fureur s'est enflammée contre toi et tes deux amis, car vous n'avez pas parlé de façon juste devant moi, comme l'a fait mon serviteur Job. »*** **42,7**
O Seigneur, la sentence de ton jugement montre quelle distance il y a entre notre aveuglement et la lumière de ta justice. Voici que, lorsque c'est toi qui es le juge, nous voyons le bienheureux Job victorieux, lui que nous imaginions avoir péché contre toi dans ses paroles. Lorsque c'est toi qui es le juge, ceux qui ont cru surpasser les mérites du bienheureux Job en parlant pour ta défense sont condamnés. Et puisque, du fait de la sentence divine, nous avons appris ce que nous devons penser de ces deux parties, examinons maintenant d'un peu plus près les termes de cette sentence. Comment, en effet, le bienheureux Job a-t-il été repris précédemment si, en comparaison de sa justice, on dit que ses amis n'ont pas parlé devant Dieu de façon juste ? Et sa condamnation n'est-elle pas encore confirmée, lorsqu'il est dit à l'antique ennemi : *As-tu remarqué mon serviteur Job ? Il n'a pas son pareil sur la terre*[a]. Mais comment se fait-il qu'il soit à la fois loué aux yeux de l'ennemi et repris quant à lui-même ; il est

reprehenditur et tamen amicis loquentibus antefertur, nisi quod sanctus uir cunctos meritorum suorum uirtute trans-
20 cendit, sed eo ipso quod homo fuit, ante Dei oculos esse sine reprehensione non potuit ? In sancto quippe homine in hac interim uita commorante, diuini examinis regula habet adhuc quod iudicet, quamuis iam ex comparatione ceterorum hominum habeat quod laudet. Beatus igitur Iob pro culpa se
25 credidit et non pro gratia, flagellari ; resecari in se aestimauit uitia, non autem merita augeri. Et in eo reprehenditur, quod intentionem flagelli fuisse aliam suspicatur et tamen amicis resistentibus interni iudicii definitione praelatus est. Vnde aperte colligitur quantae iustitiae fuerit in eo quod contra
30 amicorum uerba innocentiam suae operationis astruxit, qui diuino iudicio etiam ipsis eiusdem diuini iudicii defensoribus antefertur.

In exordio autem libri huius agnouimus quod de illo Satan Domino dixerit : *Mitte manum tuam, et tange eum, et uide*
35 *si non in faciem benedicat tibi*[b]. Ad quam petitionem beatus Iob damnis, orbitate, uulneribus et uerborum scandalis tangi permittitur ; quia uidelicet certus qui eum laudauerat exstitit quod nequaquam iuxta assertionem diaboli sanctus uir in maledictionis culpa laberetur. Sicut ergo et superius
40 diximus, quisquis beatum Iob in locutione sua aestimat post flagella peccasse, aperte Dominum iudicat in sua assertione perdidisse. Et quamuis Dominus ad diabolum loquens, bona illius praesentia praetulit, non autem eius perseuerantiam spopondit, sciendum tamen est quia nequaquam eius iusti-
45 tiam permittendo temptatori praetulisset, si eum iustum in temptatione persistere non posse praeuideret. Permisso

9. b. Jb 1, 11

1. L'*adsertio* est, à l'origine, un terme de droit qui désigne l'action de revendiquer pour quelqu'un devant le juge la condition d'homme libre ou d'esclave.

repris quant à lui-même et cependant préféré à ses amis qui parlaient : n'est-ce pas que ce saint personnage surpassait tous les hommes en vertu de ses mérites, mais, du fait qu'il était un homme, ne put, aux yeux de Dieu, être sans reproche ? Dans un homme saint, en effet, mais qui demeure pour l'instant en cette vie, la règle de la pesée du jugement divin trouve encore à s'exercer, bien que, dès maintenant, en comparaison des autres hommes, elle trouve de quoi louer. C'est ainsi que le bienheureux Job se crut frappé pour sa faute, et non pour son bien. Il envisagea la destruction de ses vices et non pas l'accroissement de ses mérites. Et il a été repris parce qu'il conjecture une autre interprétation de ses épreuves, et pourtant, dans l'estimation du juge intérieur, il a été préféré à ses amis qui s'opposaient à lui. C'est pourquoi l'on peut conclure de façon évidente combien sa justice était grande de ce qu'il a affirmé l'innocence de sa conduite contre les paroles de ses amis, lui qui obtient un jugement préférentiel de Dieu sur ceux-là mêmes qui se faisaient les défenseurs du jugement divin.

Oui, au début de ce livre, nous avons appris que Satan a dit de lui au Seigneur : *Étends la main et touche-le, et vois s'il ne te maudit pas en face*[b]. A la suite de cette demande, il est permis que le bienheureux Job soit atteint par la ruine, le deuil, les plaies, les discours pleins d'embûches ; cela veut dire que celui qui avait fait son éloge était bien certain qu'en dépit de la revendication du diable, le saint homme ne tomberait pas dans le péché de malédiction. Et donc, comme nous l'avons dit plus haut, quiconque estime que le bienheureux Job a péché par ses paroles à la suite de ses épreuves, celui-là juge ouvertement que le Seigneur a perdu dans sa revendication[1]. Et, bien que le Seigneur, s'adressant au diable, mît en avant les bonnes actions actuelles de Job, sans pour autant répondre de sa persévérance, il faut néanmoins conclure qu'il n'eût jamais mis en avant la justice de Job en donnant licence au tentateur, s'il n'avait prévu que Job pourrait demeurer juste dans la

itaque diuinitus in eius temptatione diabolo, quisquis eum in temptatione succubuisse existimat, ignorantiam permittentis accusat.

10. Approbemus igitur in dictis suis ueraciter Iob, ne Deum in sua prouidentia nequiter accusemus. Et quidem quantum ad humana iudicia, in uerbis suis amici eius multa illo rectius dixisse crederentur ; sed Veritas aliam ex occulto
5 regulam proferens, ait : *Non estis locuti coram me rectum, sicut seruus meus Iob*. Coram me, ait, id est intus, ubi saepe multorum uita displicet quae etiam foris hominibus placet. Vnde caute nimis in laudem iustorum coniugum dictum est : *Erant iusti ambo ante Deum* [a]. Non enim secura laus est iustos
10 ante homines apparere. Saepe enim humana sententia uelut in Deo magnum quempiam approbat ; sed hunc omnipotens Deus, qui quasi ex se approbatur, ignorat. Hinc est enim quod psalmista uigilanter exorat, dicens : *Dirige in conspectu tuo uiam meam* [b]. Nimirum quia plerumque in conspectu
15 hominum recta uia creditur etiam quae a ueritatis itinere deprauatur.

Et notandum quod non dicitur : Non estis locuti coram me rectum sicut Iob, sed : *Sicut seruus meus Iob*, ut uidelicet interpositione seruitutis, dum eum quasi sub quadam pecu-
20 liaritate commemorat, cuncta quae in defensione sua dixerat, quia non contumaci superbia, sed humili ueritate dixerit ostendat. Sed quia iustus est et misericors Deus [c], amicos eius et per iustitiam districte redarguit, et per misericordiam benigne conuertit. Nam sequitur :

10. a. Lc 1, 6 b. Ps 5, 9 c. Cf. Ps 114, 5

tentation. C'est pourquoi, le diable ayant reçu la permission de Dieu de tenter Job, quiconque estime qu'il a succombé à cette tentation, accuse d'ignorance celui qui l'avait permise.

Ne pas accuser la providence

10. Approuvons donc Job sincèrement dans ses dires, afin de ne pas mal agir en accusant Dieu dans sa providence. Et pourtant, du point de vue du jugement humain, on estimerait que ses amis avaient, dans leurs discours, prononcé beaucoup de paroles plus justes que les siennes ; mais la Vérité, énonçant mystérieusement une autre règle, déclare : *Vous n'avez pas parlé de façon juste devant moi comme l'a fait mon serviteur Job*. Devant moi, dit-il, c'est-à-dire à l'intérieur, là où souvent la vie de beaucoup ne me plaît guère, alors même qu'à l'extérieur elle plaît aux hommes. C'est ainsi qu'il est dit, avec toutes les garanties possibles, à la louange des époux justes : *Ils étaient tous les deux justes devant Dieu* [a]. Être réputé juste devant les hommes n'est pas, en effet, une louange sûre. Car souvent l'opinion des hommes admire quelqu'un comme grand aux yeux de Dieu, mais Dieu tout-puissant ignore cet homme que l'on admire comme si cela venait de lui. Voilà la raison pour laquelle le psalmiste prie avec un soin vigilant en disant : *Dirige ma voie sous ton regard* [b]. Car souvent une voie paraît droite aux yeux des hommes, alors même qu'elle se détourne du chemin de la vérité.

Et notons que Dieu ne dit pas : Vous n'avez pas parlé devant moi de façon juste comme Job, mais : *comme mon serviteur Job*, c'est-à-dire qu'après avoir fait intervenir la qualité de serviteur, en rappelant que Job pour ainsi dire lui appartient à un titre particulier, il montre que tout ce que celui-ci avait pu dire pour sa défense, il l'aura dit, non par un opiniâtre orgueil, mais avec une humble vérité. Mais parce qu'il est juste et miséricordieux [c], Dieu reprend les amis de Job avec une rigoureuse justice, et cherche avec une miséricordieuse bonté à les convertir. En effet, voici ce qui suit :

VIII, **11.** ***Sumite uobis septem tauros et septem arietes, et ite ad seruum meum Iob, et offerte holocaustum pro uobis. Iob autem seruus meus orabit pro uobis ; faciem eius suscipiam, ut non uobis imputetur stultitia.*** Ecce iustus et misericors Deus[a] nec culpas sine increpatione deserit, nec reatum sine conuersione derelinquit. Quia enim internus est medicus, prius putredinem uulneris innotuit, et post remedia consequendae salutis indicauit. Quia autem saepe iam diximus quod amici beati Iob haereticorum speciem teneant, qui Deum dum defendere nituntur offendunt, quoniam in dictis suis ueritati rebelles sunt, cui famulari se in falsa assertione suspicantur, omnipotens Deus saepe illos corpori sanctae Ecclesiae per cognitionem ueritatis inuiscerat, bene ipsa quoque eorum conuersio, quae saepe misericorditer agitur, per hanc ueniam quam amici Iob percipiunt designatur.

42,8

12. Notandum uero magnopere est quod conuersionis suae sacrificium Domino non per se, sed per Iob iubentur offerre. Nimirum haeretici cum ab errore redeunt, quia erga se iram Domini suo per se oblato sacrificio placare nequaquam possunt, nisi ad catholicam Ecclesiam, quam beatus Iob significat, conuertantur ; ut salutem suam eius precibus obtineant, cuius fidem peruersis assertionibus impugnabant. Ait enim : *Iob seruus meus orabit pro uobis ; faciem eius suscipiam, ut non uobis imputetur stultitia.* Ac si aperte haereticis dicat : Sacrificia uestra non accipio, petitionum uestrarum uerba non audio, nisi per intercessionem illius,

11. a. Cf. Ps 114, 5

Conversion des hérétiques

VIII, **11.** ***Choisissez-vous sept taureaux et sept béliers, et adressez-vous à mon serviteur Job ; offrez pour vous un holocauste. Mon serviteur Job priera pour vous ; j'aurai égard à lui, en sorte que votre folie ne vous soit pas imputée.*** Voici que Dieu juste et miséricordieux[a] ne délaisse pas les fautes sans réprimande, mais n'abandonne pas non plus le coupable sans conversion. En effet, comme il est le médecin intérieur, il a diagnostiqué tout d'abord la gangrène de la blessure, puis il a prescrit les remèdes destinés à recouvrer la santé. Nous avons déjà dit souvent que les amis du bienheureux Job sont l'image des hérétiques qui offensent Dieu en s'efforçant de le défendre, puisque, dans leurs discours, ils combattent la vérité qu'ils croient servir par leurs fausses allégations, mais Dieu tout-puissant souvent les réintègre dans les entrailles du corps de la sainte Église par la connaissance de la vérité ; et c'est bien aussi que leur conversion elle-même, qui est souvent opérée par sa miséricorde, soit figurée par le pardon qu'obtiennent les amis de Job.

42,8

Job, figure de l'Église

12. Mais il faut noter avec soin qu'il leur est prescrit d'offrir à Dieu le sacrifice de leur conversion, non pas en leur nom propre, mais par l'intermédiaire de Job. C'est-à-dire que, lorsqu'ils reviennent de leurs erreurs, les hérétiques ne peuvent absolument pas apaiser la colère de Dieu à leur égard par un sacrifice qu'ils offriraient d'eux-mêmes, à moins de se convertir à l'Église catholique, que symbolise le bienheureux Job, afin d'obtenir leur salut par les prières de celle dont ils combattaient la foi par leurs fausses allégations. Il est dit, en effet : *Mon serviteur Job priera pour vous ; j'aurai égard à lui, en sorte que votre folie ne vous soit pas imputée.* Comme s'il disait clairement aux hérétiques : Je n'accepte pas vos sacrifices, je n'écoute pas l'expression de vos demandes, si ce n'est par l'intercession de celle dont je reconnais comme

cuius professionis uerba de me ueracia recognosco. Et uos quidem tauros atque arietes exhibendo sacrificia conuersionis uestrae deducite, sed a me salutem uestram per catho-
15 licam Ecclesiam, quam diligo, postulate. Ipsi enim uolo dimittere id quod mihi in ipsa deliquistis, ut haec uestram incolumitatem obtineat, quae ex uestro languore laborabat.

13. Sola quippe est per quam sacrificium Dominus libenter accipiat, sola quae pro errantibus fiducialiter intercedat. Vnde etiam de agni hostia Dominus praecepit, dicens : *In una domo comedetur, nec efferetis de carnibus eius*
5 *foras*[a]. In una namque domo agnus comeditur, quia in una catholica Ecclesia uera hostia Redemptoris immolatur. De cuius carnibus diuina lex efferri foras prohibet, quia dari sanctum canibus uetat[b]. Sola est in qua opus bonum fructuose peragitur, unde et mercedem denarii non nisi qui
10 intra uineam laborauerant acceperunt[c]. Sola est quae intra se positos ualida caritatis compage custodit. Vnde et aqua diluuii arcam quidem ad sublimiora sustulit, omnes autem quos extra arcam inuenit exstinxit[d]. Sola est in qua superna mysteria ueraciter contemplemur. Vnde et ad Moysen Domi-
15 nus dicit : *Est locus apud me et stabis supra petram*[e]. Et paulo post : *Tollam manum meam et uidebis posteriora mea*[f]. Quia enim ex sola catholica Ecclesia ueritas conspicitur, apud se esse locum Dominus perhibet de quo uideatur. In petra Moyses ponitur, ut Dei speciem contempletur, quia nisi
20 quis fidei soliditatem tenuerit, diuinam praesentiam non

13. a. Ex 12, 46 b. Cf. Mt 7, 6 c. Cf. Mt 20, 1-16 d. Cf. Gn 7, 17-23 e. Ex 33, 21 f. Ex 33, 23

authentique l'expression de la profession de foi à mon égard. Quant à vous, amenez taureaux et béliers pour bien montrer le sacrifice de votre conversion, mais demandez-moi votre salut par l'Église catholique que j'aime. C'est à elle que je veux remettre ce que vous avez commis contre moi en sa personne, afin que ce soit elle, qui souffrait de votre maladie, qui obtienne votre santé.

Intercession de l'Église

13. Oui, c'est d'elle seule que le Seigneur accepte volontiers un sacrifice, elle qui seule intercède en toute assurance pour ceux qui s'égarent. C'est pourquoi, au sujet également de l'offrande de l'agneau, le Seigneur a donné ses prescriptions, quand il a dit : *Il sera mangé dans une seule et même maison, et tu n'emporteras pas de ses chairs au dehors* [a]. L'agneau est mangé dans une seule maison, parce que c'est dans la seule Église catholique que la véritable hostie du Rédempteur est immolée. Il est interdit par la loi divine d'emporter de ses chairs au dehors, car il est défendu de donner aux chiens ce qui est saint [b]. C'est en elle seule qu'une œuvre bonne est accomplie avec fruit, c'est pourquoi il n'y a que ceux qui avaient travaillé à la vigne qui ont reçu le salaire d'un denier [c]. C'est elle seule qui garde dans les liens solides de la charité ceux qui demeurent en elle. Voilà pourquoi l'eau du déluge souleva l'arche dans les hauteurs et fit périr tous ceux qu'elle trouva hors de l'arche [d]. Elle est la seule en qui nous puissions contempler en vérité les mystères d'en haut. Et c'est pourquoi le Seigneur dit à Moïse : *Voici un lieu près de moi, et tu te tiendras debout sur la pierre* [e]. Et, un peu plus loin : *J'enlèverai ma main et tu verras mon dos* [f]. En effet, comme ce n'est qu'en conformité avec l'Église catholique que l'on peut saisir la vérité, le Seigneur déclare qu'il y a un lieu près de lui d'où l'on peut l'apercevoir. Moïse monte sur une pierre afin de contempler Dieu, car personne, sans se tenir sur le solide fondement de la foi, ne peut avoir connaissance de la

agnoscit. De qua soliditate Dominus dicit : *Super hanc petram aedificabo Ecclesiam meam*[g]. Quid est ergo hoc loco dicere ad amicos Iob : *Ite ad Iob*, nisi petram ascendite ? Quid est : *Faciem eius pro uobis suscipiam, ut non uobis imputetur*
25 *stultitia*, nisi id quod illic dicitur : *Posteriora mea uidebis*[h], id est, eius quae postmodum facienda est mysteria incarnationis intelleges ?

14. Haeretici autem pro eo quod in petra stare contemnunt, transeuntis Domini posteriora non aspiciunt ; quia extra Ecclesiam positi incarnationis eius, sicut sunt, mysteria non agnoscunt. Sicut autem et superius diximus, per tauros
5 ceruix superbiae, per arietes uero ducatus exprimitur, qui ab haereticis, persuasis plebibus, quasi seductis gregibus, agitur. De haereticis namque superbientibus dicitur, qui infirmorum mentes male suadendo corrumpunt : *Concilium taurorum inter uaccas populorum*[a]. Et quia sequentes se po-
10 pulos uelut greges trahunt, arietes aliquando nominantur. Gregem scilicet arietes ducunt. Vnde per increpationem Ieremias ait : *Principes tui uelut arietes*[b].

Quia igitur haeretici cum ad sanctam Ecclesiam redeunt, superbiae elationem deserunt, et nequaquam iam quasi se-
15 quentes greges populorum cuneos ad interitum ducunt, amici beati Iob offerre tauros et arietes iubentur. Tauros enim et arietes in sacrificio offerre est superbum ducatum conuersionis humilitate mactare, ut edomita ceruice superbiae discant obediendo sequi, qui dudum docendo praeire
20 conabantur. Recte quoque haec eorum superbia septem

13. g. Mt 16, 18 h. Ex 33, 23
14. a. Ps 67, 31 b. Lm 1, 6

présence divine. C'est de ce solide fondement que parle le Seigneur quand il dit : *Sur cette pierre, je bâtirai mon Église*[g]. Que signifie de dire à cet endroit aux amis de Job : *Adressez-vous à Job*, sinon : Montez sur cette pierre ? Que signifie : *J'aurai égard à lui pour vous en sorte que votre folie ne vous soit pas imputée*, sinon ce qui est dit ici : *Tu verras mon dos*[h], c'est-à-dire : Tu comprendras les mystères de l'Incarnation qui s'accomplira plus tard ?

Se convertir à l'humilité

14. Or, les hérétiques, parce qu'ils négligent de se tenir sur la pierre, ne voient pas le dos du Seigneur qui passe ; en effet, placés hors de l'Église, ils ne peuvent connaître, comme ils sont, les mystères de son Incarnation. Comme nous l'avons dit aussi plus haut, sous l'image des taureaux est symbolisée ici la nuque altière de l'orgueil, sous celle des béliers, l'autorité exercée par les hérétiques sur des foules séduites, telles des troupeaux dociles. Il est dit, en effet, de ces hérétiques remplis d'orgueil, qui corrompent l'âme des faibles par leurs mauvais conseils : *C'est une assemblée de taureaux avec les vaches des peuples*[a]. Et, parce qu'ils entraînent derrière eux les peuples, tels des troupeaux, on les appelle parfois des béliers. Les béliers, en effet, conduisent le troupeau. C'est pourquoi Jérémie dit en guise de blâme : *Tes princes sont comme des béliers*[b].

Et comme les hérétiques, lorsqu'ils reviennent à la sainte Église, renoncent à leur superbe et à leur orgueil et ne conduisent plus à la mort les bataillons des peuples qui les suivent comme des troupeaux, les amis du bienheureux Job reçoivent l'ordre d'offrir des taureaux et des béliers. Offrir en sacrifice des taureaux et des béliers, c'est immoler, dans l'humilité de la conversion, une autorité orgueilleuse, afin qu'ayant dompté la nuque altière de l'orgueil, ils apprennent en obéissant à se laisser conduire, eux qui s'efforçaient naguère, par leur enseignement, d'être les maîtres. Et ce n'est pas sans raison que leur orgueil est expié par sept sacrifices,

sacrificiis expiatur, quia haeretici ad Ecclesiam reuertentes per humilitatis hostiam dona Spiritus gratiae septiformis accipiunt, et quia elationis suae uetustate tabuerant, nouitate gratiae reformentur.

15. Septenarius autem numerus apud sapientes huius saeculi quadam sua habetur ratione perfectus, quod ex primo pari et ex primo impari consummatur. Primus enim impar ternarius est, primusque par quaternarius. Ex quibus duobus 5 septenarius constat, qui eisdem partibus suis multiplicatus in duodenarium surgit. Nam siue tres per quattuor, seu quattuor per tres ducimus, ad duodenarium peruenimus. Sed nos quia superno munere ueritatis praedicamenta percipimus, haec fixa scientiae altitudine despiciendo cal- 10 camus, hoc procul dubio inconcussa fide retinentes ; quia quos Spiritus gratiae septiformis repleuerit perficit, eisque non solum Trinitatis notitiam, sed etiam uirtutum quattuor, id est prudentiae, temperantiae, fortitudinis atque iustitiae operationem praebet. Qui in ipsis quoque quos ingreditur 15 suis quodammodo partibus augetur, dum et per Trinitatis notitiam quattuor uirtutum actio accipitur, et per actionem uirtutum quattuor usque ad manifestam Trinitatis speciem peruenitur. Et apud nos ergo septenarius, sed longe dissi- militer, quia plene et non inaniter in duodenarium surgit, 20 dum et per fidem opera et rursum per opera perficit fidem. Sancti quoque apostoli gratiae septiformis Spiritu implendi, duodecim sunt electi. In quattuor enim mundi partibus

parce que les hérétiques qui reviennent à l'Église reçoivent, en réponse à l'offrande de leur humilité, les dons de la grâce septiforme de l'Esprit et, après s'être consumés dans la vieillesse de leur orgueil, puissent-ils être recréés par la nouveauté de la grâce.

Perfection du nombre sept

15. Le nombre sept est tenu pour parfait chez les sages de ce monde pour une raison qui lui est particulière : il est la somme du premier nombre pair et du premier nombre impair. En effet, le premier nombre impair est trois, et le premier nombre pair est quatre. Or, c'est du fait de ces deux nombres qu'existe le nombre sept qui, par la multiplication entre elles de ses deux parties composantes, s'élève à douze. En effet, que l'on multiplie trois par quatre ou quatre par trois, nous obtenons le nombre douze. Mais nous qui, par la grâce céleste, connaissons les enseignements de la vérité, nous foulons aux pieds avec mépris les spéculations d'une science orgueilleuse et retenons ceci, sans l'ombre d'un doute, avec une foi inébranlable : ceux que l'Esprit aura remplis de la grâce septiforme, il les rend parfaits et leur accorde non seulement la connaissance de la Trinité, mais encore la mise en œuvre des quatre vertus, à savoir la prudence, la tempérance, la force et la justice. Or, l'Esprit saint, dans ceux-là même en qui il pénètre, s'accroît, en quelque façon, de ses propres éléments : car, d'une part, grâce à la connaissance de la Trinité, on reçoit la réalisation des quatre vertus et, d'autre part, du fait même de cette réalisation des quatre vertus, on parvient jusqu'à la manifestation de la Trinité. Et, pour nous également quoique très différemment, le nombre sept s'élève vers le nombre douze, d'une manière plénière et non pas vaine, car, d'une part, c'est par la foi qu'il parfait les œuvres, et, d'autre part, c'est par les œuvres qu'il parfait la foi. Et les saints apôtres qui devaient être remplis de la grâce septiforme par l'Esprit, furent élus au nombre de douze. En effet, ils étaient envoyés

Trinitatem, quae Deus est, innotescere mittebantur. Duodecim ergo electi sunt ut etiam ex ipsius numeri rationis
25 causa claresceret quod per quattuor infima, tria summa praedicarent.

16. Siue itaque hac, seu alia qualibet fortasse ratione, in scriptura tamen sacra septenario numero aliquando secura requies aeternitatis, aliquando uniuersitas praesentis huius temporis, aliquando autem sanctae Ecclesiae uniuersitas de-
5 signatur. Septenario quippe numero perfectio aeternitatis innuitur, cum dies septimus in requiem Domini sanctificatus uocatur[a]. Cui iam uespera inesse non dicitur, quia aeternae beatitudinis requies nullo termino coartatur. Hinc est etiam quod lege data dies septimus feriatus esse prae-
10 cipitur, ut aeterna per illum requies designetur[b]. Hinc est quod in annorum curriculo septenarius numerus septies multiplicatus, monade addita, ad quinquagenarium ducitur, ut perpetuam beatitudinem signans iubilaei sacratissima requies obseruetur[c]. Hinc est quod resurgens Dominus et fre-
15 quenter apparens, ultimo iam conuiuio cum septem discipulis comedisse describitur[d], quia hi qui in illo nunc perfecti sunt, aeterna per illum refectione satiantur.

17. Rursum per septenarium numerum haec uniuersitas temporalitatis accipitur. Hinc est enim quod per septem dies hoc totum uitae praesentis tempus euoluitur. Hinc quod in typo sanctae Ecclesiae, quae omni hoc tempore mundum
5 praedicando circuit, arca Domini tubis clangentibus muros Iericho diebus septem circumacta confregit[a]. Hinc propheta ait : *Septies in die laudem dixi tibi*[b]. Quod ipse rursum

16. a. Cf. Gn 2, 2 b. Cf. Ex 20, 8-11 ; 31, 13-17 ; Dt 5, 13-15 c. Cf. Lv 25, 8-12 d. Cf. Jn 21, 1-14
17. a. Cf. Jos 6, 4-5 b. Ps 118, 164

dans les quatre parties du monde annoncer la Trinité qui est Dieu. Ils furent donc élus au nombre de douze, en sorte que, du fait même de ce nombre, il devînt clair qu'ils prêcheraient, à travers les quatre parties terrestres, les trois personnes divines.

16. Que ce soit pour cette raison ou pour quelque autre, dans la sainte Écriture, le nombre sept désigne parfois le repos sans trouble de l'éternité, parfois la totalité du temps présent, parfois aussi l'universalité de la sainte Église. La perfection de l'éternité est exprimée par le nombre sept, lorsque le septième jour est dit sanctifié pour le repos du Seigneur[a]. Et il n'est pas dit que ce jour eût un soir, parce que le repos de la béatitude éternelle n'est restreint par aucune limite. De là aussi vient que, la loi ayant été donnée, il est prescrit de chômer le septième jour, afin que, par lui, soit annoncé le repos éternel[b]. De là vient que, dans le cycle des années, le nombre sept multiplié par sept, si l'on y ajoute une unité, arrive à cinquante, afin que l'on observe le repos très saint du jubilé qui signifie la béatitude sans fin[c]. De là aussi vient que le Seigneur ressuscité et apparaissant plusieurs fois, est décrit comme ayant partagé dès lors un ultime repas avec sept disciples[d], parce que ceux qui, en lui, sont parfaits ici-bas, sont rassasiés par lui dans un festin éternel.

17. Par ailleurs, sous la figure du nombre sept, on comprend la totalité du temps présent. De là vient que le temps de la vie actuelle se déroule entièrement en un cycle de sept jours. De là vient que, préfigurant la sainte Église qui fait pendant tout le temps présent un circuit autour du monde par sa prédication, l'arche du Seigneur, au son des trompettes, abattit les murs de Jéricho, en étant pendant sept jours portée autour de la ville[a]. C'est pourquoi le prophète dit : *Sept fois le jour j'ai chanté ta louange*[b]. Et lui-même ensuite indiquant

pro toto atque uniuerso suae deprecationis tempore se dixisse significans, ait : *Semper laus eius in ore meo*[c].

10 Quod uero per septenarium numerum praesentis uitae uniuersitas designatur, tunc magis ostenditur, cum post eum quoque etiam octonarius subinfertur. Septenarium quippe cum adhuc alius sequitur, ex ipso eius augmento exprimitur quod finienda temporalitas aeternitate concludatur. 15 Hinc est enim quod Salomon admonet, dicens : *Da partes septem, necnon et octo*[d]. Per septenarium quippe numerum hoc quod septem diebus agitur praesens tempus expressit ; per octonarium uero uitam perpetuam designauit, quam sua nobis Dominus resurrectione patefecit. Dominico scilicet 20 die resurrexit, qui dum diem septimum, id est Sabbatum sequitur, a conditione octauus inuenitur. Bene autem dicitur : *Da partes septem, necnon et octo, quia ignoras quid mali futurum sit super terram*[e]. Ac si aperte diceretur : Sic dispensa temporalia, ut appetere non obliuiscaris aeterna. Oportet nam- 25 que ut in posterum bene agendo prouideas, qui de uenturo iudicio quanta tribulatio sequatur ignoras.

Hinc est quod quindecim gradibus templum ascenditur, ut ex ipsa eius ascensione discatur quatenus per septem et octo et temporalis sollicite dispensetur actio, et prouide 30 mansio aeterna requiratur. Hinc est etiam quod dum monas in denarium surgit, centum quinquaginta psalmos propheta cecinit. Propter hunc septenarium numerum temporalia, octonarium uero aeterna signantem, super centum uiginti fideles in cenaculo residentes Spiritus sanctus effusus est[f]. 35 Per septem quippe et octo quindecim componuntur ; et si ab uno usque ad quindecim numerando paulatim per incrementa consurgimus, usque ad centesimum et uigesimum numerum peruenimus. Qua scilicet effusione sancti Spiritus

17. c. Ps 33, 2 d. Qo 11, 2 e. Qo 11, 2 f. Cf. Ac 1, 15 ; 2, 1-4

que, par ce nombre, il a voulu désigner la totalité du temps de sa prière, dit : *Sa louange est sans cesse en ma bouche*[c].

Or l'on voit encore mieux que ce nombre sept signifie la totalité de la vie présente, lorsqu'il est suivi aussi du nombre huit. Car lorsqu'un autre nombre s'ajoute au nombre sept, cette addition signifie que le temps destiné à s'achever doit se conclure par l'éternité. En effet, de là vient l'enseignement de Salomon lorsqu'il dit : *Donne une part à sept et même à huit*[d]. Par le nombre sept, il a voulu dire que le temps présent s'écoule en sept jours ; mais, par le nombre huit, il a désigné la vie éternelle que le Seigneur nous a révélée par sa résurrection. C'est-à-dire qu'il est ressuscité le dimanche, jour du Seigneur, qui, venant après le septième, c'est-à-dire le samedi, jour du sabbat, se trouve le huitième à partir de la Création. Or il est bien dit : *Donne une part à sept et même à huit, car tu ignores ce qui arrivera de mal sur la terre*[e]. C'est comme s'il était dit en clair : Administre les biens temporels en sorte de ne pas oublier de désirer les biens éternels. Car il te faut, par une bonne conduite, prendre des assurances pour l'avenir, toi qui ne sais pas quel grand tourment suivra le jugement qui vient.

De là vient qu'il y a quinze degrés pour monter au Temple, pour que, du fait même de cette montée, on apprenne, par les nombres de sept et de huit, jusqu'à quel point l'activité temporelle, d'une part, doit être administrée avec précaution, et la demeure éternelle, d'autre part, recherchée avec prévoyance. De là vient encore que cette unité étant multipliée par dix, le prophète a chanté cent cinquante psaumes. Parce que le nombre sept figure les réalités temporelles, et le nombre huit les éternelles, l'Esprit saint fut répandu sur cent vingt fidèles se tenant dans le cénacle[f]. C'est grâce au sept, en effet, et au huit que se compose le nombre quinze ; mais, si, comptant depuis un jusqu'à quinze, nous additionnons successivement tous les chiffres, nous parvenons au nombre de cent vingt. C'est-à-dire que, par l'effusion du Saint-Esprit,

didicerunt ut et temporalia tolerando transirent, et aeterna
40 inhianter appeterent.

18. Rursum septenario numero sanctae Ecclesiae uniuersitas designatur. Vnde Ioannes in Apocalypsi septem ecclesiis scribit [a]; sed per eas quid aliud quam uniuersalem intellegi Ecclesiam uoluit ? Quae nimirum uniuersalis Ecclesia ut
5 plena septiformis gratiae Spiritu signaretur, Elisaeus super puerum mortuum septies inspirasse describitur [b]. Super exstinctum quippe populum Dominus ueniens quasi septies inspirat, qui ei dona Spiritus septiformis gratiae misericorditer tribuit. Quia igitur saepe septenario numero sanctae
10 Ecclesiae uniuersitas figuratur, ueniant ad beatum Iob amici illius, et iussum diuinitus offerant holocaustum. Sed uigilanter omnino septenarii numeri arcana custodiant, ut uidelicet hi qui extra sunt positi prius se uniuersitati sanctae Ecclesiae misceant, et tunc demum ueniam de reatu pristi-
15 nae elationis exquirant. Pro culpa sua septem sacrificia offerant, quia reatus sui absolutionem non accipiunt, nisi gratiae septiformis Spiritu uniuersali paci a qua excisi fuerant aggregentur.

Dicatur igitur : *Sumite uobis septem tauros et septem arietes,*
20 *et ite ad seruum meum Iob, et offerte holocaustum pro uobis ; Iob autem seruus meus orabit pro uobis ; faciem eius suscipiam, ut non uobis imputetur stultitia* [c]. Ac si haereticis redeuntibus aperte diceretur : Vniuersali uos Ecclesiae per humilitatem paenitentiae iungite, atque eam qua per uosmetipsos digni
25 non estis, ueniam eius a me precibus obtinete, qui cum per hanc ueraciter sapere discitis, priores apud me uestrae sapientiae stultitiam deletis. Sequitur :

18. a. Cf. Ap 1, 4-11 b. Cf. 2 R 4, 35 c. Jb 42, 8

ils apprirent, et à traverser les réalités temporelles en les supportant, et à désirer avidement les éternelles.

18. Par ailleurs, par le nombre sept est désignée l'universalité de la sainte Église. C'est pourquoi Jean, dans l'Apocalypse, écrit aux sept Églises [a] ; mais, par elles, qu'a-t-il voulu entendre, sinon l'Église universelle ? Et cette Église universelle, pour signifier qu'elle est remplie par l'Esprit de la grâce septiforme, Élisée est décrit comme ayant soufflé sept fois sur l'enfant mort [b]. Sur le peuple inanimé, en effet, le Seigneur, par sa venue, souffle pour ainsi dire sept fois, en lui accordant, en sa miséricorde, les dons de la grâce septiforme de l'Esprit. Et puisque souvent l'universalité de la sainte Église est représentée par le nombre sept, que les amis du bienheureux Job viennent donc à lui et offrent l'holocauste prescrit par Dieu. Mais, qu'avec vigilance ils gardent pleinement les mystères du nombre sept, c'est-à-dire que ceux qui en ont été séparés, se mêlent d'abord à l'universalité de la sainte Église, et alors seulement implorent le pardon pour la faute de leur ancien orgueil. Pour leur péché, qu'ils offrent sept sacrifices, parce qu'ils ne peuvent obtenir le pardon de leur faute que s'ils sont, par l'Esprit à la grâce septiforme, incorporés à la paix universelle dont ils avaient été exclus.

Il est dit en effet : *Choisissez-vous sept taureaux et sept béliers, et adressez-vous à mon serviteur Job. Offrez pour vous un holocauste, tandis que mon serviteur Job priera pour vous. J'aurai égard à lui, en sorte que votre folie ne vous soit pas imputée* [c]. Comme s'il était dit clairement aux hérétiques réintégrés : Joignez-vous par l'humilité de la pénitence à l'Église universelle, et ce pardon dont vous n'êtes pas dignes par vous-mêmes, obtenez-le de moi par ses prières ; ainsi, lorsque vous apprenez d'elle la vraie sagesse, vous effacez les premiers à mes yeux la folie de votre sagesse. Et le texte poursuit :

IX, **19.** ***Neque enim locuti estis coram me recta, sicut*** 42,8 ***seruus meus Iob.*** Haec paulo ante iam Dominus protulit, et tamen haec eadem iterando subiungit. Quid est hoc, nisi quod sententiam, quam semel iudicando dixerat, iterum 5 replicando confirmat ? Atque ut manifestius beati Iob iustitia amicorumque eius iniustitia demonstretur, eius laus illorumque reprehensio iterata uoce depromitur, ut replicata foris appareant quam fixa intus habeantur. Namque cum rex Aegypti metuenda uenturae famis tempora sub boum 10 spicarumque specie gemina uisione cognouisset, uoce sancti interpretis audiuit : *Quod uidisti secundo ad eamdem rem pertinens somnium, firmitatis indicium est*[a]. Qua ex re aperte colligitur quia quicquid in eloquio diuino repetitur, robustius confirmatur. Sed quia quid iudex decreuit audiuimus, addicti 15 quoque quid faciant audiamus. Sequitur :

X, **20.** ***Abierunt ergo Eliphaz Themanites, et Baldad Suhites, et Sophar Naamathites ; et fecerunt sicut locutus*** 42,9 ***fuerat ad eos Dominus et suscepit Dominus faciem Iob.*** Horum interpretationem nominum idcirco reticemus, quia 5 in huius operis exordio de ea nos latius disseruisse meminimus. Intuendum uero est quia ita caute, sicut praedictum fuerat, ordo acceptae ueniae custoditur, ut in sacrificiis Dominus non illorum, sed beati Iob faciem suscepisse referatur. Sed quia quisquis pro aliis intercedere nititur, sibi potius ex 10 ipsa caritate suffragatur, recte subiungitur :

19. a. Gn 41, 32

Ce qui est dit deux fois

IX, **19.** ***Vous n'avez pas parlé de façon juste devant moi comme l'a fait mon serviteur Job.*** Le Seigneur a déjà prononcé ces paroles peu auparavant, et cependant il les répète ici de nouveau. Pour quelle raison, sinon parce que la condamnation qu'il avait déjà prononcée en jugeant une première fois, il la confirme en la répétant une seconde fois. Et, afin de manifester plus clairement à la fois la justice du bienheureux Job et l'injustice de ses amis, il publie en répétant ses paroles sa louange et leur condamnation, afin de manifester au dehors combien ce qui était répété devait être considéré comme déterminé à l'intérieur. Ainsi, lorsque le roi d'Égypte eut connu par deux fois en songe, sous l'image de bœufs et d'épis, qu'il fallait redouter les temps d'une prochaine famine, il entendit par la voix du saint l'interprète : *Ce que tu as vu une seconde fois en songe, se rapportant au même événement, est le signe de la certitude de ce qui va arriver* [a]. Par cet exemple, on peut conclure avec assurance que tout ce qui est répété dans la parole divine est confirmé plus sûrement. Mais après avoir entendu ce qu'a décrété le juge, écoutons aussi ce que vont faire les condamnés. Et le texte poursuit :

42,8

X, **20.** ***Eliphaz de Téman, Bildad de Shuala, Çophar de Naamat s'en allèrent ; ils firent comme le leur avait dit le Seigneur. Et le Seigneur eut égard à Job.*** Nous ne parlons pas ici de l'interprétation de ces noms, parce que nous nous souvenons d'en avoir longuement discouru au début de cet ouvrage. Mais il faut bien noter, comme il avait été dit précédemment, que l'ordre dans l'obtention du pardon est si soigneusement observé que, lors des sacrifices, ce ne fut pas à eux, remarque-t-on, mais bien au bienheureux Job que le Seigneur eut égard. Mais parce que, si quelqu'un s'efforce d'intercéder pour autrui, il est lui-même du fait même de sa charité, favorisé davantage, il est ajouté avec raison :

42,9

XI, **21.** ***Dominus quoque conuersus est ad paenitentiam***
42,10 ***Iob, cum oraret pro amicis suis.*** Iam enim superius pro amicis suis exauditus ostenditur, cum factum quod praediximus memoratur : *Fecerunt sicut locutus fuerat ad eos*
5 *Dominus et suscepit Dominus faciem Iob*[a]. Sed cum protinus subinfertur : *Dominus quoque conuersus est ad paenitentiam Iob, cum oraret pro amicis suis,* aperte ostenditur quia etiam pro semetipso paenitens tanto citius exaudiri meruit, quanto deuote pro aliis intercessit. Plus enim pro se ualere preces suas
10 efficit, qui has et aliis impendit. Libentius quippe sacrificium orationis accipitur, quod in conspectu misericordis iudicis proximi dilectione conditur. Quod tunc ueraciter quisque cumulat, si hoc etiam pro aduersariis impendat. Hinc est enim quod magistra Veritas dicit : *Orate pro persequentibus et*
15 *calumniantibus uos*[b]. Hinc rursum ait : *Cum stabitis ad orandum, dimittite si quid habetis aduersus aliquem, ut et Pater uester qui in caelis est dimittat uobis peccata uestra*[c]. Quantum uero pro se obtinuit, qui pro aliis interuenit, illico demonstratur, cum subditur :

XII, **22.** ***Addidit Dominus omnia quaecumque fuerant***
42,10 ***Iob duplicia.*** Cuncta quae amiserat duplicia recepit, quia per pietatem benigni iudicis temptationis nostrae dispendium uincunt suffragia consolationum. Minus autem temptat pro-
5 batio quam remuneratio consolatur, ut ex retributionis merito leue fuisse quod tolerauit agnoscat, qui ex percussionis pondere graue se aliquid tolerare iudicabat. Vnde afflictae

21. a. Jb 42,9 b. Mt 5, 44 c. Mc 11, 25

La prière d'intercession

XI, **21.** ***Le Seigneur se tourna aussi vers la pénitence de Job, alors qu'il priait pour ses amis.*** Déjà, en effet, nous l'avons vu plus haut exaucé pour ses amis, quand sont mentionnés les faits que nous avons rapportés précédemment : *Ils firent comme le leur avait dit le Seigneur. Et le Seigneur eut égard à Job*[a]. Mais comme il est aussitôt ajouté : *Le Seigneur se tourna aussi vers la pénitence de Job, alors qu'il priait pour ses amis,* nous voyons clairement que, même lorsqu'il fait pénitence pour lui-même, il a mérité d'être d'autant plus vite exaucé qu'il avait intercédé pour autrui avec plus d'ardeur. Car il donne à ses prières personnelles une efficacité plus grande, celui qui les offre aussi pour les autres. En effet, le sacrifice de la prière est accepté d'autant plus volontiers qu'aux yeux du juge miséricordieux il se fonde sur l'amour du prochain. Et l'on en comble véritablement la mesure, si l'on va jusqu'à prier pour les ennemis. De là vient que notre maîtresse, la Vérité, dit en effet : *Priez pour ceux qui vous persécutent et vous calomnient*[b]. Et elle dit encore : *Quand vous serez debout pour prier, si vous avez quelque chose contre quelqu'un, pardonnez, afin que votre Père qui est dans les cieux vous pardonne aussi vos péchés*[c]. Quels sont les grands bienfaits qu'a obtenus pour lui celui qui a intercédé pour les autres, on le voit aussitôt, lorsque le texte poursuit en disant :

42,10

Consolation de Job

XII, **22.** ***Le Seigneur accrût au double tous les biens de Job.*** Il reçut le double de tout ce qu'il avait perdu, parce que, grâce à la bonté du juge bienveillant, le secours des consolations l'emporte sur les pertes occasionnées par notre tentation. L'épreuve de la tentation est moindre que la consolation de la récompense, en sorte que, par la valeur du prix reçu, il reconnaisse comme léger ce qu'il a dû supporter, lui qui, du fait du poids de son châtiment, estimait qu'il supportait quelque chose de très lourd. C'est pourquoi il est dit aussi à

42,10

quoque Iudaeae dicitur : *Ad punctum in modico dereliqui te et in miserationibus magnis congregabo te*[a]. Aliquando uero
10 iuxta afflictionis pondus disponitur mensura consolationis. Vnde alias scriptum est : *Secundum multitudinem dolorum meorum in corde meo consolationes tuae, Domine, laetificauerunt animam meam*[b]. In ea enim mensura consolatum se in qua afflictus fuerat indicat, qui laetificatum se secundum
15 multitudinem dolorum clamat. Non autem minime lector instruitur, si ipsum remunerationis ordinem contempletur. Excessum quippe correptio, correptionem paenitentia, paenitentiam uenia, ueniam uero munera subsequuntur. Sed quia, diuinae dispensationis permissione percussus, etiam
20 amicorum uerbis afflictus est, diuinae pietatis muneribus consolatus, etiam humana debet caritate refoueri, ut undique ei consolationis gaudia respondeant quem undique dolorum tristia et aduersa lacerabant. Vnde et subditur :

XIII, 23. ***Venerunt autem ad eum omnes fratres sui, et uniuersae sorores suae, et cuncti qui nouerant eum prius ; et comederunt cum eo panem in domo eius, et mouerunt***
42,11 ***super eo caput.*** Quid in comestione panis nisi caritas, quid
5 uero in motione capitis, nisi admiratio designatur ? Bene autem subditur :

Et consolati sunt eum super omne malum, quod intulerat
42,11 ***Dominus super eum.*** Percussi enim maerore consolari est ei post percussionem de uenia congaudere. Nam quanto quis-
10 que cernitur de restituta proximi salute hilarescere, tanto se indicat de ablata doluisse.

22. a. Is 54, 7 b. Ps 93, 19

la Judée dans la peine : *Un court instant, je t'ai un peu délaissée, mais ému d'une grande pitié, je te rassemblerai*[a]. Parfois même, c'est sur le poids de l'affliction qu'est réglée la mesure de la consolation. C'est pourquoi il est écrit ailleurs : *Selon le nombre des douleurs de mon cœur, tes consolations, Seigneur, ont rempli mon âme de joie*[b]. Il déclare, en effet, qu'il a été consolé dans l'exacte mesure où il avait été affligé, lui qui crie qu'il a été rempli de joie selon le nombre de ses douleurs. Et le lecteur ne sera pas médiocrement édifié, s'il considère l'ordre même de la rémunération. En effet, la correction suit la faute, la pénitence la correction, le pardon la pénitence, et la récompense le pardon. Mais, parce que, frappé avec la permission de la volonté divine, il a été affligé aussi par les discours de ses amis, une fois consolé par les faveurs de la divine bonté, il doit également être réconforté par la charité des hommes, afin que, de tous côtés d'où lui venaient, pour le blesser, tristesses et malheurs du chagrin, lui viennent aussi en retour joies de la consolation. C'est pourquoi le texte ajoute :

Se réjouir du pardon

XIII, 23. ***Or tous ses frères vinrent vers lui et toutes ses sœurs, ainsi que tous ceux qui le connaissaient auparavant. Avec lui, ils mangèrent du pain dans sa maison. Et, à son sujet, ils hochaient la tête.*** Que signifie manger du pain avec lui, sinon la charité, et le hochement de tête, sinon l'admiration ? C'est avec raison qu'il est ajouté : **42,11**

Et ils le consolèrent de tout le malheur que le Seigneur lui avait infligé. Consoler, en effet, la tristesse de celui qui est châtié, c'est, après son châtiment, se réjouir avec lui de son pardon. Car plus quelqu'un montre de joie pour le salut recouvré du prochain, plus il indique qu'il a éprouvé de douleur pour ce salut perdu. **42,11**

XIV, **24.** ***Et dederunt ei unusquisque ouem unam, et***
42,11 ***inaurem auream unam.*** Licet cuncta haec iuxta historiam ueraciter dicta sint, ipsis tamen oblatis muneribus cogimur ut ad allegoriae mysterium recurramus. Neque enim otiose
5 debemus accipere quod ouem, quod unam, quod inaurem auream obtulere, quod unam. Et si fortasse iuxta litteram mirum non est ouis oblata cur una, ualde tamen mirum est inauris oblata cur una. Quid uero aut ouis ad inaurem pertinet, aut quid inauris ad ouem ? Ex ipso ergo munerum fine
10 compellimur ut priora quoque, quae superficie tenus iuxta solam historiam contingendo transcurrimus, in allegoriae mysteriis indagemus.

Quia igitur Christus et Ecclesia, id est caput et corpus una persona est, saepe beatum Iob diximus modo capitis, modo
15 figuram corporis designare. Seruata ergo historiae ueritate, sub typo gestum sanctae Ecclesiae sentiamus id quod scriptum est : *Addidit Dominus omnia quaecumque fuerant Iob duplicia*. Sancta quippe Ecclesia etsi multos nunc percussione temptationis amittit, in fine tamen huius saeculi ea
20 quae sua sunt duplicia recipit, quando susceptis ad plenum gentibus, ad eius fidem currere omnis quae tunc inuenta fuerit, etiam Iudaea consentit. Hinc namque scriptum est : *Donec plenitudo gentium introiret, et sic omnis Israel saluus fieret* [a]. Hinc in euangelio quoque Veritas dicit : *Elias uenit,*
25 *et ille restituet omnia* [b]. Nunc enim amisit Israelitas Ecclesia, quos conuertere praedicando non ualuit, sed tunc Elia praedicante, dum quotquot inuenerit colligit, uelut plenius recipit quod amisit.

24. a. Rm 11, 25-26 b. Mt 17, 11

Allégorie de l'Église

XIV, **24.** ***Et ils lui donnèrent chacun une brebis et un pendant d'oreille en or.*** Bien que tout ceci soit vrai selon l'histoire, cependant l'offrande de ces présents nous oblige à recourir au mystère de l'allégorie. Et, en effet, nous ne devons pas purement et simplement comprendre qu'une brebis, et une seule, qu'un pendant d'oreille en or, et un seul, lui furent offerts. Et si peut-être, selon la lettre, il n'y a pas de quoi s'étonner que chacun ne lui ait offert qu'une seule brebis, il est, par contre, beaucoup plus surprenant qu'on ne lui ait offert qu'un seul pendant d'oreille. Et que peut avoir à faire la brebis avec le pendant d'oreille, ou le pendant d'oreille avec la brebis ? Et donc, en ce qui concerne la fonction des présents, nous sommes contraints d'explorer selon les mystères de l'allégorie le début aussi, que nous avons déjà parcouru, mais superficiellement et selon le seul sens historique. **42,11**

Puisque donc le Christ et l'Église, c'est-à-dire la tête et le corps, ne sont qu'une seule personne, nous avons souvent dit que le bienheureux Job était la préfiguration, tantôt de la tête, tantôt du corps. Et donc, tout en respectant la vérité de l'histoire, considérons que c'est, de manière figurée, par la sainte Église qu'est accompli ce qui est écrit : *Le Seigneur accrût au double tous les biens de Job.* La sainte Église, en effet, bien qu'actuellement elle subisse beaucoup de pertes sous les coups de la tentation, à la fin du monde reçoit le double de tous ses biens, lorsque, les Gentils ayant été accueillis en totalité, toute la Judée aussi qui alors aura été trouvée consent à accourir vers la foi. C'est pourquoi il est écrit : *Jusqu'à ce que soit entrée la totalité des Gentils et ainsi tout Israël sera sauvé*[a]. C'est pourquoi la Vérité dit aussi dans l'Évangile : *Élie vient et il rétablira toutes choses*[b]. L'Église, en effet, a perdu actuellement les Israélites qu'elle n'a pas pu convertir en prêchant, mais alors, grâce à la prédication d'Élie, tandis qu'elle rassemble tous ceux qu'elle aura trouvés, l'Église reçoit pour ainsi dire en plénitude accrue ce qu'elle a perdu.

25. Vel certe sanctae Ecclesiae in fine suo duplum recipere est in singulis nobis et de beatitudine animae, et de carnis incorruptione gaudere. Hinc est enim quod per prophetam de electis dicitur : *In terra sua duplicia possidebunt*[a]. Hinc est
5 quod Ioannes apostolus de sanctis finem mundi quaerentibus dicit : *Data sunt illis singulae stolae albae ; et dictum est eis ut requiescerent tempus adhuc modicum, donec compleretur numerus conseruorum et fratrum eorum*[b]. Sicut enim longe superius diximus, ante resurrectionem sancti singulas stolas
10 accipiunt, quia sola animarum beatitudine perfruuntur ; in fine autem mundi binas habituri sunt, quia cum mentis beatitudine etiam carnis gloriam possidebunt.

26. Sed ea quae subnexa sunt, in fine magis huius saeculi conuersionem se iudaici populi nuntiare testantur. Nam subditur : *Venerunt autem ad eum omnes fratres sui, et uniuersae sorores suae, et cuncti qui nouerant eum prius, et come-*
5 *derunt cum eo panem in domo eius.* Tunc quippe fratres sui ac sorores ad Christum ueniunt, quando ex plebe iudaica quotquot inuenti fuerint conuertuntur. Ex illo enim populo carnis materiam sumpsit. Tunc ergo ad eum fratres ac sorores accedunt, quando ex ea plebe quae ei per cognationem iuncta
10 est, uel qui fortes futuri sunt, uelut fratres, uel infirmi, uelut sorores, ad eum per cognitionem fidei deuota gratulatione concurrunt. Tunc apud eum celeberrimae festiuitatis conuiuium exhibent, quando eum iam nequaquam quasi purum hominem contemnentes, propinquitatis suae memores, diui-
15 nitati eius se inhaerere congaudent. Tunc in domo eius panem comedunt, cum, postposita obseruatione superiacentis litterae, in sancta Ecclesia mystici eloquii quasi frugis medulla pascuntur.

25. a. Is 61, 7 b. Ap 6, 11

1. Renvoi à *Praef.* 20, où Grégoire citait déjà Ap 6, 11, ainsi que Is 61, 7, entendu comme ici de la double béatitude des élus (âme et corps).

25. Ou peut-être, pour la sainte Église, recevoir à la fin le double, est-ce, en chacun de nous, se réjouir, et de la béatitude de l'âme, et de l'incorruptibilité de la chair ? De là vient en effet qu'il est dit des élus par le prophète : *Ils posséderont le double dans leur terre*[a]. De là vient que l'apôtre Jean dit au sujet des saints qui attendent la fin du monde : *On leur donna à chacun une robe blanche en leur disant de patienter encore un peu, le temps que soit atteint le nombre de leurs compagnons de service et de leurs frères*[b]. Comme nous l'avons expliqué beaucoup plus haut, avant la Résurrection, les saints ne reçoivent chacun qu'une seule robe, car ils jouissent de la béatitude de l'âme seulement ; mais, à la fin du monde, ils en auront deux, car, avec la béatitude de l'âme, ils posséderont également la gloire de la chair[1].

Conversion du peuple juif

26. Mais ce qui est dit dans la suite du texte atteste encore davantage qu'il annonce la conversion du peuple juif à la fin du monde. Car il est dit ensuite : *Or, tous ses frères vinrent vers lui et toutes ses sœurs, ainsi que tous ceux qui le connaissaient auparavant. Avec lui, ils mangèrent du pain dans sa maison.* Ses frères et sœurs viennent au Christ, lorsque se convertissent tous ceux qui venant du peuple juif auront été trouvés. C'est, en effet, de ce peuple qu'il a pris son être de chair. Ses frères et sœurs viennent à lui, lorsque, de ce peuple qui lui est uni par la parenté, ou ceux qui seront forts, tels les frères, ou ceux qui seront faibles, telles les sœurs, courent ensemble vers lui par la connaissance de la foi, avec un joyeux empressement. Ils organisent chez lui le festin d'une fête très solennelle, lorsque cessant de le mépriser comme un homme ordinaire, se souvenant de leur parenté avec lui, ils sont dans la joie de participer à sa divinité. Dans sa maison, ils mangent du pain, lorsqu'ayant dépassé l'examen du sens littéral qui est manifeste, ils se nourrissent, dans la sainte Église, de la moëlle des paroles mystiques comme de la fleur du froment.

Bene autem subiungitur : *Cuncti qui nouerant eum prius.* 20 Prius quippe nouerant, quem in passione sua quasi incognitum contempserunt. Nam nasciturum Christum nullus qui plene legem didicit ignorauit. Vnde et Herodes rex, magorum occursione perterritus, sacerdotes et principes studuit sollerter inquirere ubi Christum nasciturum esse 25 praescirent ; cui protinus responderunt : *In Bethleem Iudae*[a]. Prius ergo nouerant quem passionis suae tempore dum despicerent ignorabant. Quorum et notitia prior, et ignorantia posterior bene ac breuiter Isaac caligante signatur. Qui dum Iacob benediceret, et quid eueniret in futuro prae-30 uidebat, et quis illi praesens assisteret nesciebat[b]. Sic quippe Israelitarum populus fuit, qui prophetiae mysteria accepit, sed tamen caecos oculos in contemplatione tenuit, quia eum praesentem non uidit, de quo tam multa in futuro praeuidit. Ante se enim positum nequaquam cernere ualuit, cuius ad-35 uentus potentiam longe ante nuntiauit. Sed ecce in fine mundi ueniunt, et eum quem prius nouerant recognoscunt. Ecce in domo eius panem comedunt, quia in sancta Ecclesia sacri eloquii fruge pascuntur, ecce omnem insensibilitatem pristini torporis excutiunt.

40 Vnde et subditur : *Et mouerunt super eo caput.* Quid enim in capite, nisi principale mentis accipitur, sicut per psalmistam dicitur : *Impinguasti in oleo caput meum*[c] ? Ac si aperte diceretur : Arentem in suis cogitationibus mentem meam caritatis unctione rigasti. Caput igitur mouetur, cum, 45 per formidinem ueritatis tacta, ab insensibilitate sua mens quatitur. Veniant ergo parentes ad conuiuium, atque excusso torpore caput moueant, id est hi qui Redemptori nostro carne coniuncti fuerant refectionem quandoque uerbi in fide per-

26. a. Mt 2, 5 b. Cf. Gn 27, 1-29 c. Ps 22, 5

Il est ajouté à juste titre : *Tous ceux qui le connaissaient auparavant*. Certes, ils connaissaient auparavant celui qu'ils méprisèrent au temps de sa passion, tel un inconnu. Car aucun de ceux qui avaient étudié à fond la Loi n'ignorait que le Christ allait naître. C'est pourquoi même le roi Hérode, terrifié par l'arrivée des mages, prit soin de s'enquérir avec habileté auprès des prêtres et des responsables s'ils savaient où devait naître le Christ ; ils lui répondirent aussitôt : *A Bethléem de Judée*[a]. Ils connaissaient donc auparavant celui qu'au temps de sa passion ils ignoraient en le méprisant. Et leur connaissance initiale, ainsi que l'ignorance qui suivit, sont bien dépeintes en peu de mots par la cécité d'Isaac. Car, lorsqu'il bénissait Jacob, il voyait à l'avance ce qui allait arriver, et ignorait pourtant celui qui se trouvait alors en sa présence[b]. Il en fut ainsi du peuple d'Israël, qui accueillit les mystères de la prophétie, et cependant garda des yeux aveugles au moment de les contempler, car il ne vit pas comme présent celui dont il avait prévu tant de choses pour le futur. Celui qui était là devant lui, il ne put aucunement l'identifier, alors que, bien auparavant, il avait annoncé la puissance de son avènement. Mais voici qu'à la fin du monde ils viennent et reconnaissent celui qu'ils avaient connu autrefois. Voici que, dans sa maison, ils mangent du pain, parce que, dans la sainte Église, ils se repaissent du froment de la parole sacrée, voici qu'ils secouent toute l'insensibilité de leur ancienne torpeur.

C'est pourquoi le texte ajoute : *Et, à son sujet, ils hochaient la tête*. Que signifie la tête, sinon l'organe principal de l'esprit, comme il est dit par le prophète : *D'une onction, tu m'as parfumé la tête*[c] ? Comme si l'on disait en clair : Tu as baigné mon esprit qui se desséchait en ses pensées de l'onction de la charité. On hoche donc la tête lorsque l'esprit, touché par le respect de la vérité, s'ébranle et quitte son insensibilité. Que les parents viennent donc au festin et, secouant leur torpeur, qu'ils hochent la tête, c'est-à-dire : que ceux qui étaient unis par la chair à notre Rédempteur, reçoivent un jour dans la foi

cipiant, et insensibilitatis pristinae duritiam amittant. Vnde
50 bene per Habacuc dicitur : *Pedes eius steterunt, et mota est terra*[d]. Stante enim Domino terra procul dubio mouetur, quia cum cordi nostro timoris sui uestigia imprimit, cuncta in nobis cogitatio terrena contremiscit. Hoc itaque loco caput mouere est immobilitatem mentis excutere, et ad cogni-
55 tionem fidei credulitatis gressibus propinquare.

27. Sed quia sancta Ecclesia Hebraeorum nunc auersione afficitur, et tunc conuersione releuatur, recte subiungitur : *Et consolati sunt eum super omni malo, quod intulerat super eum Deus*. Consolantur uidelicet Christum, consolantur Eccle-
5 siam, qui ab infidelitatis pristinae errore resipiscunt, et prauitatem uitae, per quam recta docentibus repugnauerant, deserunt. Annon grauis maeror est duris cordibus infructuose praedicare, laborem in ostendenda ueritate sumere, sed nullum de conuersione audientium fructum laboris inue-
10 nire ? At contra autem, magna praedicatorum consolatio est subsequens prouectus auditorum. Releuatio quippe dicentis est immutatio proficientis.

Et notandum quod in flagello positum consolari noluerunt, sed ad consolandum eum post flagellum ueniunt, quia ni-
15 mirum passionis eius tempore Hebraei, praedicamenta fidei contemnentes, quem hominem ex morte probauerunt Deum credere despexerunt. Vnde per psalmistam Dominus dicit : *Sustinui qui simul mecum contristaretur, et non fuit ; consolantem me quaesiui, et non inueni*[a]. Consolantem quippe in
20 passione minime inuenit, qui ex despectu mortis etiam ipsos

26. d. Ha 3, 5-6
27. a. Ps 68, 21

la réfection de sa parole et perdent la dureté de leur ancienne insensibilité. C'est pourquoi il est bien dit par Habacuc : *Ses pieds sont demeurés fermes et la terre a été ébranlée*[d]. En effet, le Seigneur se dressant, la terre est à l'évidence ébranlée, car, lorsqu'il imprime à notre cœur les traces de sa crainte, toute pensée terrestre tremble en nous. Voilà pourquoi, dans ce passage, hocher la tête, c'est secouer l'immobilité de l'esprit et approcher de la connaissance de la foi par les pas de la croyance.

27. Mais parce que la sainte Église est actuellement affectée par l'éloignement du peuple hébreu et qu'elle est alors soulagée par sa conversion, le texte ajoute avec raison : *Et ils le consolèrent de tout le malheur que Yahvé lui avait infligé.* C'est-à-dire : ils consolent le Christ, ils consolent l'Église, ceux qui reviennent de l'erreur de leur infidélité première et abandonnent la corruption de leur vie, par laquelle ils ont résisté à l'enseignement de sages docteurs. Et n'y a-t-il pas une grande tristesse à prêcher sans fruit à des cœurs endurcis, à assumer la tâche d'exposer la vérité sans pouvoir recueillir aucun fruit de ce labeur dans la conversion des auditeurs ? Bien au contraire, la consolation est grande pour les prédicateurs lorsque s'ensuit le progrès des auditeurs. Car voilà le réconfort de celui qui parle : c'est la conversion de celui qui fait des progrès.

Et il convient de remarquer qu'ils n'ont pas voulu le consoler dans l'épreuve, mais qu'ils viennent le consoler après l'épreuve, c'est-à-dire qu'au temps de la Passion, les Hébreux, méprisant les enseignements de la foi, dédaignèrent de croire qu'était Dieu celui dont la mort leur prouva qu'il était un homme. C'est pourquoi le Seigneur dit par la voix du psalmiste : *J'ai attendu que quelqu'un s'affligeât avec moi et nul ne l'a fait ; j'ai cherché un consolateur et je n'ai trouvé personne*[a]. Il n'a certes trouvé personne qui le consolât dans sa passion, lui qui, dans les humiliations de sa mort, a dû supporter comme

hostes pertulit, pro quibus ad mortem uenit. Post flagella ergo propinqui ad consolationem ueniunt, quia in membris suis nunc usque Dominus patitur ; sed extremo tempore Israelitae omnes ad fidem, cognita Eliae praedicatione, con-
25 currunt, atque ad eius protectionem quem fugerant redeunt ; et tunc illud eximium multiplici aggregatione populorum conuiuium celebratur. Tunc post flagella quasi Iob sanus ostenditur, quando a conuersis atque credentibus post passionem suam ac resurrectionem Dominus in caelis immor-
30 talis uiuere per certitudinem fidei scitur.

Tunc quasi remuneratus Iob cernitur, quando in maiestatis suae potentia sicut est Deus creditur, et eius fidei subici hi qui prius restiterant uidentur. In fine igitur mundi credentes Hebraei conueniant, et humani generis redemptori in po-
35 tentia diuinitatis quasi sano Iob oblationum suarum uota persoluant.

Vnde et bene subditur : *Et dederunt ei unusquisque ouem unam, et inaurem auream unam.* Quid per ouem nisi innocentia, quid per inaurem nisi obedientia designatur ? Per
40 ouem quippe simplex animus, per inaurem uero ornatus humilitatis gratia auditus exprimitur.

28. Sed quia ad ostendendam uirtutem obedientiae occasio opportuna se praebuit, libet hanc paulo uigilantius sollicitiusque discutere, et quanti sit meriti demonstrare. Sola namque uirtus est quae uirtutes ceteras menti inserit, in-
5 sertasque custodit.

ennemis ceux-là même pour lesquels il est venu mourir. Donc, après ses épreuves, ses proches viennent le consoler, parce que, dans ses membres, c'est jusqu'aujourd'hui que souffre le Seigneur ; mais, à la fin des temps, tous les Israélites, ayant entendu la prédication d'Élie, accourent vers la foi et reviennent sous la protection de celui dont ils s'étaient éloignés ; et c'est alors qu'est célébré dans le rassemblement de peuples nombreux ce festin incomparable.

Alors, comme Job qui, après ses épreuves, se montre sain et sauf, le Seigneur, après sa passion et sa résurrection, est reconnu avec la certitude de la foi par les hommes convertis et les croyants comme vivant immortel dans les cieux. Alors, comme Job, on le voit récompensé lorsque, dans la puissance de sa majesté, il est reconnu en tant que Dieu, et que l'on voit, soumis à sa foi, ceux qui d'abord lui avaient résisté. Par conséquent, à la fin du monde, que les Hébreux devenus croyants accourent et offrent l'hommage de leurs présents au Rédempteur du genre humain, dans la puissance de sa divinité, comme ils firent pour Job après sa guérison.

C'est pourquoi il est ajouté à juste titre : *Et ils lui donnèrent chacun une brebis et un pendant d'oreille en or*. Que désigne la brebis, sinon l'innocence, et le pendant d'oreille, sinon l'obéissance ? La brebis est, en effet, l'image d'une âme simple, et l'anneau d'oreille celle du sens de l'ouïe paré de la grâce de l'humilité.

La vertu d'obéissance

28. Mais parce que s'est présentée opportunément une occasion de faire connaître la vertu d'obéissance, on trouvera bon dès lors d'en parler avec un peu plus d'insistance et d'attention, et de souligner de quel grand mérite elle relève. Parmi les vertus, elle est en effet la seule qui peut donner accès aux autres vertus dans l'âme et veiller à les y maintenir.

Vnde et primus homo praeceptum quod seruaret accepit[a], cui se si uellet oboediens subdere, ad aeternam beatitudinem sine labore perueniret. Hinc Samuel ait : *Melior est oboedientia quam uictimae, et auscultare magis quam offerre adipem arietum, quoniam quasi peccatum ariolandi est repugnare, et quasi scelus idololatriae nolle acquiescere*[b]. Oboedientia quippe uictimis iure praeponitur, quia per uictimas aliena caro, per oboedientiam uero uoluntas propria mactatur. Tanto igitur quisque Deum citius placat, quanto ante eius oculos repressa arbitrii sui superbia, gladio praecepti se immolat. Quo contra ariolandi peccatum inoboedientia dicitur, ut quanta sit uirtus oboedientiae demonstretur. Ex aduerso ergo melius ostenditur, quid de eius laude sentiatur. Si enim quasi peccatum ariolandi est repugnare, et quasi scelus idololatriae nolle acquiescere, sola est quae fidei meritum possidet, qua sine quisque infidelis conuincitur, etiamsi fidelis esse uideatur.

Hinc per Salomonem in ostensione oboedientiae dicitur : *Vir obediens loquitur uictorias*[c]. Vir quippe oboediens uictorias loquitur, quia dum alienae uoci humiliter subdimur, nosmetipsos in corde superamus.

Hinc in euangelio Veritas dicit : *Eum qui uenit ad me, non eiciam foras, quia de caelo descendi, non ut faciam uoluntatem meam, sed uoluntatem eius qui misit me*[d]. Quid enim ? si suam faceret eos qui ad se ueniunt reppulisset ? Quis autem nesciat quod uoluntas Filii a Patris uoluntate non discrepet ? Sed quoniam primus homo, quia suam facere uoluntatem uoluit, a paradisi gaudio exiuit[e], secundus ad redemptionem hominum ueniens, dum uoluntatem se Patris et non suam

28. a. Cf. Gn 2, 16-17 b. 1 Sm 15, 22-23 c. Pr 21, 28 d. Jn 6, 37-38 e. Cf. Gn 3, 23-24

C'est pourquoi le premier homme aussi reçut un commandement qu'il devait observer[a]; et, s'il avait voulu s'y soumettre en obéissant, il serait parvenu sans peine à la béatitude éternelle. D'où les paroles de Samuel : *L'obéissance est meilleure que des victimes, et obéir vaut mieux que d'offrir de la graisse de bélier, car c'est comme un péché de magie que de résister, et comme un péché d'idolâtrie que de ne pas vouloir acquiescer*[b]. L'obéissance est certes à bon droit préférée aux victimes, car, au moyen des victimes, c'est une chair étrangère à soi, mais, par l'obéissance, c'est sa volonté propre que l'on immole. Par conséquent, chacun apaise Dieu d'autant plus vite que, devant ses yeux, il réprime l'orgueil de son jugement personnel et s'immole par le glaive du précepte. Et, au contraire, la désobéissance est appelée péché de magie, afin de montrer combien est grande la vertu d'obéissance. Par ce contraste, on montre donc mieux combien il faut accorder de prix à l'éloge de cette vertu. Car, si résister est assimilé au péché de magie, et ne pas vouloir acquiescer au péché d'idolâtrie, l'obéissance est seule à posséder le mérite de la foi ; sans elle, on est donc convaincu d'infidélité, même si on a l'air fidèle.

C'est pourquoi Salomon dit, pour mettre en valeur l'obéissance : *L'homme obéissant crie victoire*[c]. L'homme obéissant crie victoire, parce que, quand nous nous soumettons humblement à la voix d'un autre, nous remportons un succès sur nous-mêmes en notre cœur.

C'est pourquoi la Vérité dit dans l'Évangile : *Celui qui vient à moi, je ne le jetterai pas dehors, car je suis descendu du ciel pour faire non pas ma volonté, mais la volonté de celui qui m'a envoyé*[d]. Qu'est-ce à dire ? S'il avait fait sa volonté, aurait-il rejeté ceux qui venaient à lui ? Or qui ne sait que la volonté du Fils ne peut être différente de la volonté du Père ? Mais, puisque le premier homme, pour avoir voulu faire sa volonté propre, a été chassé de la joie du paradis[e], le deuxième, venant pour la rédemption des hommes, en montrant qu'il fait la

35 facere ostendit, permanere nos intus docuit. Cum igitur non suam sed Patris uoluntatem facit, eos qui ad se ueniunt foras non eicit, quia dum exemplo suo nos oboedientiae subicit, uiam nobis egressionis claudit.

Hinc rursum ait : *Non possum ego a meipso facere quicquam,* 40 *sed sicut audio iudico*[f]. Nobis quippe oboedientia usque ad mortem seruanda praecipitur. Ipse autem si sicut audit iudicat, tunc quoque oboedit, cum iudex uenit. Ne igitur nobis usque ad praesentis uitae terminum oboedientia laboriosa appareat, Redemptor noster indicat, quia hanc etiam cum 45 iudex uenerit seruat. Quid ergo mirum si peccator homo oboedientiae in praesentis uitae breuitate se subicit, quando hanc mediator Dei et hominum et cum oboedientes remunerat, non relinquit[g] ?

29. Sciendum uero est quia numquam per oboedientiam malum fieri aliquando autem debet per oboedientiam bonum quod agitur, intermitti. Neque enim mala in paradiso arbor exstitit, quam Deus homini ne contingeret interdixit[a]. Sed 5 ut per melius oboedientiae meritum homo bene conditus cresceret, dignum fuerat ut hunc etiam a bono prohiberet, quatenus tanto uerius hoc quod ageret uirtus esset ; quanto et a bono cessans, auctori suo se subditum humilius exhiberet. Sed notandum quod illic dicitur : *Ex omni ligno paradisi* 10 *edite, de ligno autem scientiae boni et mali ne tetigeritis*[b]. Qui enim ab uno quolibet bono subiectos uetat, necesse est ut multa concedat, ne oboedientis mens funditus intereat, si a

28. f. Jn 5, 30 g. Cf. 1 Tm 2, 5
29. a. Cf. Gn 2, 17 b. Gn 2, 16-17 ; cf. Gn 3, 3

1. Cet éloge de l'obéissance, par laquelle on immole la volonté propre, fait penser à la Règle de saint Benoît (*RB* 5, 1-19 ; 7, 19-22 et 31-43, etc.).

volonté du Père et non la sienne propre, nous a enseigné à demeurer à l'intérieur. Comme il fait donc non sa volonté propre, mais celle du Père, il n'a pas jeté dehors ceux qui viennent à lui, parce qu'en nous soumettant à l'obéissance par son exemple personnel, il nous ferme le passage pour sortir.

C'est pourquoi il dit encore : *Je ne puis rien faire de moi-même, mais je juge selon ce que j'entends*[f]. Il nous est certes prescrit de garder l'obéissance jusqu'à la mort. Mais lui-même, en jugeant selon ce qu'il entend, obéit donc également quand il vient en juge. Et afin que cette obéissance jusqu'à la fin de la vie présente ne nous apparaisse pas comme éprouvante, notre Rédempteur indique qu'il l'observe même quand il vient en juge. Quoi donc d'extraordinaire à ce que l'homme pécheur se soumette à l'obéissance durant le court espace de sa vie présente, quand le Médiateur entre Dieu et les hommes n'abandonne pas cette vertu, alors même qu'il vient pour récompenser ceux qui obéissent[g 1] ?

Désobéissance de l'homme

29. Il faut bien savoir cependant que jamais on ne doit faire le mal par obéissance, mais que parfois il faut, par obéissance, interrompre le bien que l'on fait. Et, bien sûr, il n'y eut pas au paradis un arbre mauvais, auquel Dieu interdit à l'homme de toucher[a]. Mais afin que l'homme créé dans le bien y progressât par le mérite supérieur de l'obéissance, il convenait de le détourner même d'un bien, dans la mesure où il serait d'autant plus certain que son action soit vertueuse que, s'abstenant d'un bien, il se montrerait plus humblement soumis à son Créateur. Mais remarquons qu'il est dit en ce passage : *Mangez de tous les arbres du jardin, mais à l'arbre de la science du bien et du mal, vous ne toucherez pas*[b]. Celui qui interdit un seul bien, quel qu'il soit, à ses subordonnés, devra nécessairement leur en accorder beaucoup d'autres, de crainte que le cœur de l'obéissant ne dépérisse complètement,

bonis omnibus penitus repulsa ieiunat. Omnes autem paradisi arbores ad esum Dominus cessit, cum ab una prohibuit, ut creaturam suam, quam nolebat exstingui, sed prouehi, tanto facilius ab una restringeret, quanto ad cunctas latius relaxaret.

30. Sed quia nonnumquam nobis huius mundi prospera, nonnumquam uero iubentur aduersa, sciendum summopere est quod oboedientia aliquando, si de suo aliquid habeat, nulla est ; aliquando autem, si de suo aliquid non habeat, minima. Nam cum huius mundi successus praecipitur, cum locus superior imperatur, is qui ad percipienda haec oboedit, oboedientiae sibi uirtutem euacuat, si ad haec etiam ex proprio desiderio anhelat. Neque enim se sub oboedientia dirigit, qui ad percipienda huius uitae prospera libidini propriae ambitionis seruit. Rursum cum mundi despectus praecipitur, cum probra adipisci et contumeliae iubentur ; nisi haec ex semetipso animus appetat, oboedientiae sibi meritum minuit, qui ad ea quae in hac uita despecta sunt inuitus nolensque descendit. Ad detrimentum quippe oboedientia ducitur, cum mentem ad suscipienda probra huius saeculi nequaquam ex parte aliqua etiam sua uota comitantur. Debet ergo oboedientia et in aduersis ex suo aliquid habere, et rursum in prosperis ex suo aliquid omnimodo non habere, quatenus et in aduersis tanto sit gloriosior quanto diuino ordini etiam ex desiderio iungitur, et in prosperis tanto sit uerior quanto

s'il jeûne entièrement à l'écart de tous les biens. Mais le Seigneur a concédé en nourriture tous les autres arbres du paradis lorsqu'il en interdit un seul, en sorte que sa créature, qu'il n'entendait pas faire mourir, mais rendre plus parfaite, se priverait d'autant plus facilement d'un seul arbre, du fait qu'il lui donnerait la liberté d'user de tous les autres.

Nécessité d'acquiescer

30. Mais parce que l'on nous conseille parfois ce qui est avantageux selon ce monde, et parfois, au contraire, ce qui ne l'est pas, il faut bien savoir que dans certains cas l'obéissance n'existe pas si elle possède quelque chose en propre et que, dans d'autres cas, elle est presque inexistante si elle ne possède pas quelque chose en propre. En effet, lorsqu'on vous donne l'ordre d'un avancement selon le monde, lorsqu'on vous désigne pour quelque promotion, celui qui obéit pour les recevoir annule, en ce qui le concerne, la vertu d'obéissance, si c'est aussi par un désir personnel qu'il y aspire avidement. Et, en effet, il ne se conduit pas sous l'empire de l'obéissance celui qui, pour recevoir ce qui est avantageux selon ce monde, se met au service de ses propres passions ambitieuses. Inversement, lorsque c'est le mépris du monde qui est conseillé, lorsqu'on ordonne de supporter opprobres et injures, si l'âme n'en a pas d'elle-même le désir, elle diminue le mérite de l'obéissance, parce qu'elle ne s'abaisse à ce qui, en cette vie, est méprisé que contrainte et forcée. Il y a, en effet, détriment pour l'obéissance, lorsque l'âme, pour supporter les opprobres de ce monde, n'est pas soutenue, si peu que ce soit, par ses propres aspirations. Il faut donc que l'obéissance, dans le cas de ce qui est défavorable, possède quelque chose en propre, et, au contraire, quand il s'agit d'avantages, qu'elle ne possède absolument rien en propre ; de la sorte, dans les circonstances défavorables, elle sera d'autant plus glorieuse qu'elle joint à l'ordre divin son propre désir, et, dans les situations avantageuses, d'autant plus authentique

a praesenti ipsa quam diuinitus percipit gloria funditus ex mente separatur.

31. Sed hoc uirtutis pondus melius ostendimus, si caelestis patriae duorum hominum facta memoremus. Moyses namque cum in deserto oues pasceret, Domino per angelum in igne loquente uocatus est, ut eripiendae omni Israelita-
5 rum multitudini praeesset[a]. Sed quia apud se mente humilis exstitit, oblatam protinus tanti regiminis gloriam expauit, moxque ad infirmitatis patrocinium recurrit, dicens : *Obsecro, Domine, non sum eloquens ; ab heri et nudiustertius ex quo coepisti loqui ad seruum tuum, tardioris et impeditioris*
10 *linguae factus sum*[b]. Et, se postposito, alium deposcit, dicens : *Mitte quem missurus es*[c]. Ecce cum auctore linguae loquitur, et ne tanti regiminis potestatem suscipiat, elinguem se esse causatur.

Paulus quoque diuinitus fuerat ut in Hierosolymam ascen-
15 dere debuisset admonitus, sicut ipse Galatis dicit : *Deinde post annos quattuordecim iterum ascendi Hierosolymam, assumpto Barnaba et Tito ; ascendi autem secundum reuelationem*[d]. Isque in itinere cum prophetam Agabum repperisset, quanta se aduersitas in Hierosolymis maneret audiuit[e]. Scriptum
20 quippe est quod idem Agabus zonam Pauli suis pedibus inserens, dixit : *Virum cuius haec zona est sic alligabunt in Ierusalem*[f]. A Paulo autem protinus respondetur : *Ego non solum alligari, sed et mori in Ierusalem paratus sum pro nomine Iesu*[g], *neque enim pretiosiorem facio animam meam*
25 *quam me*[h]. Praeceptione igitur reuelationis Hierosolymam pergens, aduersa cognoscit, et tamen haec libenter appetit ;

31. a. Cf. Ex 3, 1s b. Ex 4, 10 c. Ex 4, 13 d. Ga 2, 1-2 e. Cf. Ac 21, 10-15 f. Ac 21, 11 g. Ac 21, 13 h. Ac 20, 24

qu'elle sera entièrement détachée en son cœur de cette gloire présente même qu'elle reçoit par volonté divine.

Moïse et Paul

31. Mais nous montrerons mieux le poids de cette vertu si nous rappelons la conduite de deux hommes, citoyens de la patrie céleste. En effet, lorsqu'il faisait paître ses brebis dans le désert, Moïse fut interpellé par le Seigneur, qui lui parlait dans le feu par l'intermédiaire d'un ange, afin qu'il prît la tête de tout le peuple d'Israël pour le délivrer [a]. Mais, parce qu'en son cœur il était humble, il eut peur en voyant la gloire d'un si haut commandement lui être offerte sur le champ, et aussitôt il eut recours à l'excuse de son infirmité en disant : *Je t'en prie, Seigneur, je ne suis pas éloquent ; depuis hier et avant-hier, depuis que tu as commencé à parler à ton serviteur, ma langue est devenue inhabile et pesante* [b]. Et s'étant mis au second plan, il demande quelqu'un d'autre, en disant : *Envoie celui que tu dois envoyer* [c]. Voici qu'il parle au créateur de la langue et, afin de ne pas être investi de la puissance d'un si haut commandement, il allègue son incapacité à parler.

Quant à Paul aussi, il avait reçu un avertissement divin, selon lequel il devait monter à Jérusalem, comme il le dit lui-même aux Galates : *Ensuite, au bout de quatorze ans, je montai de nouveau à Jérusalem avec Barnabé et Tite, que je pris avec moi. J'y montai à la suite d'une révélation* [d]. Comme il avait trouvé sur son chemin le prophète Agabus, il apprit quelle grande adversité l'attendait à Jérusalem [e]. Nous lisons, en effet, que le même Agabus, liant la ceinture de Paul autour de ses pieds, lui dit : *L'homme à qui appartient cette ceinture, on le liera comme ceci à Jérusalem* [f]. Et Paul répondit aussitôt : *Je suis prêt, non seulement à me laisser lier, mais encore à mourir à Jérusalem pour le nom de Jésus* [g], *et je n'estime pas ma vie plus précieuse que moi-même* [h]. Se rendant à Jérusalem à la suite de l'ordre reçu par révélation, il connaît l'adversité qui l'attend et pourtant, il y aspire résolument ; il apprend

audit quae timeat, sed ad haec ardentior anhelat. Moyses itaque ad prospera de suo nihil habet, quia precibus renititur, ne israeliticae plebi praeferatur. Paulus ad aduersa etiam ex 30 suo uoto ducitur, quia malorum imminentium cognitionem percipit, sed deuotione spiritus etiam ad acriora feruescit. Ille praesentis potestatis gloriam Deo uoluit iubente declinare ; iste, Deo aspera et dura disponente, se studuit ad grauiora praeparare. Praeeunte ergo utrorumque ducum infracta 35 uirtute instruimur, ut si oboedientiae palmam apprehendere ueraciter nitimur, prosperis huius saeculi ex sola iussione, aduersis autem etiam ex deuotione militemus.

32. Notandum uero est quod hoc loco cum inaure ouis, cum oue inauris offertur, quia nimirum innocuis mentibus ornamentum semper oboedientiae iungitur, Domino attestante, qui ait : *Oues meae uocem meam audiunt ; et ego* 5 *cognosco eas et sequuntur me*[a]. Beato igitur Iob nemo inaurem sine oue, nemo ouem sine inaure obtulit, quia profecto Redemptori suo non oboedit, qui innocens non est ; et innocens esse non potest, qui oboedire contemnit. Quia uero ipsa oboedientia non seruili metu sed caritatis affectu 10 seruanda est, non terrore poenae, sed amore iustitiae, cuncti qui ad conuiuium ueniunt, auream inaurem obtulisse perhibentur ; ut uidelicet in ea quae exhibetur oboedientia, caritas fulgeat, quae uirtutes omnes quasi auri more cetera metalla transcendat.

32. a. Jn 10, 27

1. Paul se prépare aux *aspera et dura* que Dieu veut pour lui. Cette expression rappelle les *Conférences* de CASSIEN (*Conl.* 24, 25, 2) et la Règle bénédictine (*RB* 58, 8), où cependant les deux termes se succèdent en ordre inverse.

ce qu'il devrait craindre, mais soupire après cela avec plus d'ardeur. Ainsi, Moïse ne met rien de sa volonté pour obtenir des avantages, puisqu'il insiste par ses prières pour n'être pas mis à la tête du peuple d'Israël. Paul est même conduit vers l'adversité par ses propres désirs, parce qu'il reçoit la connaissance de maux imminents, mais le zèle brûlant de son âme lui en fait souhaiter de plus cruels encore. Le premier voulut décliner, alors que Dieu lui en donnait l'ordre, la gloire d'un pouvoir temporel; le second, alors que Dieu lui préparait des difficultés et des épreuves [1], se disposa à en accepter de plus dures encore. Laissons-nous donc instruire et conduire par l'exemple de la vertu inébranlable de ces deux guides, afin que, si nous tâchons vraiment d'obtenir la palme de l'obéissance, nous militions pour les avantages du siècle seulement si nous en avons reçu l'ordre, et si c'est pour l'adversité, nous le fassions aussi avec empressement.

Obéissance et charité

32. Mais remarquons que, dans ce passage, une brebis est offerte avec un pendant d'oreille, et un pendant d'oreille avec une brebis, c'est-à-dire que l'ornement de l'obéissance est toujours attaché aux âmes innocentes, comme le Seigneur l'atteste en disant : *Mes brebis écoutent ma voix; je les connais et elles me suivent* [a]. C'est pourquoi, au bienheureux Job personne n'a offert un pendant d'oreille sans une brebis, ni une brebis sans un pendant d'oreille, c'est-à-dire que n'obéit pas à son Rédempteur celui qui n'est pas innocent, et ne peut être innocent celui qui dédaigne d'obéir. Mais, parce que l'obéissance doit être observée non par crainte servile, mais par adhésion de la charité, non par peur du châtiment, mais par amour de la justice, on rapporte que tous ceux qui viennent au festin ont offert un pendant d'oreille en or ; c'est-à-dire que, lorsqu'on donne un exemple d'obéissance, la charité doit être brillante, elle qui transcende toutes les vertus, à la manière dont l'or l'emporte sur tous les métaux.

33. Sed quia nulla esse innocentia, nulla esse uera oboedientia in multiplicibus haereticorum diuisionibus potest, ad cognitionem fidei uenientes offerant ouem, sed unam ; offerant inaurem, sed unam ; id est, tales ueniant, qui in unitate
5 sanctae Ecclesiae innocui obedientesque persistant. Vnum quippe diuidi per numeros non potest, quia et hoc ipsum unum quod dicimus numerus non est. Offerant igitur ouem, sed unam ; offerant inaurem, sed unam ; id est, in sanctam Ecclesiam cum innocentia atque oboedientia uenientes, eam
10 mentem deferant quam sectarum schismata non diuidant.

34. Aperire libet oculos fidei, et illud extremum sanctae Ecclesiae de susceptione israelitici populi conuiuium contemplari. Ad quod nimirum conuiuium magnus ille ueniens Elias conuiuantium inuitator adhibetur ; et tunc propinqui,
5 tunc noti ad eum cum muneribus ueniunt, quem in flagello paulo ante positum contempserunt. Appropinquante enim die iudicii, uel praecursoris uocibus, uel quibusdam erumpentibus signis, ipsa eis iam aliquo modo aduenientis Domini uirtus interlucet. Cuius iram dum praeuenire festinant,
10 conuersionis suae tempus accelerant. Conuersi autem cum muneribus ueniunt, quia eum quem paulo ante in passione deriserunt, tunc uirtutum opera quasi munera offerendo, uenerantur, illud procul dubio hac sua oblatione complentes quod et cernimus magna ex parte iam factum, et adhuc
15 credimus perfecte faciendum : *Adorabunt eum filiae Tyri in muneribus*[a].

34. a. Ps 44, 12-13

Unité de l'Église

33. Mais, parce qu'il ne peut y avoir aucune innocence, aucune véritable obéissance dans les multiples divisions des hérétiques, ceux qui viennent à la connaissance de la foi doivent offrir une brebis et une seule, un pendant d'oreille en or et un seul ; c'est-à-dire que ceux qui viennent doivent être tels qu'ils puissent demeurer dans l'unité de la sainte Église, innocents et obéissants. « Un » ne peut être divisé par des nombres, étant donné que ce que nous appelons « un » n'est pas, à proprement parler, un nombre. Qu'ils offrent donc une brebis et une seule, qu'ils offrent un pendant d'oreille en or et un seul ; c'est-à-dire : venant dans la sainte Église avec innocence et obéissance, qu'ils y apportent une disposition d'esprit telle qu'aucun schisme sectaire ne saurait la diviser.

L'offrande de la foi

34. Il est bon d'ouvrir les yeux de la foi pour contempler cet ultime festin de la sainte Église accueillant le peuple d'Israël. On rapporte qu'à ce festin, certainement, le grand Élie, lors de son avènement, est chargé d'inviter les convives ; et alors s'avancent les parents et aussi les connaissances, avec des présents, vers celui qu'ils ont méprisé alors qu'il était dans la peine peu auparavant. A l'approche, en effet, du jour du Jugement, soit par les appels du précurseur, soit par certains miracles qui éclatent, la puissance même du Seigneur qui vient jette déjà d'une certaine manière des éclairs à leurs yeux. S'empressant de prévenir sa colère, ils hâtent l'heure de leur conversion. Une fois convertis, ils viennent avec des présents, car celui dont ils s'étaient moqués peu auparavant, lors de sa passion, désormais ils le vénèrent, offrant en guise de présents les œuvres de leurs vertus, et par cette oblation ils accomplissent parfaitement, sans aucun doute, ce que nous voyons déjà réalisé en grande partie et que nous croyons devoir être réalisé plus parfaitement encore : *Les filles de Tyr viendront l'adorer avec des présents*[a].

Tunc namque illum plenius filiae Tyri in muneribus adorant, cum Israelitarum mentes huius nunc mundi desideriis subditae, ei quem superbientes negauerunt, quandoque
20 cognito, suae hostias confessionis apportant. Et quamuis eisdem temporibus quibus Antichristus appropinquat, aliquatenus uita fidelium minoris esse uirtutis appareat, quamuis in conflictu illius perditi hominis grauis etiam corda fortium formido constringat : Elia tamen praedicante roborati, non
25 solum fideles quique in sanctae Ecclesiae soliditate persistunt, sed, sicut superius diximus, ad cognitionem fidei multi quoque ex infidelibus conuertuntur, ita ut israeliticae gentis reliquiae, quae repulsae prius funditus fuerant, ad sinum matris Ecclesiae pia omnimodo deuotione concurrant. Vnde et
30 bene nunc subditur :

42,12 XV, **35.** ***Dominus autem benedixit nouissimis Iob magis quam principio eius.*** Haec historice facta credimus, haec mystice facienda speramus. Magis enim nouissimis Iob quam principio benedicitur, quia quantum ad israelitici populi
5 susceptionem pertinet, urgente fine praesentis saeculi, dolorem sanctae Ecclesiae Dominus animarum multiplici collectione consolatur. Tanto quippe locupletius ditabitur, quanto et manifestius innotescit quod ad finem praesentis uitae temporalitas urgetur. Praedicatores namque sanctae
10 Ecclesiae benedictione extremi temporis psalmista ditari conspexerat, cum dicebat : *Adhuc multiplicabuntur in senecta uberi, et bene patientes erunt, ut annuntient*[a]. In senecta scilicet uberi multiplicantur, quia cum eorum uita differtur, semper ad melius fortitudo producitur, eisque per augmen-
15 tum temporum crescunt etiam lucra meritorum. Bene autem

35. a. Ps 91, 15-16

De fait, les filles de Tyr l'adorent plus parfaitement avec des présents, lorsque l'esprit du peuple d'Israël, assujetti aux désirs de ce monde, apporte l'offrande de sa foi à celui, enfin connu, qu'il a refusé dans son orgueil. Et, bien qu'en ces temps où l'Antichrist approche, la vie des fidèles apparaisse être d'une vertu moindre, bien que, dans le combat avec cet homme perdu, une profonde crainte saisisse même le cœur des braves, cependant, fortifiés par la prédication d'Élie, non seulement tous les fidèles demeurent dans la ferme unité de la sainte Église, mais, comme nous l'avons dit plus haut, beaucoup aussi parmi les infidèles se convertissent à la connaissance de la foi, en sorte que le reste du peuple d'Israël, qui d'abord avait été radicalement écarté, accourt avec un grand zèle religieux vers le sein de la mère Église. C'est pourquoi il est ajouté maintenant avec raison :

Bénédiction de la fin des temps

XV, **35.** ***Le Seigneur bénit Job dans les derniers jours plus qu'au commencement.*** **42,12** Nous croyons, selon le sens historique, que ces faits sont advenus, nous espérons, selon le sens mystique, que ces faits adviendront. Job est, en effet, béni plus encore dans les derniers jours qu'au commencement, car, en ce qui touche à l'accueil du peuple d'Israël, quand arrive la fin du siècle présent, le Seigneur console la douleur de la sainte Église par la multitude des âmes qui se rassemblent en elle. Elle sera alors enrichie avec d'autant plus d'abondance que manifestement le temps de la vie présente se hâte davantage vers sa fin. De fait, le psalmiste avait compris que les prédicateurs de la sainte Église étaient enrichis de la bénédiction de la fin des temps, lorsqu'il disait : *Ils se multiplieront dans une vieillesse féconde et avec raison seront patients pour annoncer*[a]. Ils se multiplient dans une vieillesse féconde, c'est-à-dire que, lorsque leur vie se prolonge, leur force devient toujours plus efficace, et, pour eux, avec le nombre des années le bénéfice de leurs mérites s'accroît aussi. Avec

patientes sunt ut annuntient, quia caelestia praedicantes, tanto robustius aduersa tolerant, quanto et per tolerantiam suam animarum commoda locupletius reportant. Sequitur :

42,12 42,13 XVI, **36.** ***Et facta sunt ei quattuordecim millia ouium, et sex milia camelorum, et mille iuga boum, et mille asinae ; et fuerunt ei septem filii, et tres filiae.*** Quod septem milia ouium, et tria milia camelorum, et quingenta iuga boum, 5 et quingentas asinas ante probationem percussionis habuerit[a], ipsa eiusdem historiae praefatio ostendit ; quae per flagellum perdita, ei nunc sunt duplicia restituta. Filii autem totidem sunt redditi quot amissi. Septem quippe filios et tres filias habuit[b], septem autem nunc filios et tres filias 10 recepisse describitur, ut et hi qui exstincti fuerant uiuere demonstrentur. Dum enim dicitur : *Addidit Dominus quaecumque fuerant Iob duplicia*[c], et tamen totidem filios ei restituit quot amisit, et liberos dupliciter addidit, cui decem postmodum in carne restituit, decem uero qui amissi fuerant 15 in occulta animarum uita seruauit.

Si quis autem in praedictis animalibus, postposito culmo historiae, ut intellectuale uidelicet animal, pasci mysteriorum fruge desiderat, necesse est ut quae sentimus agnoscat. Intellegere enim possumus quod in his animalibus aggregata 20 fidelium uniuersitas designatur. Hinc est namque quod per psalmistam Patri de Filio dicitur : *Omnia subiecisti sub pedibus eius, oues et boues uniuersas, insuper et pecora campi*[d]. Hinc est quod idem propheta sanctam Ecclesiam simplices quosque inhabitare conspiciens, ait : *Animalia tua inhabi-* 25 *tabunt in ea*[e].

36. a. Cf. Jb 1, 3 b. Cf. Jb 1, 2 c. Jb 42, 10 d. Ps 8, 8 e. Ps 67, 11

raison ils sont patients pour annoncer, parce que, prêchant les réalités célestes, ils supportent l'adversité avec d'autant plus de fermeté que, par leur courage, ils procurent aux âmes de plus grands avantages. Le texte poursuit :

L'ensemble des fidèles

XVI, **36.** ***Et il eut quatorze mille brebis, six mille chameaux, mille paires de bœufs et mille ânesses. Il eut aussi sept fils et trois filles.*** **42,12** **42,13** La préface de cette histoire nous a montré qu'avant l'épreuve qui le frappa, Job avait sept mille brebis, trois mille chameaux, cinq cents paires de bœufs et cinq cents ânesses [a] ; Job les ayant perdus dans son malheur, Dieu lui en rendit le double. Quant aux enfants, il lui en rendit juste autant qu'il en avait jadis. En effet, il avait eu sept fils et trois filles [b], et maintenant on note qu'il a recouvré sept fils et trois filles, afin de prouver que ceux qui étaient morts étaient vivants. Alors qu'il est dit : *Le Seigneur accrut au double tous les biens de Job* [c], et que, cependant, il lui rendit autant de fils qu'il en avait perdus, il lui en donna pourtant bien le double, car, après lui en avoir restitué dix dans la chair, il lui conserva les dix qui avaient été perdus, dans la vie secrète des âmes.

Si quelqu'un cependant, à propos des animaux énumérés plus haut, ayant laissé à terre la paille de l'histoire, désire se nourrir, tel un animal spirituel, du grain des mystères, il est nécessaire qu'il connaisse ce que nous en pensons. Nous pouvons, en effet, comprendre qu'est désigné dans ces animaux le rassemblement de l'ensemble des fidèles. C'est ainsi que, par le psalmiste, il est dit au Père au sujet de son Fils : *Tout fut mis par toi sous ses pieds, brebis et bœufs, tous ensemble, et en outre les bêtes sauvages* [d]. C'est ainsi que le même prophète, observant que toutes les âmes simples demeurent dans la sainte Église, a pu dire : *Tes animaux y habiteront* [e].

37. Quid ergo in ouibus nisi innocentes, quid in camelis nisi eos qui ceterorum mala transeunt exuberantium tortuosa mole uitiorum, quid in iugatis bobus nisi Israelitas legi subditos, quid in asinis nisi simplices gentilium mentes 5 accipimus ? Nam quia innocentes quique ouium nomine designantur, testatur psalmista, qui ait : *Nos autem populus eius, et oues pascuae eius*[a]. Neque enim qui seruare innocentiam neglegunt, illa internae pascuae refectione satiantur.

38. Cameli uero nomine aliquando in sacro eloquio Dominus, aliquando autem gentilium superbia exprimitur, quasi excrescente desuper tumore tortuosa. Quia enim ad suscipienda onera sponte se camelus humiliat, non imme- 5 rito Redemptoris nostri gratiam designat, qui in eo quod infirmitatis nostrae onera suscipere dignatus est, a potestatis suae celsitudine sponte descendit. Vnde et per euangelium dicit : *Potestatem habeo ponendi animam meam, et potestatem habeo iterum sumendi eam, nemo tollit eam a me*[a]. Et unde 10 iterum dicit : *Facilius est camelum per foramen acus transire quam diuitem intrare in regnum caelorum*[b]. Quid enim nomine diuitis nisi quemlibet elatum, quid cameli appellatione, nisi propriam condescensionem signat ? Camelus enim per foramen acus transiit, cum idem Redemptor 15 noster usque ad susceptionem mortis per angustias passionis intrauit. Quae passio uelut acus exstitit, quia dolore corpus pupugit. Facilius autem camelus per foramen acus quam diues caelorum regnum ingreditur ; quia nisi ipse prius infirmitatis

37. a. Ps 94, 7
38. a. Jn 10, 18 b. Mt 19, 24

Sens des divers animaux

37. Que voir donc dans les brebis, sinon les âmes innocentes, dans les chameaux, sinon ceux qui dépassent par la masse sinueuse de leurs vices déréglés les péchés de tous les autres ; que voir dans les bœufs sous le joug, sinon les Israélites soumis à la Loi, et dans les ânes, sinon les âmes simples des Gentils ? Que les brebis désignent tous les hommes innocents, le psalmiste l'atteste en disant : *Quant à nous, nous sommes son peuple et les brebis de son pâturage*[a]. Et, en effet, ceux qui ne prennent pas soin de garder leur innocence ne peuvent trouver le rassasiement dans ce pâturage intérieur.

38. Sous le vocable de chameau[1], c'est parfois du Seigneur qu'il est parlé dans la sainte Écriture, parfois aussi, c'est de l'orgueil des Gentils, comme une sorte de bosse qui s'élève au-dessus d'eux. En effet, parce que le chameau se baisse spontanément pour assumer un fardeau, ce n'est pas sans raison qu'il peut symboliser la bonté de notre Rédempteur, qui, daignant assumer le fardeau de notre faiblesse, est descendu spontanément du faîte de sa puissance. C'est ainsi qu'il dit dans l'Évangile : *J'ai le pouvoir de donner ma vie et le pouvoir de la reprendre. On ne me l'ôte pas*[a]. Et encore : *Il est plus facile à un chameau de passer par un trou d'aiguille qu'à un riche d'entrer dans le royaume des cieux*[b]. Que faut-il entendre ici par le riche sinon tout homme gonflé d'orgueil, et par le chameau, sinon l'abaissement volontaire ? Car le chameau est passé par un trou d'aiguille lorsque notre Rédempteur est entré à travers l'espace étroit de sa passion jusqu'à assumer la mort. Cette passion a ressemblé à une aiguille, car elle a transpercé son corps par la douleur. Il est plus facile à un chameau de passer par un trou d'aiguille qu'à un riche d'entrer dans le royaume des cieux, parce que si lui-même,

1. Deux sens des chameaux comme dans *Mor.* 1, 21, où cependant les textes cités étaient un peu différents (le Seigneur : Mt 23, 24 ; Rébecca : Gn 24, 61).

nostrae onera suscipiens per passionem suam foramen nobis
20 humilitatis ostenderet, nequaquam se ad humilitatem illius superba nostra rigiditas inclinaret.

Rursum cameli nomine tortuosa ac plena uitiis gentilitas designatur, sicut per Moysen dicitur quod inclinata iam die egressum in agro Isaac in camelo sedens Rebecca conspexit,
25 ac protinus de camelo descendit, et sese pallio uisionem illius uerecundata cooperuit[c]. Quem enim Isaac alium, in eo quod inclinata iam die in agro egressus fuerat, designabat ; nisi eum qui extremo huius mundi tempore, uelut in diei finem ueniens, quasi in agrum foras exiit ? Quia cum sit inuisibilis,
30 in hoc mundo se uisibilem demonstrauit. Quem in camelo sedens Rebecca conspexit, quia eum Ecclesia ex gentibus ueniens, dum adhuc uitiis esset innixa, et necdum spiritalibus, sed animalibus motibus inhaereret, attendit. Sed protinus de camelo descendit, quia uitia quibus prius fuerat superbe
35 elata deseruit, seque etiam pallio operire curauit, quia, uiso Domino, infirmitatem suae actionis erubuit, et illa quae prius in camelo libere gestabatur, descendens postmodum uerecundia tegitur. Vnde eidem Ecclesiae a priore elatione conuersae per apostolicam uocem, quasi Rebeccae de camelo
40 descendenti sibique pallium superducenti, dicitur : *Quem enim fructum habuistis tunc in illis, in quibus nunc erubescitis*[d] ?

39. In bobus uero aliquando luxuriosorum dementia, aliquando laboriosa fortitudo praedicantium, aliquando humilitas exprimitur Israelitarum. Quia enim bouis nomine per comparationem luxuriosorum dementia designatur, Salo-

38. c. Cf. Gn 24, 63-65 d. Rm 6, 21

1. Ces trois significations des bœufs diffèrent de celles que Grégoire a proposées en commentant Jb 1, 3 : « sottise des vaniteux » et « vie de ceux qui

assumant le fardeau de notre faiblesse, ne nous avait d'abord montré par sa passion le trou d'aiguille de l'humilité, jamais notre orgueil inflexible ne se serait incliné jusqu'à pareille humilité.

Le chameau désigne aussi la Gentilité, bossue et pleine de vices ; Moïse nous dit, en effet, qu'à la tombée du jour, Rébecca, assise sur un chameau, voyant Isaac sortir dans un champ, en descendit aussitôt et se cacha à sa vue en se couvrant de son voile par pudeur [c]. Mais quel est celui que figurait Isaac, sortant dans un champ à la tombée du jour, sinon celui qui, venant au déclin de ce monde temporel comme à la fin du jour, sortit pour ainsi dire dans un champ ? Parce que, bien qu'il soit invisible, il s'est montré visible en ce monde. Rébecca, assise sur le chameau, l'aperçut, parce que l'Église venant des Gentils l'a attendu, tandis qu'elle était encore appuyée sur les vices et attachée à des mouvements charnels, et pas encore spirituels. Mais elle descendit aussitôt du chameau, parce qu'elle abandonna les vices sur lesquels elle s'était auparavant dressée avec orgueil, et elle prit soin aussi de se couvrir d'un voile, parce qu'à la vue du Seigneur, elle rougit de la faiblesse de son comportement, et celle qui, auparavant, allait librement sur le chameau, après en être descendue, se couvre avec pudeur. C'est donc à cette même Église, convertie de son orgueil de jadis par la voix des apôtres, telle Rébecca descendant du chameau et se couvrant de son voile, qu'il est dit : *Quel fruit recueilliez-vous alors d'actions dont aujourd'hui vous rougissez* [d] *?*

39. Par les bœufs [1] est figurée parfois la folie des débauchés, parfois le courageux labeur des prédicateurs, parfois aussi l'humilité du peuple d'Israël. Que le bœuf puisse désigner la folie des débauchés, Salomon le montre, lui qui, après avoir

agissent bien » (*Mor.* 1, 23). Pour illustrer ces deux sens, le commentateur citait comme ici Pr 7, 22 et Dt 25, 4.

5 mon indicat, qui cum male suadentis mulieris petulantiam praemisisset, adiunxit : *Statimque eam sequitur, quasi bos ductus ad uictimam* [a]. Rursum quia bouis nomine labor praedicatoris exprimitur, legis uerba testantur, quae ait : *Non obturabis os boui trituranti* [b]. Ac si aperte diceret : Praedica-
10 torem uerbi ab stipendiorum suorum perceptione non prohibes. Rursum quia bouis nomine plebs israelitica figuratur, propheta asserit, qui Redemptoris aduentum denuntians dicit : *Cognouit bos possessorem suum, et asinus praesepe Domini sui* [c] ; per bouem scilicet israeliticum populum iugo
15 legis edomitum signans, per asinum uero gentilem populum indicans, uoluptatibus deditum, et grauius brutum.

40. Asinorum quoque uel asinarum nomine aliquando luxuriosorum petulantia, aliquando mansuetudo simplicium, aliquando uero, ut praediximus, stultitia gentilium designatur. Quia enim luxuriosorum petulantia asinorum
5 appellatione per comparationem exprimitur aperte declaratur cum per prophetam dicitur : *Quorum carnes sunt ut carnes asinorum* [a]. Rursum quia asinarum nomine simplicium uita figuratur, Redemptor noster cum Ierusalem pergeret, asinam sedisse memoratur [b]. Ierusalem quippe uisio
10 pacis dicitur. Quid igitur signat quod Dominus sedendo asinam Ierusalem ducit, nisi quod simplices mentes dum praesidendo possidet, eas usque ad uisionem pacis sua sacra sessione perducit ? Rursum quia asinorum nomine stultitia gentilium designatur propheta testatur, dicens : *Beati qui*

39. a. Pr 7, 22 b. Dt 25, 4 ; 1 Co 9, 9 ; 1 Tm 5, 18 c. Is 1, 3
40. a. Ez 23, 20 b. Cf. Mt 21, 1-7

1. De nouveau, l'interprétation des ânes diffère en partie de celle que Grégoire a proposée au début de son commentaire, où ces animaux figuraient la paresse des sots, la luxure immodérée des voluptueux et la simplicité des

parlé de l'impudence d'une femme provoquant au mal, a ajouté : *Aussitôt, il la suit, tel un bœuf conduit à l'abattoir*[a]. Par ailleurs, que, sous le vocable de bœuf, soit exprimé le labeur du prédicateur, ces paroles de la Loi l'attestent lorsqu'elle dit : *Tu ne museleras pas le bœuf quand il foule le grain*[b]. Comme si l'on disait clairement : N'empêche pas le prédicateur de la parole de percevoir son salaire. Et encore, que par le nom de bœuf il faille entendre le peuple d'Israël, le prophète l'atteste, lui qui, annonçant l'avènement du Rédempteur, affirme : *Le bœuf reconnaît son bouvier et l'âne la crèche de son maître*[c], désignant par le bœuf le peuple d'Israël dompté sous le joug de la Loi, et, indiquant par l'âne, le peuple des Gentils adonné aux plaisirs et alourdi comme une brute.

40. Sous le nom d'ânes ou d'ânesses [1] est désignée soit l'impudence des débauchés, soit la douceur des simples, soit, comme nous l'avons dit, la folie des Gentils. Que l'impudence des débauchés soit parfois comparée à celle des ânes, ces paroles du prophète nous le disent clairement : *Leur chair est comme celle des ânes*[a]. Par ailleurs, que par le nom d'ânesses il faille entendre la vie des simples, cela ressort du texte qui dit que notre Rédempteur, tandis qu'il allait en direction de Jérusalem, était assis sur une ânesse[b]. Or, Jérusalem veut dire « vision de paix [2] ». Que signifie donc que le Seigneur, assis sur une ânesse, la conduit vers Jérusalem, sinon que le Seigneur est le maître des âmes simples, sur lesquelles il siège, et qu'il les conduit à la vision de paix grâce à sa session sacrée ? Et encore, sous le nom d'ânes, c'est la folie des Gentils qui est signifiée, ainsi que l'atteste le prophète quand il dit : *Heureux*

païens (*Mor.* 1, 23). Le second de ces sens était déjà illustré par Ez 23, 20, et le troisième par l'entrée de Jésus à Jérusalem, « vision de paix ».

2. Sur cette étymologie, voir JÉRÔME, *Liber interpr. Hebr. nom.* 50, 9, et *passim.*

15 *seminatis super omnes aquas, immittentes pedem bouis et asini*[c]. Super omnes quippe aquas seminare est cunctis populis fructuosa uitae uerba praedicare. Pedem uero bouis et asini immittere est uias israelitici et gentilis populi per praeceptorum caelestium uincula religare.

41. Litterae igitur ueritate seruata, sub beati Iob nomine cunctis his animalibus non immerito credimus sanctae Ecclesiae populos designari, quatenus ea quae scripta sunt dispensatione sancti Spiritus cuncta mirabiliter ordinante, et
5 transacta nobis referant, et futura praedicant. Agnoscamus ergo in ouibus fideles atque innocentes ex Iudaea populos, legis dudum pascuis satiatos. Agnoscamus in camelis ad fidem simplices ex gentilitate uenientes, qui prius sub ritu sacrilego, quasi quadam deformitate membrorum, ualde turpes
10 ostensi sunt, uidelicet foeditate uitiorum. Et quia saepe, ut praediximus, sacra eloquia curant repetere quod affirmant, possunt rursum in bobus Israelitae accipi, quasi iugo legis attriti ; asinis uero, ut dictum est, gentiles populi designari, qui dum se colendis lapidibus inclinabant, non reluctante
15 mente, quasi dorso stulte supposito, quibuslibet idolis bruto sensu seruiebant. Sancta ergo Ecclesia quae in exordiis suis innumeris temptationibus pressa, uel israeliticum populum, uel multos ex gentibus amisit, uidelicet quos lucrari non potuit, duplicia in fine recipit, quia in ea ex utraque natione
20 fidelium numerus multiplicior excrescit.

40. c. Is 32, 20

êtes-vous, vous qui semez sur toutes les eaux en y mettant le pied du bœuf et de l'âne[c]. En effet, semer sur toutes les eaux, c'est prêcher à tous les peuples les paroles fécondes de la vie. Mais y mettre le pied du bœuf et de l'âne, c'est enserrer les routes du peuple d'Israël et du peuple des Gentils dans les liens des divins préceptes.

Récapitulation de l'allégorie

41. C'est pourquoi, après avoir sauvegardé la vérité du sens littéral sous le nom du bienheureux Job, nous croyons cependant, non sans raison, que par tous ces animaux sont désignés les peuples de la sainte Église, en sorte que ce qui a été écrit sous la conduite du Saint-Esprit, disposant tout admirablement, soit pour nous à la fois un souvenir du passé et une annonce de l'avenir. Reconnaissons donc dans les brebis les peuples fidèles et innocents issus de la Judée, nourris depuis longtemps dans les pâturages de la Loi. Reconnaissons dans les chameaux les âmes simples issues de la Gentilité venant à la foi, elles qui, auparavant, avec leur religion sacrilège, ont laissé voir une laideur fort repoussante comme avec une difformité des membres, c'est-à-dire le caractère hideux des vices. Et parce que souvent, comme nous l'avons dit, les saintes Écritures prennent soin de répéter ce qu'elles affirment, on peut aussi entendre par les bœufs le peuple d'Israël, comme attelé au joug de la Loi, et par les ânes, ainsi qu'on l'a dit, on peut désigner les peuples des Gentils qui, se prosternant en adoration devant des pierres, inclinaient sottement leur dos, sans que leur esprit s'y opposât, pour servir n'importe quelles idoles, dans une absurde adhésion. La sainte Église, donc, qui, dans ses débuts, opprimée sous le fardeau d'innombrables épreuves, perdit, d'une part le peuple d'Israël et, d'autre part, beaucoup de Gentils, c'est-à-dire ceux qu'elle ne put gagner, recouvre à la fin le double, car en elle le nombre de ses fidèles venus de l'un et l'autre peuple s'est accru en se multipliant beaucoup.

Possunt etiam per iugatos boues praedicatores intellegi. Vnde cum eos ad annuntiandum Dominus mitteret, teste euangelio, binos misisse describitur[a], ut quia uel duo sunt praecepta caritatis, uel quia haberi societas minus quam
25 inter duos non potest, praedicatores sancti ex ipsa qualitate suae missionis cognoscerent quantum concordiam societatis amarent. Possunt, sicut praediximus, per asinas mentes simplicium designari. Sancta uero Ecclesia duplices boues atque asinas recipit, quia praedicatores sancti, qui, pressi
30 formidine, in eius dudum temptatione tacuerant, et mentes simplicium, quae, uictae terroribus, ueritatem illius confiteri formidabant, tanto iam nunc robustius in confessione ueritatis uoces suas exerunt, quanto debilius ante timuerunt.

42. Haec in significatione Ecclesiae breuiter diximus : quae quomodo eiusdem sanctae Ecclesiae capiti seruiant, in exordio huius operis latius nos dixisse memoramus. Qui ergo de his sibi plenius satisfieri nititur, secundum huius operis
5 librum legere dignetur.

Iam uero si quaerimur ut etiam de ipso animalium numero disseramus, cur mille iuga boum, uel mille asinae, et sex milia camelorum, et quattuordecim milia ouium numerentur, dicere breuiter possumus quod apud saecularem quidem scien-
10 tiam millenarius numerus idcirco perfectus habeatur, quia denarii numeri quadratum solidum reddit. Decem quippe decies ducta fiunt centum, quae iam figura quadrata, sed plana est. Vt autem in altitudinem surgat et solida fiat, rursus centum decies multiplicantur, et mille sunt. Senarius autem
15 numerus idcirco perfectus est, quia primus in numeris com-

41. a. Cf. Mc 6, 7 ; Lc 10, 1

Par les bœufs sous le joug, on peut aussi comprendre les prédicateurs. C'est pourquoi, lorsque le Seigneur les envoyait en mission, il est dit, comme l'atteste l'Évangile, qu'ils ont été envoyés deux par deux [a], soit parce qu'il y a deux préceptes de la charité, soit parce qu'il ne peut y avoir de société sans un minimum de deux personnes, pour que les saints prédicateurs comprennent, du fait même des conditions de leur envoi, combien ils doivent aimer la concorde mutuelle. Les ânesses peuvent désigner, comme nous l'avons dit, les âmes des simples. Or la sainte Église reçoit au double bœufs et ânesses, parce que les saints prédicateurs qui, accablés par la crainte, avaient naguère gardé le silence au temps de ses épreuves, et les âmes des simples qui, cédant à la peur, craignaient de confesser la vérité de celle-ci, maintenant font entendre leurs voix dans la confession de la vérité, avec d'autant plus de vigueur qu'auparavant ils avaient montré plus de faiblesse du fait de leur crainte.

Les nombres parfaits

42. Nous avons dit ceci brièvement en tant que se rapportant à l'Église ; qui sont ceux qui dépendent de la tête de cette même sainte Église et de quelle manière, nous rappelons que nous l'avons dit plus amplement au début de cet ouvrage. Celui donc qui cherche à être pleinement satisfait à ce sujet, qu'il veuille bien lire le deuxième Livre de cet ouvrage.

Mais si l'on nous demande maintenant, à propos aussi du nombre des animaux, d'expliquer pourquoi l'on dénombre mille paires de bœufs ou mille ânesses, six mille chameaux et quatorze mille brebis, nous pouvons dire, en quelques mots, que, du moins selon une science séculière, le nombre mille est considéré comme parfait, pour la raison qu'il est le cube du nombre dix. Dix fois dix font bien cent, ce qui est une figure carrée, mais plane. Pour qu'elle prenne du relief et acquière de l'épaisseur, il faut multiplier à nouveau cent par dix et l'on obtient mille. Le nombre six est lui aussi parfait, pour la

pletur partibus suis, id est sexta sui parte, et tertia, et dimidia, quae sunt unum, et duo, et tria, quae in summam ducta sex fiunt. Nec alius ante senarium numerum reperitur, qui suis partibus dum diuiditur, tota eius summa compleatur.

20 Sed quia cuncta haec per sacrae scripturae celsitudinem proficiendo transcendimus, ibi senarium, ibi septenarium, ibi denarium, ibi millenarium unde sit perfectus inuenimus. Senarius quippe numerus in scriptura sacra perfectus est, quia in mundi origine Dominus ea quae primo die coepit 25 sexto die opera impleuit[a]. Septenarius in ea perfectus est, quia omne opus bonum septem per Spiritum uirtutibus agitur, ut et fides simul et opera consummentur. Denarius numerus in ea perfectus est, quia lex in decem praecepta concluditur, omnisque culpa non amplius quam per decem 30 uerba cohibetur, atque, enarrante Veritate, operatores uineae denario remunerantur[b]. In denario quippe tria iunguntur ad septem. Homo autem, quia ex anima constat et corpore, in septem qualitatibus continetur. Nam tribus spiritaliter, et quattuor corporaliter uiget. In dilectione etenim Dei tribus 35 qualitatibus spiritaliter excitatur, cum ei per legem dicitur : *Diliges Dominum Deum tuum ex tota mente tua, et ex tota anima tua, et ex tota uirtute tua*[c]. Corporaliter uero quattuor qualitatibus continetur, quia uidelicet ex materia calida et frigida, humida et sicca componitur. Homo ergo qui ex 40 septem qualitatibus constat denario remunerari dicitur, quia in illa perceptione supernae patriae septem nostra ad tria iunguntur aeterna, ut homo contemplationem Trinitatis accipiat, et de remuneratione operis quasi quodam denario consummatus uiuat. Vel certe quod septem uirtutes sunt

42. a. Cf. Gn 1, 31 ; 2, 2 b. Cf. Mt 20, 9-10 c. Dt 6, 5 ; Mt 22, 37 ; Mc 12, 30 ; Lc 10, 27

raison qu'il est le premier parmi les nombres à être formé de parties dont la somme le compose : c'est-à-dire d'un sixième (1), d'un tiers (2) et de la moitié (3), qui, additionnés, font six. Et on ne trouve aucun nombre avant six qui puisse être ainsi divisé en parties dont la somme soit son équivalent.

Mais, parce que nous dépassons toutes ces considérations en gagnant les hauteurs de la sainte Écriture, nous y découvrons pourquoi sont parfaits et le nombre six, et le nombre sept, et le nombre dix, et le nombre mille. Le nombre six est parfait dans la sainte Écriture, car, lors de la création du monde, le Seigneur qui a commencé son œuvre le premier jour, l'a achevée le sixième[a]. Le nombre sept est parfait dans l'Écriture, parce que toute œuvre bonne est accomplie par l'Esprit grâce aux sept dons, afin que la foi et les œuvres atteignent ensemble leur perfection. Le nombre dix est parfait dans l'Écriture, parce que la Loi est contenue en dix commandements, et toute faute réprimée par dix paroles, et pas davantage. Puis, selon la parabole de celui qui est la Vérité, les ouvriers de la vigne sont rétribués par un denier[b]. Dans la pièce de dix sont réunis trois et sept. Or l'homme, parce qu'il est constitué de l'âme et du corps, est formé de sept éléments. En effet, trois éléments le font exister spirituellement, et quatre corporellement. Car, dans l'amour de Dieu il est stimulé spirituellement par trois éléments, puisque la Loi lui enjoint ceci : *Tu aimeras le Seigneur ton Dieu de tout ton cœur, de toute ton âme et de toutes tes forces*[c]. Et, corporellement, il est constitué de quatre éléments, parce qu'il est composé de substances chaudes et froides, humides et sèches. Par conséquent, l'homme qui est constitué de ces sept éléments est dit recevoir un denier pour salaire, et ceci parce que, lorsque nous recevons la récompense de la patrie céleste, nos sept éléments sont unis à trois autres, éternels, afin que l'homme reçoive la contemplation de la Trinité et, devenu parfait, vive ainsi de la récompense de ses œuvres, comme si c'était un denier ; ou peut-être parce qu'il y a sept vertus pour lesquelles on peine

45 quibus in hac uita laboratur, dumque eis in remuneratione contemplatio Trinitatis redditur, uita laborantium denario remuneratur. Sed perfectus quisque etiam in hac uita denarium accipit, dum eisdem septem uirtutibus, spem, fidem, caritatemque coniungit.

50 Millenarius quoque numerus in sacro eloquio perfectus accipitur, quia appellatione eius uniuersitas designatur. Vnde scriptum est : *Verbi quod mandauit in mille generationes*[d]. Cum enim nequaquam credendum sit quod ad centum generationes mundus extenditur, quid aliud mille genera-55 tionibus nisi generationum uniuersitas figuratur ? Beatus igitur Iob quattuordecim milia ouium recepit. Quia enim in sancta Ecclesia uirtutum perfectio ad utrumque sexum ducitur, septenarius in ea numerus duplicatur. *Et sex milia camelorum*[e], quia plenitudinem in illa operis accipiunt qui 60 ab illa dudum uitiorum suorum foeditate perierunt. Mille quoque iuga boum, ac mille asinas recepit, quia Israelitas atque gentiles, doctos ac simplices, post temptationum casus in culmen perfectionis assumit. Septem quoque filios, et tres filias recepit, quia eorum mentibus quos septem uirtutibus 65 generat ad perfectionis summam, spem, fidem, caritatemque coniungit, ut tanto uerius prole sua gaudeat, quanto suis fidelibus nil deesse uirtutis pensat.

Sed quia haec succincte transcurrimus, nunc ipsis quoque indagandis filiarum uocabulis intendamus. Sequitur :

42. d. Ps 104, 8 e. Jb 42, 12

en cette vie, et parce que, lorsque la contemplation de la Trinité leur est donnée en récompense, la vie de ceux qui ont ainsi peiné est rémunérée par un denier. Mais, déjà en cette vie, l'homme parfait reçoit le denier, lorsqu'à ces sept vertus il joint la foi, l'espérance et la charité.

Le nombre mille est aussi tenu pour parfait dans la sainte Écriture parce que, sous ce nom, c'est la totalité qui est désignée. Il est ainsi écrit : *Parole promulguée pour mille générations*[d]. Comme il ne faut pas du tout croire que le monde s'étend sur cent générations, qu'est-il donc signifié par ces mille générations sinon la totalité des générations ? Le bienheureux Job reçut donc quatorze mille brebis ; c'est que, dans la sainte Église, la perfection des vertus étant à l'adresse de l'un et l'autre sexe, le nombre sept est en elle multiplié par deux. *Et six mille chameaux*[e], parce que reçoivent en elle la plénitude de leurs œuvres ceux qui ont péri du fait de cette laideur de leurs vices naguère. Il reçut aussi mille paires de bœufs et mille ânesses, parce qu'elle accueille Israélites et Gentils, doctes et simples, après les épreuves des persécutions, pour mettre le comble à sa perfection. Il reçut de plus sept fils et trois filles parce qu'aux âmes de ceux qu'elle engendre par les sept vertus, elle ajoute pour une perfection totale l'espérance, la foi et la charité, en sorte qu'elle puisse d'autant plus authentiquement se réjouir de sa postérité qu'elle peut vérifier qu'il ne manque rien à la vertu de ses fidèles.

Mais parce que nous parcourons rapidement tout ceci, appliquons maintenant notre attention à découvrir le sens des noms par lesquels sont appelées les filles de Job. Le texte poursuit :

42,14

XVII, **43.** ***Et uocauit nomen unius Diem, et nomen secundae Casiam, et nomen tertiae Cornustibii.*** Haec nomina, pro eo quod a uirtutibus sumpta sunt, apte curauit interpres non ea sicut in arabico sermone inuenta sunt po-
5 nere, sed in latinum eloquium uersa apertius demonstrare. Quis enim nesciat Diem uel Casiam latina esse uocabula ?

At uero in Cornustibii – quamuis non cornus, sed cornu dicitur, nec cantantium fistula tibium, sed tibia uocatur ; – in latina tamen lingua sermonis genere minime custodito, rem,
10 credo, prodere maluit, atque in eius linguae de qua transferebat proprietate perdurare. Vel quia per cornu et tibiam unum uerbum ex utroque composuit, utrumque uerbum per unam orationis partem in latina lingua transfusum quo uoluit genere licite uocauit.

15 Quid est ergo quod prima filia beati Iob Dies dicitur, secunda Casia, tertia uero Cornustibii uocata memoratur, nisi quia uniuersum genus humanum, quod benignitate conditoris atque eiusdem misericordia redemptoris eligitur, istis nominibus designatur ? Homo namque quasi dies ex
20 conditione claruit, quia hunc auctor suus ingenitae innocentiae splendore respersit. Sed sponte sua ad peccati tenebras lapsus, quia ueritatis lucem deseruit, quasi in nocte se erroris abscondit[a], quia alias dicitur secutus umbram. Sed quia auctori nostro non defuit largitas bonitatis suae, etiam
25 contra tenebras iniquitatis nostrae eum quem prius potenter ad iustitiam condidit potentius redimendo postmodum ab errore reuocauit. Cui quia post casum suum illa conditionis suae pristina firmitas defuit, eum contra bella intima repu-

43. a. Cf. Gn 3, 8

1. *Dies* signifie « Jour » et *casia* désigne la casse, une épice proche de la cannelle.

Les filles de Job

XVII, **43.** ***Et il donna à la première le nom de Dies, à la seconde, celui de Casia et à la troisième celui de Cornustibii.*** Comme ces noms sont empruntés à ceux des vertus, l'interprète a pris soin, avec raison, de ne pas les reproduire tels qu'on les trouve dans la langue arabe, mais de les faire connaître plus clairement dans une traduction latine. Personne, n'est-ce pas, n'ignore que « Dies » et « Casia » sont des mots latins [1].

42,14

Il est vrai que, dans le cas de Cornustibii, on ne dit pas « cornus », mais « cornu » et que la flûte accompagnant les chants ne s'appelle pas « tibium », mais « tibia », et bien que le genre qu'a le mot en latin ne soit pas observé, il a préféré, je pense, que le sens ressorte et soit maintenu sous la forme propre à la langue d'où il tirait sa traduction. Ou bien peut-être, en composant un seul mot à partir des deux mots « cornu » et « tibia » et en les traduisant en latin sous un unique vocable, s'est-il permis de lui donner le genre qui lui plaisait.

Mais pourquoi donc est-il précisé que la première fille de Job est appelée Dies, la seconde Casia et la troisième Cornustibii, sinon parce que tout le genre humain, choisi par la bonté du Créateur et par la miséricorde de ce même Rédempteur, est évoqué sous ces noms ? L'homme, en effet, a brillé comme le jour dès sa création, parce que son auteur l'a inondé de la splendeur de l'innocence originelle. Mais, une fois tombé par sa faute dans les ténèbres du péché, parce qu'il a abandonné la lumière de la vérité, il s'est dissimulé en quelque sorte dans la nuit de l'erreur ; il est dit ailleurs avoir recherché l'ombre [a]. Mais comme à notre Créateur n'a jamais manqué la prodigalité de cette bonté qui est sienne, il alla jusqu'à s'opposer aux ténèbres de notre iniquité, et l'homme qu'il a créé primitivement avec puissance pour la justice, c'est avec plus de puissance encore que, le rachetant, il l'a ensuite fait revenir de son erreur. Mais, comme après sa chute, celui-ci a perdu la fermeté primitive de sa nature, Dieu l'a fortifié

gnantis corruptionis multiplicibus donorum suorum uirtu-
30 tibus fulsit.

Quae nimirum uirtutes proficientium in notitia ceterorum hominum quasi suauitate fragrant odorum. Hinc est enim quod per Paulum dicitur : *Christi bonus odor sumus Deo* [b]. Hinc est quod sancta Ecclesia, in electis suis quamdam fra-
35 grantiam suauitatis odorata, in canticorum Cantico loquitur, dicens : *Donec rex in recubitu suo est, nardus mea dedit odorem suum* [c]. Ac si apertius dicat : Quousque meis obtutibus rex apud se in requie secreti caelestis absconditur, electorum uita miris uirtutum odoribus exercetur, ut quo adhuc eum
40 quem appetit non uidet, ardentius per desiderium flagret. Rege quippe in recubitu suo posito, nardus odorem dat, dum quiescente in sua beatitudine Domino, sanctorum uirtus in Ecclesia magnae nobis gratiam suauitatis administrat.

Quia ergo et conditum luce innocentiae claruit, et redemp-
45 tum genus humanum exercitio bonorum operum odorem suauitatis aspersit, et prima filia recte Dies, et secunda non incongrue Casia nominatur. Bene autem Casia dicitur, quae in tanto sublimis uitae odore dilatatur. In ipsa quippe sua origine in qua iustus homo conditus fuerat tantis quantis
50 nunc opus est uirtutibus non indigebat, quia si stare sicut est conditus uellet, hostem extra positum uincere sine difficultate potuisset. Postquam uero per assensum hominis semel aduersarius ad intima irrupit, laboriosius iam uictor eicitur, qui adhuc impugnans sine labore pelleretur.

43. b. 2 Co 2, 15 c. Ct 1, 11

contre les guerres intérieures et la résistance des vices grâce aux multiples vertus de ses dons.

Et assurément ces vertus de ceux qui progressent embaument comme un parfum suave et se font connaître des autres hommes. C'est ainsi que Paul peut dire en effet : *Nous sommes pour Dieu la bonne odeur du Christ*[b]. C'est ainsi que la sainte Église, dégageant une odeur suave dans la personne de ses élus, déclare dans le Cantique des cantiques : *Tandis que le roi est sur sa couche, mon nard exhale son parfum*[c]. Comme si elle disait plus clairement : Tant que le roi se cache à mes regards chez lui dans le repos secret du ciel, la vie des élus cultive sans relâche d'admirables parfums de vertus, de sorte qu'en attendant de voir celui vers lequel elle aspire, l'Église brûle d'un désir d'autant plus ardent. Alors que le roi est sur sa couche, le nard exhale son parfum, c'est-à-dire : pendant que le Seigneur repose dans sa béatitude, la vertu des saints, dans l'Église, répand pour nous une grâce d'une grande suavité.

Ainsi, parce que le genre humain, dès sa création, a brillé de la lumière de l'innocence et que, racheté, il a répandu une odeur suave par la pratique des bonnes œuvres, c'est avec raison que la première fille est appelée Dies, et la seconde, à bon droit, Casia. Oui, vraiment, elle est bien nommée Casia celle qui se diffuse grâce au parfum si grand d'une vie sublime. En effet, à sa propre origine, lorsque l'homme avait été créé juste, il n'avait pas besoin d'autant de vertus que maintenant, parce que, s'il eût bien voulu demeurer dans l'état où il avait été créé, il pouvait, sans difficulté, vaincre un ennemi tout extérieur. Mais, après que l'adversaire, grâce au consentement de l'homme, eut pénétré une seule fois à l'intérieur, c'est alors avec beaucoup de peine que, victorieux, il en est expulsé, lui qui en aurait été chassé sans peine lorsqu'il attaquait seulement.

44. Multa namque nunc exhibenda sunt quae in paradiso necessaria non fuerunt. Nunc quippe opus est uirtute patientiae, laboriosa eruditione doctrinae, castigatione corporis, assiduitate precis, confessione delictorum, inundatione lacri-
5 marum, quorum profecto omnium conditus homo non eguit, quia salutis bonum ex ipsa sua conditione percepit. Aegro quippe amarum poculum porigitur, ut ad salutis statum morbo sublato reuocetur. Sano autem nequaquam praecipitur quid accipiat ut conualescat, sed a quibus caueat ne lan-
10 guescat. Nunc ergo maioribus studiis utimur, cum salutem nequaquam seruamus habitam, sed reparare curamus ablatam. Et quia omnes hi annisus nostrae reparationis magnis intra sanctam Ecclesiam opinionibus pollent, nomen secundae filiae uelut casia ex merito redolet, ut quia prima filia
15 quasi dies exstitit per dignitatem conditionis, secunda casia sit per fragrantiam fortitudinis ex gratia redemptionis.

Vnde et eidem uenienti Redemptori per prophetam dicitur : *Myrrha, et gutta, et casia a uestimentis tuis a gradibus eburneis, ex quibus te delectauerunt filiae regum in honore*
20 *tuo*[a]. Quid enim myrrhae, guttae et casiae nomine nisi uirtutum suauitas designatur ? Quid eburneis gradibus nisi magna nitens fortitudine proficentium ascensus exprimitur ? Redemptor igitur ueniens, myrrha, gutta et casia in uestimento utitur, quia ex electis suis, quibus se miseri-
25 corditer induit, myrrhae uirtutis fragrantiam aspergit. In

44. a. Ps 44, 9-10

La grâce de la Rédemption

44. Il nous faut donc actuellement faire preuve d'un certain nombre de comportements qui n'étaient pas requis au paradis. Car maintenant sont nécessaires la vertu de patience, l'étude laborieuse de la doctrine, la mortification du corps, l'assiduité à la prière, la confession des fautes, une abondante effusion de larmes, toutes choses dont, évidemment, l'homme n'eut pas besoin lors de sa création, parce qu'il reçut de par sa création même le bien du salut. Au malade, on présente une potion amère pour que, la maladie ayant disparu, il se retrouve en bonne santé. A celui qui se porte bien, on ne va pas prescrire un remède pour qu'il aille mieux, mais plutôt indiquer ce qu'il doit éviter afin de ne pas tomber malade. Actuellement donc, nous employons de plus grands soins, puisqu'il ne s'agit pas de conserver une bonne santé que nous possédions, mais de la rétablir après qu'elle nous a été enlevée. Et, parce que tous ces efforts pour notre rétablissement ont une réelle efficacité à l'intérieur de la sainte Église pour la faire connaître, le nom de la seconde fille, telle la cannelle, répand justement une agréable odeur, en sorte que, si la première fille fut assimilée au jour par la dignité de la création, la seconde soit cannelle par le parfum de courage exhalé par la grâce de la Rédemption.

Et c'est pourquoi à ce même Rédempteur, lors de sa venue, il est dit par le prophète : *La myrrhe, l'aloès et la cannelle s'exhalent de tes vêtements, depuis les degrés d'ivoire par lesquels les filles des rois t'ont réjoui en t'honorant*[a]. Que peuvent désigner les noms de myrrhe, d'aloès et de cannelle, sinon l'odeur suave des vertus ? Qu'est-il exprimé par les degrés d'ivoire, sinon l'ascension de ceux qui progressent par leurs efforts avec un grand courage ? C'est pourquoi le Rédempteur, le jour où il vient, fait usage dans ses vêtements de myrrhe, d'aloès et de cannelle, parce qu'au travers de ses élus, dont il s'est revêtu dans sa miséricorde, il répand le parfum de la vertu, telle la myrrhe. Et c'est en des degrés d'ivoire

quibus idem odor eburneis gradibus ducitur, quia in eis uirtutum opinio non ex ostensione simulationis, sed ex ueri ac solidi operis ascensu generatur. Bene autem subditur : *Ex quibus te delectauerunt filiae regum in honore tuo* [b]. Sanctae
30 namque animae ab antiquis patribus ad cognitionem ueritatis editae Redemptorem suum in honore eius delectant, quia ex eo quod bene agunt suae laudi nil uindicant.

Quia uero tertio ordine humanum genus etiam carnis resurrectione renouatum in illo concentu aeternae laudis assu-
35 mitur, tertia filia Cornustibii uocatur. Quid enim per Cornustibii nisi laetantium cantus exprimitur ? Ibi enim ueraciter adimpletur quod modo per prophetam dicitur : *Cantate Domino canticum nouum* [c]. Ibi ueraciter adimpletur, ubi canticum laudis Dei non iam ex fide, sed ex specie contemplata
40 cantabitur [d]. Ibi a nobis conditor noster laudum suarum ueraces cantus recipit, qui humanum genus et condendo diem, et redimendo casiam, et assumendo cornustibii fecit. Qui enim lux fuimus conditi, et nunc sumus casia redempti, erimus quandoque cornustibii, in exsultatione aeternae laudis
45 assumpti. Sed priusquam ad nuptiarum thalamum sponsa perueniat, omnem a se uitae foeditatem respuit, et sponsi amori praeparans sese per species uirtutum comit. Studet quippe interni arbitri iudicio placere et, intimis desideriis subleuata, foedos mores conuersationis humanae transcen-
50 dere. Vnde bene et de eisdem filiabus beati Iob subditur :

44. b. Ps 44, 9-10 c. Ps 149, 1 d. Cf. 2 Co 5, 7

que cette même odeur se répand, car, en eux, la réputation liée aux vertus ne vient pas d'une apparence simulée, mais est engendrée par l'ascension d'une conduite authentique et constante. Aussi, il est fort bien ajouté ensuite : *par lesquels les filles des rois t'ont réjoui en t'honorant*[b]. De fait, les âmes saintes, que les anciens Pères ont fait naître à la connaissance de la vérité, plaisent à leur Rédempteur en lui rendant hommage, parce qu'elles ne revendiquent aucune gloire du bien qu'elles font.

Mais parce qu'en troisième lieu le genre humain, renouvelé par la résurrection de la chair, est accueilli dans ce concert de la louange éternelle, la troisième fille est appelée Cornustibii. Et qu'est-il exprimé par le nom de Cornustibii, sinon le chant de ceux qui sont dans la joie ? Alors s'accomplit en vérité ce qui est dit maintenant par le prophète : *Chantez au Seigneur un cantique nouveau*[c]. Alors cela s'accomplit en vérité, quand le cantique de la louange de Dieu ne sera plus chanté dans la foi, mais dans la contemplation[d]. Alors, notre Créateur reçoit de nous les chants véridiques des louanges qui lui sont dues, lui qui a fait le genre humain « Dies », en le créant, « Casia » en le rachetant, et « Cornustibii » en l'élevant jusqu'à lui. Car nous qui avons été créés lumière et qui maintenant sommes parfum de cannelle par la Rédemption, nous serons un jour instrument de musique lorsque nous serons admis à partager la joie de la louange éternelle. Mais avant d'accéder à la chambre nuptiale, l'épouse rejette loin d'elle toutes les laideurs de la vie, et, se préparant à l'amour de l'époux, elle se pare de la beauté des vertus. Car elle cherche à plaire au jugement de l'arbitre intérieur et, soulevée par les désirs de son cœur, à dépasser les habitudes grossières du comportement humain. Voilà pourquoi, au sujet des filles du bienheureux Job, il est dit ensuite :

XVIII, **45.** ***Non sunt autem inuentae mulieres speciosae sicut filiae Iob, in uniuersa terra.*** Electorum quippe animae omne humanum genus, quod in terra secundum hominem conuersatur, suae pulchritudinis decore transcendunt ; quantoque se exterius affligendo despiciunt, tanto intus uerius componunt. Hinc est enim quod sanctae Ecclesiae, quae electorum pulchritudine decoratur, per psalmistam dicitur : *Concupiuit rex speciem tuam* [a]. De qua paulo post subditur : *Omnis gloria eius filiae regum ab intus* [b]. Nam si foras gloriam quaereret, intus speciem, quam rex concupisceret, non haberet. In qua quidem quamuis multi uirtutum decore fulgeant atque ipsa uiuendi perfectione ceterorum merita excedant, nonnulli tamen quia ad altiora assequenda non sufficiunt, infirmitatis suae conscii, pietatis eius gremio continentur. Qui in quantum praeualent mala uitant, quamuis in quantum appetunt altiora bona non impleant. Quos tamen benigne Dominus suscipit, eosque apud se pro modo dignae retributionis admittit. Vnde et sequitur:

XIX, **46.** ***Deditque eis pater suus hereditatem inter fratres earum.*** Ipsae ergo ex perfectorum merito speciosae memorantur, ipsae etiam quasi ex imperfectorum typo uelut infirmae hereditatem inter fratres accipiunt. Vsus namque uitae ueteris non habebat ut hereditatem feminae inter masculos sortirentur, quia legis seueritas fortia eligens, infirma contemnens, districta potius studuit quam benigna sancire. Sed pio nostro Redemptore ueniente, nullus infirmitatis suae conscius de sortienda caelestis patrimonii here-

45. a. Ps 44, 12 b. Ps 44, 14

La beauté intérieure

XVIII, **45.** ***Dans tout le pays on ne trouvait pas de femmes aussi belles que les filles de Job.*** Oui, les âmes des élus surpassent par l'éclat de leur beauté tout le genre humain, qui se comporte sur terre à la manière des hommes ; et, plus elles s'humilient en se mortifiant au dehors, plus elles s'embellissent au dedans véritablement. Voilà pourquoi le psalmiste dit à la sainte Église parée de la beauté des élus : *Le roi est épris de ta beauté*[a]. Et, peu après, il est dit à son propos : *Toute la gloire de cette fille des rois est au dedans*[b]. Si, en effet, elle recherchait la gloire au dehors, elle n'aurait pas intérieurement cette beauté dont le roi serait épris. Et, bien qu'en elle beaucoup brillent de l'ornement des vertus et surpassent par la perfection même de leur vie les mérites des autres, certains, pourtant, qui ne peuvent prétendre les suivre si haut, conscients de leur faiblesse, demeurent cependant dans le sein maternel de sa bonté. Autant qu'il leur est possible, ils évitent le mal, bien qu'ils n'accomplissent pas autant qu'ils le souhaiteraient d'éminentes bonnes œuvres. Ceux-là, cependant, le Seigneur les accueille avec bonté et les admet auprès de lui au titre d'une récompense équitable. C'est pourquoi le texte poursuit :

42,15

L'héritage céleste

XIX, **46.** ***Et leur père leur donna une part d'héritage en compagnie de leurs frères.*** On rappelle donc qu'elles sont belles par le mérite de ceux qui sont parfaits ; elles sont faibles aussi en tant que préfiguration de ceux qui sont imparfaits, mais reçoivent une part d'héritage en compagnie de leurs frères. L'usage, en effet, des siècles passés n'admettait pas que les femmes aient leur part d'héritage avec les hommes, parce que la dure exigence de la loi, favorisant ce qui est fort, méprisant ce qui est faible, s'est appliquée à faire des décrets sévères plutôt que débonnaires. Mais à la venue de notre bon Rédempteur, personne, fût-il conscient de sa propre infirmité, ne saurait désespérer d'avoir part à l'héritage du patrimoine céleste.

42,15

10 ditate desperet. Pater enim noster inter masculos etiam feminis iura successionis tribuit, quia inter fortes atque perfectos, infirmos et humiles ad sortem supernae hereditatis admittit.

Vnde ipsa Veritas in euangelio dicit : *In domo Patris mei* 15 *mansiones multae sunt*[a]. Apud Patrem quippe mansiones multae sunt, quia in illa beatitudinis uita non dispari unusquisque iuxta dispar meritum, locum disparem percipit, sed eiusdem disparilitatis damna non sentit, quia tantum sibi quantum perceperit sufficit. Sorores ergo cum fratribus ad 20 hereditatem ueniunt, quia infirmi illuc cum fortibus admittuntur, quatenus si quis per imperfectionem non erit summus, ab hereditatis tamen sorte per humilitatem non sit extraneus. Quas bene Paulus mansiones iuxta merita distributas insinuat, cum ait : *Alia claritas solis, et alia claritas* 25 *lunae, et alia claritas stellarum. Stella enim ab stella differt in claritate*[b]. Sequitur :

XX, 47. ***Vixit autem post haec Iob centum quadraginta annis ; et uidit filios suos, et filios filiorum suorum usque ad quartam generationem ; et mortuus est senex, et plenus*** **42,16** ***dierum.*** In scriptura sacra non facile plenus dierum ponitur, 5 nisi is cuius per eamdem scripturam uita laudatur. Vacuus quippe dierum est qui, et quamlibet multum uixerit, aetatis suae tempora in uanitate consumit. At contra plenus dierum dicitur cui nequaquam dies sui pereundo transeunt, sed ex cotidiana mercede boni operis apud iustum iudicem et post- 10 quam transacti fuerint reseruantur.

46. a. Jn 14, 2 b. 1 Co 15, 41

Notre Père, en effet, en compagnie des hommes, attribue aussi aux femmes des droits de succession, parce qu'au milieu des forts et des parfaits, il admet les faibles et les humbles au partage de l'héritage céleste.

Voilà pourquoi la Vérité elle-même dit dans l'Évangile : *Il y a beaucoup de demeures dans la maison de mon Père*[a]. Oui, chez le Père, il y a beaucoup de demeures, parce que, dans cette vie de béatitude, chacun reçoit, selon ses mérites différents, une place différente, mais ne ressent pas cette différence comme un préjudice, parce que ce qu'il aura reçu lui suffit. Les sœurs accèdent donc, comme leurs frères, à l'héritage, parce que, là-haut, les faibles sont admis avec les forts, en sorte que si quelqu'un, à cause de son imperfection, n'est pas au sommet, il ne soit cependant pas exclu d'une part d'héritage pour la raison qu'il est faible. Ces demeures distribuées selon les mérites, Paul y fait bien allusion lorsqu'il dit : *Autre l'éclat du soleil, autre l'éclat de la lune, autre l'éclat des étoiles. Une étoile même diffère en éclat d'une étoile*[b]. Le texte poursuit :

XX, 47. ***Après son épreuve, Job vécut encore jusque l'âge de cent quarante ans ; et il vit ses fils et les fils de ses fils jusqu'à la quatrième génération. Puis il mourut chargé d'ans et plein de jours.*** Dans la sainte Écriture, on ne trouve pas facilement le terme « plein de jours », sinon pour celui dont la vie est louée par cette même Écriture. Car celui-là est vide de jours, même s'il a vécu longtemps, qui a consumé en pure perte le temps de son existence. Et, au contraire, on qualifie de « plein de jours » celui pour qui ces jours ne sont pas perdus quand ils passent, mais sont gardés devant le juste Juge en vue de la récompense chaque jour d'une bonne œuvre, même après qu'ils se sont écoulés.

42,16

48. Sed quia sunt qui haec etiam in typo sanctae Ecclesiae interpretari desiderent, quorum uotis tanto magis oboediendum est quanto et eorum spiritali intellegentiae congaudendum, si quattuordecim per denarium ducimus, 5 ad centesimum et quadragesimum numerum peruenimus. Et recte uita sanctae Ecclesiae permultiplicata decem et quattuor computatur, quia utrumque testamentum custodiens, et tam secundum legis decalogum, quam secundum quattuor euangelii libros uiuens, usque ad perfectionis culmen 10 extenditur. Vnde et Paulus apostolus quamuis epistolas quindecim scripserit, sancta tamen Ecclesia non amplius quam quattuordecim tenet, ut ex ipso epistolarum numero ostenderet quod doctor egregius legis et euangelii secreta rimasset. Bene autem beatus Iob post flagella uiuere dicitur, 15 quia et sancta Ecclesia prius disciplinae flagello percutitur, et postmodum uitae perfectione roboratur. Quae etiam filios suos et filios filiorum suorum usque ad quartam generationem conspicit, quia hac aetate quae annuis quattuor temporibus uoluitur, usque ad finem mundi per ora praedi- 20 cantium nascentes sibi cotidie soboles contemplatur. Nec abhorret a uero quod per generationes dicimus tempora designari. Quid enim unaquaeque successio, nisi quaedam propago est generis ? Et pincerna regis Aegypti cum uidisset somnium quod tres propagines duceret, Ioseph praeditus in 25 solutione somniorum, tres propagines, tres dies renuntiat designare [a]. Si ergo per tres propagines spatium trium dierum exprimitur, cur non etiam per quattuor generationes annua quattuor tempora figurentur ?

Sancta itaque Ecclesia uidet filios suos, cum primam fide- 30 lium sobolem conspicit. Videt filios filiorum, cum ab eisdem fidelibus ad fidem gigni et alios agnoscit. Quae etiam senex

48. a. Cf. Gn 40, 12

Perfection de l'Église

48. Mais comme certains désirent que ceci soit également interprété comme préfiguration de la sainte Église, – et il faut d'autant plus obéir à leurs souhaits que nous devons nous réjouir aussi de leur intelligence spirituelle –, si nous multiplions quatorze par dix, nous obtenons cent quarante. Et il est exact que la vie de la sainte Église se chiffre en multipliant dix plus quatre, parce que, gardant les deux Testaments et vivant tant selon le décalogue de la Loi que selon les quatre livres de l'Évangile, elle atteint le sommet de la perfection. C'est pourquoi, bien que l'apôtre Paul ait écrit quinze lettres, la sainte Église cependant n'en retient pas plus de quatorze, pour montrer, par le nombre même de ses lettres, que cet excellent docteur avait pénétré les mystères de la Loi et de l'Évangile. Mais il est bien dit que le bienheureux Job a vécu après ses épreuves, parce que la sainte Église est frappée d'abord par une dure discipline, et ensuite affermie par la perfection de sa vie. Elle voit, de plus, ses fils et les fils de ses fils jusqu'à la quatrième génération, parce que, durant ce temps qui se déroule sur les quatre saisons de l'année, elle contemple, jusqu'à la fin du monde, la descendance qui lui naît chaque jour par la bouche des prédicateurs. Et ce n'est pas s'écarter de la vérité de dire que les générations désignent les époques. Qu'est-ce, en effet, que chaque période successive, sinon une propagation du genre humain ? Ainsi, lorsque l'échanson du roi d'Égypte eut vu en songe qu'il tenait trois ceps de vigne, Joseph, doué de l'interprétation des songes, lui explique que les trois ceps signifient trois jours[a]. Si donc la durée de trois jours est désignée par trois ceps, pourquoi donc quatre générations ne pourraient-elles être représentées par les quatre saisons de l'année ?

Ainsi la sainte Église voit ses fils lorsqu'elle regarde la première génération de ses fidèles. Elle voit les fils de ses fils lorsqu'elle considère que, par ces mêmes fidèles, d'autres ont été aussi engendrés à la foi. Et elle meurt aussi chargée d'ans

et plena dierum moritur, quia, subsequente luce ex mercede cotidianorum operum, deposito corruptionis pondere, ad incorruptionem spiritalis patriae mutatur. Plena uidelicet
35 dierum moritur cui labentes anni non transeunt, sed stantium actuum retributione solidantur. Plena dierum moritur quae per haec transeuntia tempora id quod non transit operatur. Vnde apostolis dicitur : *Operamini non cibum qui perit, sed qui permanet in uitam aeternam*[b]. Dies itaque suos
40 sancta Ecclesia, etiam cum praesentem uitam deserit, non amittit, quia in electis suis tanto eorum lucem multiplicius inuenit, quanto nunc in eis ab omni temptatione se cautius sollicitiusque custodit. Dies suos Ecclesia non amittit, quia sese in hac uita cotidie uigilanter pensare non neglegit, et ad
45 omnia quae recte facere ualet inertia nulla torpescit. Hinc est enim quod de illa per Salomonem dicitur : *Considerat semitas domus suae, panem otiosa non comedit*[c]. Semitas quippe domus suae considerat, quia cunctas suae conscientiae cogitationes subtiliter inuestigat. Panemque otiosa non comedit, quia hoc
50 quod de sacro eloquio intellegendo perceperit, ante aeterni iudicis oculos exhibendo operibus ostendit. Mori autem dicitur, quia cum illam aeternitatis contemplatio absorbuerit, ab hac mutabilitatis suae uicissitudine funditus exstinguit, ut in ea iam hoc quod acumen intimae uisionis impediat ullo
55 modo nihil uiuat. Tanto enim tunc uerius interna conspicit, quanto cunctis exterioribus plenius occumbit.

Hanc itaque mortem, hanc dierum plenitudinem, et in beato Iob, uno id est membro Ecclesiae, credamus factam, et in tota simul Ecclesia speremus esse faciendam, quatenus

48. b. Jn 6, 27 c. Pr 31, 27.

et pleine de jours, parce que, la lumière venant en récompense de ses œuvres quotidiennes, ayant laissé derrière elle le poids de la corruption, elle accède à l'incorruption de la patrie spirituelle. Assurément, elle meurt pleine de jours, elle pour qui les années qui s'écoulent ne passent pas, mais sont affermies par la récompense d'actions durables. Elle meurt pleine de jours, elle qui, au cours de ces époques qui passent, accomplit ce qui ne passe pas. Aussi est-il dit aux apôtres : *Travaillez non pour la nourriture périssable, mais pour celle qui demeure en vie éternelle*[b]. C'est pourquoi la sainte Église ne perd pas ses jours, même quand elle quitte la vie présente, parce qu'en ses élus, elle découvre une lumière douée d'autant plus de reflets que, sur terre, elle se garde en eux, avec plus de soin et de sollicitude, de toute tentation. Non, l'Église ne perd pas ses jours, parce qu'elle ne néglige pas, en cette vie, de se soumettre à un examen quotidien avec vigilance et qu'aucune indolence ne la retient de bien faire tout ce qui lui est possible. Aussi Salomon peut-il dire, en parlant d'elle : *Elle surveille le va-et-vient de sa maisonnée, elle ne mange pas son pain dans l'oisiveté*[c]. Elle surveille le va-et-vient de sa maisonnée, parce qu'elle scrute avec précision toutes les pensées de sa conscience. Elle ne mange pas son pain dans l'oisiveté, parce que ce qu'elle aura perçu par l'intelligence de la parole sacrée, elle le montre par ses œuvres, le présentant aux regards du Juge éternel. On dit qu'elle meurt, parce que, lorsque la contemplation de l'éternité l'aura absorbée, elle la fait entièrement mourir à toute vicissitude de la durée, en sorte que ce qui, en elle, pourrait gêner l'acuité du regard intérieur ne puisse nullement subsister en aucune manière. Elle contemple alors avec d'autant plus de vérité les réalités intérieures, qu'elle meurt plus complètement à tout ce qui est extérieur.

C'est pourquoi cette mort, cette plénitude de jours, croyons-la accomplie chez le bienheureux Job, c'est-à-dire en un seul membre de l'Église, et espérons qu'elle aura lieu pour

60 ita teneatur rei gestae ueritas, ut non euacuetur rei gerendae prophetia. Bona enim quae de sanctorum uita cognoscimus, si ueritate carent, nulla sunt; si mysterium non habent, minima. Quae ergo per Spiritum sanctum bonorum uita describitur, et per intellectum nobis spiritalem fulgeat, et tamen 65 sensus a fide historiae non recedat, quatenus tanto fixior animus in suo intellectu permaneat, quanto hunc quasi in quodam medio constitutum, et erga futura spes, et erga praeterita fides ligat.

49. Expleto itaque hoc opere, ad me mihi uideo esse redeundum. Multum quippe mens nostra etiam cum recte loqui conatur, extra semetipsam spargitur. Integritatem namque animi, dum cogitantur uerba qualiter proferantur, quia 5 eum trahunt extrinsecus, minuunt. Igitur a publico locutionis redeundum est ad curiam cordis, ut quasi in quodam concilio consultationis ad meipsum discernendum conuocem cogitationes mentis, quatenus ibi uideam ne aut incaute mala, aut bona non bene dixerim. Tunc enim bene dicitur 10 bonum, cum is qui dicit, soli ei a quo accepit per id appetit placere quod dicit. Et quidem mala me aliqua etsi dixisse non inuenio, tamen quia omnino non dixerim, non defendo. Bona uero si qua diuinitus accipiens dixi, meo uidelicet uitio minus me bene dixisse profiteor.

15 Nam ad me intrinsecus rediens, postpositis uerborum foliis, postpositis sententiarum ramis, dum ipsam subtiliter radicem meae intentionis inspicio, Deo quidem ex ea me summopere placere uoluisse cognosco; sed eidem intentioni qua Deo placere studeo, furtim se, nescio quomodo intentio

toute l'Église simultanément, afin que la réalité de l'événement accompli soit retenue sans évacuer la prophétie de l'événement futur. Le bien que nous connaissons dans la vie des saints n'a aucune valeur s'il est sans vérité, et est peu de chose s'il ne contient un mystère. Que ce qui est décrit par l'Esprit saint comme la vie des justes nous illumine par l'intelligence spirituelle, et cependant, que notre esprit ne s'écarte pas de la vérité historique, afin que l'âme demeure d'autant plus fermement dans son intelligence qu'attachée et par l'espérance quant au futur et par la foi quant au passé elle se tient pour ainsi dire dans un juste milieu.

Plaire à Dieu seul

49. Cet ouvrage achevé, il me semble à propos de revenir à moi. Notre esprit, en effet, alors même qu'il cherche à parler avec rectitude, se disperse à l'extérieur de lui-même. Oui, tandis qu'il cherche par quels mots s'exprimer, parce qu'ils l'entraînent au dehors, ils portent atteinte à l'intégrité de l'esprit. Il me faut donc revenir de l'agora de la parole à la curie du cœur ; là, je convoquerai pour me juger, comme en un conseil délibératif, les pensées de mon esprit, afin de voir si je n'aurais pas inconsidérément mal parlé, ou dit de bonnes choses, mais pas d'une bonne manière. Car on ne peut bien parler du bien qu'à la condition de chercher à plaire à celui-là seul dont on a reçu la grâce de le faire. Et même si je ne trouve pas que j'ai mal parlé, cependant je ne puis prétendre que je n'ai rien dit de mal. Quant aux bonnes choses, si, sous l'inspiration divine, j'ai pu en dire, je confesse que c'est moi qui suis en tort si je les ai dites moins bien qu'il n'aurait fallu.

Oui, lorsque je rentre en moi-même, ayant délaissé les feuilles des mots, ayant délaissé les branches des phrases, et que j'examine attentivement la racine de mes intentions, j'ai conscience d'avoir cherché avant tout à plaire à Dieu ; mais, dans cette même intention par laquelle je m'appliquais à plaire à Dieu, subrepticement, je ne sais trop comment, se

20 humanae laudis interserit. Quod cum iam postmodum tardeque discerno, inuenio me aliter agere quod scio me aliter inchoasse. Sic enim saepe intentionem nostram, dum ante Dei oculos recte incipitur, occulte subiuncta, et eam uelut in itinere comprehendens, intentio humanae laudis assequi-
25 tur, sicut pro necessitate quidem cibus sumitur, sed in ipso esu, dum furtim gula subripit, edendi delectatio permiscetur. Vnde plerumque contingit ut refectionem corporis, quam salutis causa coepimus, causa uoluptatis expleamus. Fatendum est igitur quod rectam quidem intentionem nostram, quae
30 soli Deo placere appetit, nonnumquam intentio minus recta, quae de donis Dei placere hominibus quaerit, insidiando comitatur. Si autem de his diuinitus districte discutimur, quis inter ista remanet salutis locus, quando et mala nostra pura mala sunt, et bona quae nos habere credimus pura bona esse
35 nequaquam possunt ?

Sed hoc mihi operae pretium credo, quod fraternis auribus omne quod in me latenter ipse reprehendo, incunctanter aperio. Quia enim exponendo, non celaui quod sensi, confitendo non abscondo quod patior. Per expositionem patefeci dona,
40 per confessionem detego uulnera. Et quia in hoc tam magno humano genere, nec parui desunt qui dictis meis debeant instrui ; nec magni desunt qui cognitae meae ualeant infirmitati misereri, per haec utraque aliis fratribus quantum possum curam confero, ab aliis spero. Illis dixi exponendo
45 quod faciant, istis aperio confitendo quod parcant. Illis uerborum medicamenta non subtraho, istis lacerationem

1. Désir de « plaire à Dieu seul » comme dans *Dial.* II, *Prol.* 1 (Benoît) et *Hom. Eu.* 11, 1. Cf. *In I Reg.* 1, 26.

sera inséré un désir de gloire humaine. Et lorsqu'ensuite et tardivement je m'en aperçois, je découvre que j'agis autrement que je sais avoir commencé. Ainsi, en effet, souvent, alors que nous entreprenons quelque chose avec droiture sous le regard de Dieu, notre intention est captée en secret, et, la saisissant au passage, le désir de gloire humaine parvient à l'atteindre ; de même, lorsque l'on prend de la nourriture par nécessité, mais que, dans l'acte de manger, la gourmandise arrive à la dérobée, le plaisir de manger se trouve mêlé à la nécessité. Il arrive ainsi bien souvent que nous achevions pour notre plaisir le repas commencé pour notre santé. Nous sommes donc obligés d'avouer que notre intention droite qui cherche à plaire à Dieu seul [1], est parfois accompagnée insidieusement d'une intention moins droite qui cherche à plaire aux hommes, grâce aux dons de Dieu. Et si nous subissions là-dessus, de la part de Dieu, un jugement rigoureux, quelle chance de salut nous resterait-il entre ces deux alternatives, alors que le mal que nous faisons est un mal pur, et que le bien que nous croyons faire ne peut jamais être du bien pur ?

Mais je pense qu'il vaut la peine que je découvre sans hésiter à vos oreilles fraternelles ce que je me reproche secrètement à moi-même. Et si, dans mon exposé, je n'ai pas caché ce que je pensais, ainsi, dans ces aveux, je ne dissimulerai pas ce dont je souffre. Par mon commentaire, j'ai mis en lumière certains dons ; par ma confession, je dévoile mes blessures. Et, puisque, dans ce genre humain si considérable, ne manquent ni les petits qui devraient être instruits par mes paroles, ni les grands qui pourraient avoir pitié de ma faiblesse s'ils la connaissaient, par ces deux moyens, j'offre à certains de mes frères ma sollicitude autant que je le puis, et je l'espère des autres à mon égard. Aux uns, j'ai dit, dans mon commentaire, ce qu'ils ont à faire, aux autres, je dévoile, en m'accusant, ce qu'ils ont à me pardonner. Les premiers, je ne les prive pas du remède des paroles, aux seconds, je ne dissimule pas les plaies

uulnerum non abscondo. Igitur quaeso ut quisquis haec legerit, apud districtum iudicem solatium mihi suae orationis impendat, et omne quod in me sordidum deprehendit fle-
50 tibus diluat. Orationis autem atque expositionis uirtute collata, lector meus in recompensatione me superat, si cum per me uerba accipit, pro me lacrimas reddit.

de mes blessures. C'est pourquoi, de grâce, quiconque aura lu ceci, qu'il m'accorde le secours de sa prière devant le Juge sévère et lave dans les larmes tout ce qu'il a découvert en moi de sordide. Si l'on compare, en effet, la valeur respective de la prière et du commentaire, mon lecteur l'emporte sur moi si, pour s'acquitter des paroles qu'il a reçues de moi, ce sont des larmes qu'en échange il répand pour moi.

INDEX DES CITATIONS SCRIPTURAIRES

La référence au texte de Grégoire est donnée par le n° du livre, suivi du n° de paragraphe, puis de l'appel de note. Il n'est pas fait mention des versets commentés du *Livre de Job*.

L'astérisque* placé après la référence signale une allusion.

ANCIEN TESTAMENT

NOUVEAU TESTAMENT

Matthieu

Marc

TABLE DES MATIÈRES

SOURCES CHRÉTIENNES

Dans la liste qui suit, dite « liste alphabétique », tous les ouvrages sont rangés par noms d'auteurs anciens et titres d'ouvrages anonymes, les numéros précisant pour chacun l'ordre de parution depuis le début de la collection.
Pour une information plus complète, une « liste numérique » est téléchargeable sur le site Internet, à l'adresse suivante : www.sources-chretiennes.mom.fr. Elle présente les volumes et leurs auteurs actuels d'après les dates de publication ; elle indique également les réimpressions et les ouvrages momentanément épuisés ou dont la réédition est préparée.
On peut se la procurer aussi au secrétariat de l'Institut des « Sources chrétiennes », 22 rue Sala, F-69002 Lyon (Tél. : 0472777350 et Courriel : sources.chretiennes@mom.fr).

LISTE ALPHABÉTIQUE (1-539)

Actes de la Conférence de Carthage : *194*, *195*, *224* et *373*

Adam de Perseigne
Lettres, I : *66*

Aelred de Rievaulx
Quand Jésus eut douze ans : *60*
La Vie de recluse : *76*

Ambroise de Milan
Apologie de David : *239*
Des mystères : *25 bis*
Des sacrements : *25 bis*
Explication du Symbole : *25 bis*
Jacob et la Vie heureuse : *534*
La Pénitence : *179*
Sur S. Luc : *45* et *52*

Ambrosiaster
Contre les païens : *512*
Sur le destin : *512*

Amédée de Lausanne
Huit homélies mariales : *72*

Anselme de Cantorbéry
Pourquoi Dieu s'est fait homme : *91*

Anselme de Havelberg
Dialogues, I : *118*

Aphraate le Sage persan
Exposés : *349* et *359*

Apocalypse de Baruch : *144* et *145*

Apophtegmes des Pères, I : *387*
– II : *474*
– III : *498*

Apponius
Commentaire sur le Cantique des Cantiques, I-III : *420*
– IV-VIII : *421*
– IX-XII : *430*

Aristée
Lettre à Philocrate : *89*

Aristide
Apologie : *470*

Athanase d'Alexandrie
Deux apologies : *56 bis*
Discours contre les païens : *18 bis*
Voir « Histoire acéphale » : *317*
Lettres à Sérapion : *15*
Sur l'incarnation du Verbe : *199*
Vie d'Antoine : *400*

Athénagore
Supplique au sujet des chrétiens : *379*
Sur la résurrection des morts : *379*

Augustin
Commentaire de la Première Épître de S. Jean : *75*
Sermons pour la Pâque : *116*

Avit de Vienne
Histoire spirituelle, I-III : *444*
– IV-V : *492*

SOUS PRESSE

CLÉMENT D'ALEXANDRIE, **Quel riche sera sauvé ?** Patrick Descourtieux, C. Nardi.

JEAN DAMASCÈNE, **La Foi orthodoxe**. Tome II. P. Ledrux.

PROCHAINES PUBLICATIONS

AVIT DE VIENNE, **Histoire spirituelle,** Chant VI. TOME III. N. Hecquet-Noti.

ÉVAGRE LE SCHOLASTIQUE, **Histoire ecclésiastique**, Livres I-III. Tome I. L. Angliviel de la Beaumelle, B. Grillet, G. Sabbah.

GUILLAUME MONACHI, **Contre Henri Schismatique**. M. Zerner.

JEAN DE BOLNISI, **Homélies**. S. Verhelst.

JEAN CHRYSOSTOME, **Homélies sur l'impuissance du Diable**, A. Peleanu

GUILLAUME DE SAINT THIERRY, **Exposé sur l'Epître aux Romains,** A. Baudelet, P. Verdeyen.

Cet ouvrage
a été achevé d'imprimer
en novembre 2010
par l'Imprimerie Floch
53100 — Mayenne

Dépôt légal : novembre 2010
N° d'imprimeur : 77924
N° d'éditeur : 15251